Y DIWEDD

I Ant Evans, dyn da o Harlech,
nawr o Gaernarfon, gyda diolch am bob
cymwynas wrth sgrifennu'r nofel hon.

JON GOWER

Y DIWEDD

Argraffiad cyntaf: 2022
© Hawlfraint Jon Gower a'r Lolfa Cyf., 2022

Rhif Llyfr Rhyngwladol: 978 1 80099 208 5

Dymuna'r cyhoeddwyr gydnabod cymorth ariannol
Cyngor Llyfrau Cymru

Cyhoeddwyd ac argraffwyd yng Nghymru
ar bapur o goedwigoedd cynaliadwy gan
Y Lolfa Cyf., Talybont, Ceredigion SY24 5HE
e-bost ylolfa@ylolfa.com
gwefan www.ylolfa.com
ffôn 01970 832 304
ffacs 01970 832 782

'O fel y syrthaist o'r nefoedd, ti, seren ddydd, fab y wawr!
Fe'th dorrwyd i'r llawr, ti, a fu'n llorio'r cenhedloedd.'

(Llyfr Eseia 14:12)

RHAN UN
NEMESIS

O'i gell glyd
i fyd creulon

Mae'r cais yn dod yn ôl y disgwyl – amser symud carcharor Rhif 322 o'i gell a'i symud i lawr i Sector 18, er mwyn iddo gasglu ei stwff a newid ei ddillad. I adael. Beth sydd ganddo yno? Yn ei focs o gell? Dau boster: un o borthladd yng Nghernyw sy'n meddwl dim iddo, ond mae e wedi dod i hoffi'r lliwiau, ac un o Leeds United yn eu hoes aur dan Don Revie. Terry Yorath. Billy Bremner. Allan Clarke. Mae hwn wedi bod yn ei feddiant am ddegawdau ond mae'n ei adael e yno fel anrheg i groesawu'r ymwelydd nesaf i'r bocs bach clyd. Cartref cysurus 23 awr y diwrnod. Yn byw'n dwt fel titw mewn nyth. Gwely. Cadair. Pot pisho. Sawr sur y dynion eraill yn codi'n darth yn y bore.

Dyw Skelly ddim yn cofio beth sydd yn y bocs sy'n cynnwys ei eiddo oherwydd ei fod wedi bod yn pydru yn y twll ffycin drewllyd o le yma mor hir nes iddo bron anghofio ei enw. Edrycha ar y crys-T llwyd a'r oferôls a'r treinyrs glas llachar, gan gwestiynu'r ffaith eu bod yn perthyn iddo. Mor bell yn ôl. Mae popeth yn teimlo mor bell yn ôl. Nid dyna beth oedd yn ei wisgo pan gafodd ei ddedfrydu, siŵr Dduw? Cyn iddo gael ei ddanfon i'r pydew ddiawl yma i bydru mas o olwg pawb. Mas o olwg y byd. Allai ddim fod wedi mynd gerbron ei well heb wisgo tei fel mae pobl yn ei wneud yn y ffilms? Ymddangos yn y llys, mewn oferôls?

Ond all e ddim cofio'r manylion, na beth roedd yn ei wisgo ar ei ddiwrnod olaf fel dyn rhydd, er ei fod yn cofio wyneb y barnwr a chofio ei enw, oherwydd mae hwnnw wedi serio yn y cof, fel tase ei gof yn rhywbeth wedi ei wneud o fetel a bod rhywun wedi cymryd peiriant weldio oxy-acetylene a llosgi bob llythyren yn ddwfn i mewn iddo. M.R. R.O.L.A.N.D. A.N.D.R.E.W.S. Ie, dyna pwy wnaeth ei hala fe lawr, i ddiflannu am yr holl flynyddoedd hir. Enw sy'n blasu fel wermod ar ei dafod, sy'n gwneud i'w bwysau gwaed godi'n uwch ac yn uwch nes bygwth chwythu twll yn ei graniwm a ffrwydro'n gawod sgarlad. Ond enw sy'n rhy hir ar gyfer y tatŵ ar ei fysedd, felly mae e wedi cwtogi. D.E.A.D.R.O.L.A.N.D. Mae'n hoffi codi paned oherwydd y llythrennau hyn.

Ond dyna chi beth da, ontife? Bod carcharor yn cael cyfleoedd i ddysgu pethau newydd, i ddatblygu sgiliau newydd a'i baratoi ar gyfer bywyd ar y tu fas, a'i fod e, Skelly, wedi canolbwyntio ar ddefnyddio cyfrifiaduron, a chael defnyddio'r we am hanner awr bob wythnos dim ond iddo addo – addo! – osgoi'r holl bethau roedd y carcharorion eraill yn dymuno eu gweld, fel porn a mwy o born, a thrwy hyn roedd e nid yn unig wedi llwyddo i ddod o hyd i hanes y barnwr ond hyd yn oed weld lluniau ohono fe a'i deulu yn mynd ar eu gwyliau i Athen, Istanbwl, Jerwsalem a Seville, ac yn mwynhau diwrnod graddio ei fab oedd wedi cael gradd dda, yn ddigon eironig, yn y gyfraith yn Aberystwyth. Ond hefyd enillodd Skelly y jacpot, drwy gael gafael ar restr etholwyr yn y pentref bach posh lle roedd Roland Andrews, a.k.a. y-boi-sydd-yn-mynd-i-farw-yn-y-ffordd-fwyaf-poenus yn byw, mas yn y Fro rhywle, ynghanol porfeydd gleision Bro Morgannwg.

Tresimwn. Lle roedd tai yn costio miliwn a mwy. Gerddi mawr. Rhosod. Perllannau yn llawn coed arthritig. Ac roedd y lle hwn wedi serio yn y cof hefyd, llosgi'n ddwfn yno ac roedd Googlemaps wedi dangos lluniau iddo o flaen y tŷ, White Acres, a hefyd y ffenest lle byddai Skelly'n sleifio i mewn un noson. Gyda chyllell Stanley yn ei oferôls gwaith – oherwydd man a man eu gwisgo nhw, bron yn ddefodol, oherwydd roedd gan yr oferôls wynt y carchar yn ei ffibrau, wedi gorwedd yn hir iawn yn y bocs cardbord mae'n rhoi'n ôl i'r sgriw, sydd yn gwenu'n ffals arno, wrth iddo wagio'i eiddo cyn arwyddo ffurflen i ddweud ei fod wedi derbyn pob peth.

*

Mae'r bocs sydd wedi ei labeli 322 yn cynnwys oriawr Rolex ffug gafodd ei dwyn flynyddoedd maith yn ôl, waled â'r lledr wedi crino ac yn cynnwys arian papur gwerth £87 – er nad yw'n werth dim byd bellach oherwydd mae arian newydd wedi cymryd ei le – ynghyd â thrwydded yrru, llond dwrn o arian parod ac un ffotograff. Gofynnwyd iddo droeon pwy oedd yn y llun ac atebai bob tro taw ei frawd oedd e, ar ei wyliau yn Dawlish Warren, 'sydd yn Nyfnaint, cyn bo' chi'n gofyn' byddai'n ychwanegu, ond y gwir yw nad oedd ganddo frawd.

Y dyn yn y llun oedd Thomas Thomas, y plisman oedd wedi ei ddal, a fe oedd yn mynd i'w chael hi waethaf, o ie. Tamaid i aros pryd fyddai'r barnwr Roland Andrews yn ei dŷ crand – y llofruddiaeth mewn gwaed oer, efallai o flaen ei deulu, efallai byddai'n aros nes bod y mab a'r ferch yn ôl yno ar gyfer rhyw achlysur – pen-blwydd neu'r Pasg – a gwneud y gwneud bryd hynny. Ond wedyn byddai'n mynd am y *pièce de resistance*, sef

lladd Thomas Thomas, neu Tom Tom fel mae ei ffrindiau yn ei
alw. Gofynnodd i'r dyn y tu ôl i'r cownter am amlen ar gyfer y
ffotograff, cyn ei osod yn dyner ym mhoced flaen ei oferôls.

Nid yw wedi dweud ffarwél wrth ei gyd-garcharor, Luke
Bayliss, yn y gell, er eu bod wedi rhannu'r gofod clawstroffobig
gyda'i gilydd am yn agos at ddwy flynedd ond mae e wedi
gadael anrheg iddo. Anrheg lyfli heb ei lapio. Mae'r gwenwyn
yn y botel Coke sydd ar y bwrdd bach wrth ymyl gwely Skelly
yn un sy'n ffugio symptomau rhyw glefyd na all fyth gofio
ei enw'n iawn, ond mae rhywun yn medru marw'n dawel yn
ei gwsg oherwydd diffyg ocsigen. Sut mae dyn yn dod o hyd
i wenwyn mewn carchar? Am gwestiwn naïf. Gallwch gael
gafael ar unrhyw beth os oes gyda chi'r cysylltiadau cywir,
neu'r arian, neu gyfuniad braf o'r ddau.

Rhyw fath o siop yw carchar, meddylia wrtho'i hunan wrth
gamu'r drwy'r drws bach ynghanol y drysau mawr pren. Wrth
gamu allan mae'r heulwen yn ei ddallu a'r byd yn chwyddo
fel un o hen ffilmiau Cinemascope, yn llenwi gyda lliw a
phrysurdeb. Mae'r ffotograff yn ddiogel yn ei boced, yr angen
i ddial yn chwistrellu'n sicr ac yn gyflym drwy ei wythiennau,
ynghyd â'i waed oer sydd fel petai'n llifo o'r Arctig.

Rhyddid! Golau llachar yn cwympo arno fel glaw. Diod
bach yn gyntaf, stowt efallai ac yna un arall, cyn dechrau
cynllunio'n fanwl. Wedi'r cwbl ni fydd yn waith hawdd lladd
ffigwr cyhoeddus ac yna cadw'i ryddid er mwyn llofruddio
plisman. Ie, cynllunio manwl, a'r ffordd orau i wneud hynny
fydd dros beint oer o Guinness. Os ydy'r tafarnau mae'n eu
cofio yn dal i fod yn sefyll. Nid bod unrhyw un yn mynd i'w
gofio fel cwsmer yno oherwydd doedd e ddim yn un i siarad
â neb. Cadw'i hunan iddo'i hunan, yn broffesiynol yn hynny
o beth. Yn dawel fel mynach. Ac mae e wedi bod i ffwrdd ers

amser hir. Yn stiwio yn ei ddicter. Yn berwi gyda dial. Yn ysu am gael bod yn rhydd unwaith eto er mwyn talu'r pwyth yn ôl. Gwawriodd y dydd. Roedd yn rhydd. Amser dechrau o ddifri ar y gwaith dieflig: ei bwrpas nawr oedd talu sawl, sawl pwyth yn ôl.

*

Dihunodd Skelly gyda chorff cynnes ei hen gariad Trish wrth ei ymyl, er na all gofio sut yn union bu iddynt gwrdd, na chwaith beth oedd wedi digwydd y noson gynt, dim ond brith gof o resi o *tequila shots* yn ystod ymweliad â chlinig yfed oedd yn debyg i'r Rocking Chair, ond bod y bobl yn nofio o gwmpas fel petaen nhw mewn acwariwm. Gwyddai ei fod yn hollol chwil i fod fel hynny – y teimlad ei fod dan ddŵr, yn nofio mewn lagŵn o goctels. Cofiai'r tro diwethaf iddo deimlo felly, sef y noson gafodd ei ddal a'r rheswm yr aeth i garchar. Fel y dywedodd un hen lag wrtho, nid doeth yw dwyn ar y lysh. Nid y dwyn oedd y broblem ond y gyrru i ffwrdd ar ôl llwyddo i gymryd llond cist o drysorau o dŷ dwy hen glygen oedd wedi ildio heb yngan gair, ac wedi dangos nid un na dau ond tri man cuddio ar hyd y tŷ.

Ond pan gymerodd allweddi ei Volvo ar gyfer y getawê gwyddai bod y fodcas a lyncodd cyn y lladrad yn effeithio ar ei allu i yrru, heb sôn am y dunnell o adrenalin oedd yn cwrso o gwmpas ei wythiennau. Ac ar y ffordd adref dyma Skelly yn bwrw tro yn yr hewl, gan daflu'r car i'r awyr fel rhywbeth allan o ffilm, yn troi drosodd ddwywaith cyn glanio ar y to a'i adael yntau'n anymwybodol nes i'r moch gyrraedd, gan ddiolch i'r duw sy'n edrych ar ôl plismyn ei fod wedi anfon aberth syml iddynt, bron fel petai wedi ei lapio mewn rhuban mawr pinc o gwmpas y car. Dyna lle gorweddai'r lleidr yng nghanol llwyth o dystiolaeth, a'r gemau'n fflachio'n las wrth adlewyrchu'r goleuadau lu.

Edrychai llygad Trish arno'n codi o'r gwely, ac roedd 'na rywbeth intimet iawn ynglŷn â gweld llygad gwydr ei gariad yn eistedd ar waelod llestr bas llawn dŵr er bod 'na stori anffodus yn gysylltiedig hefyd. Oherwydd un noson cafodd y ddau gweryl a allai fod wedi arwain at gorff celain ar lawr, ac yntau'n sefyll yno gyda'r llygad ar gledr ei law a Trish yn gweiddi ar dop ei llais gan fygwth taranau o felltithion os digwyddai unrhyw beth i'r llygad gwydr, a'r llygad go iawn yn sgleinio gan ddicter. Wedyn roedd Skelly a Trish yn unfryd bod rhaid i bethau newid ar ôl iddo godi'r llygad i'w wefus a sgrechian Trish yn gwbl fyddarol wrth iddi edrych ar ei chariad yn llyncu'r blydi peth ac yna'n llyfu ei wefusau, gyda'r math o olwg ar ei wyneb sydd gan ddyn newydd lyncu wystrysen nid llygad.

Roedd y syndod ar ei hwyneb, y syndod ei fod wedi cyflawni'r weithred fwyaf hurt, mewn oes o weithredoedd hurt, yn ddigon i wneud i Trish chwerthin yn un rhaeadr wyllt er bod ganddi ogof fechan lle dylai'r llygad eistedd yn dwt. Ond wedi'r chwerthin dyma drafod beth oedd angen ei wneud i ddod o hyd i'r llygad maes o law, a bu'n rhaid chwerthin drachefn wrth i Skelly addo y byddai'n chwilio amdano yn ei ddom.

'Waddayew lookin at, Skells?' gofynnodd Trish, wrth iddi ddihuno'n gysglyd. Llwyddodd i wenu'n sydyn cyn gludo ffag i'w gwefus isaf.

Gofynnodd Skelly iddi ddatrys dirgelwch y noson gynt ac roedd ganddi ychydig mwy o gof o ddechrau'r noson er bod y gweddill wedi diflannu braidd, gan adael y ddau'n crafu eu pennau.

Edrychodd Skelly ar flerwch yr ystafell fel petai'n gwneud hynny am y tro olaf. Doedd e ddim yn cofio oedd e wedi esbonio na fyddai'n dychwelyd ar ddiwedd y dydd oherwydd roedd ei feddwl yn set ar fynd i'r Fro i ddial, ac er mwyn gwneud hynny byddai'n rhaid iddo ymweld â Mr Egg oedd wedi bod yn gwylio'r barnwr a'i deulu am bythefnos, yn cadw nodiadau ar y mynd a'r dod, a fyddai'n help mawr i Skelly wrtho iddo chwythu'r aelwyd glyd, foethus yn gyrbibion mân. Trefnodd i gwrdd ag e yn y Black and White Café, lle gallai'r ddau fwynhau pryd bwyd oedd yn addo digon o golesterol i achosi thrombosis terfynol cyn bod y tost yn cyrraedd.

Roedd Mr Egg wedi colli llwyth o bwysau, gan esbonio ei fod wedi cael llawdriniaeth am gancr rhyw ddwy flynedd ar ôl i Skelly fynd i'r clinc, ond tanlinellodd ei fod yn gwneud ei orau glas i fagu pwysau ac y byddai'r Mega Brek Extra yn help mawr iddo wneud hynny.

'This 'ouse I've been watchin over, it's the judge, innit? The one who threw away the key and left you to rot.'

'Genius, Mr Egg. You should be a detective. Yeah, that's the one.'

''Ope you're not going to do anything foolish, like.'

Lledaenodd gwên ddirmygus ar draws wyneb Skelly wrth iddo ystumio cwestiwn, yn gofyn heb eiriau os oedd gan Mr Egg unrhyw beth iddo. Sleifiodd Mr Egg fag plastig o Lidl dan y bwrdd oedd yn cynnwys parsel bach trwm. Yfodd Skelly dri chwarter peint o de cryf mewn un llwnc gorfoleddus. Roedd yn ddigon o ddyn cyn derbyn y bag plastig ond nawr roedd yn hanner duw. Gyda gwn yn ei feddiant allai neb ei stopio. Ffarweliodd â Mr Egg heb yngan gair a'i heglu hi i B&Q er mwyn gwneud y siopa angenrheidiol. Yna aeth i weld ei fab.

Gwyddai Skelly fod ei fab yn foi od oherwydd roedd cyfres

o seiciatryddion wedi dweud hynny wrtho pan oedd y crwt yn yr ysgol, ac roedd tystiolaeth amlwg o hyn yn y caets ar y bwrdd yn ei fflat yn Heol Albany. Tu fewn i'r caets roedd tri aderyn bach, llai nag aderyn y to ond bod y rhain yn ddu bitsh. Nid bod unrhyw beth yn bod ar gadw adar bach duon. Ond nid lliw naturiol mohono, gan fod mab Skelly wedi eu peintio'n ddu gan ddefnyddio paent oedd mor drwchus fel nad oedd yr adar yn medru hedfan, dim ond hopio'n bathetig ar lawr y gawell yn pigo ar eu bwyd. Ond roedd ei fab wedi rhoi gwên fawr iddo oedd yn werth y byd ac yn ddigon iddo anghofio'r holl amser a gollwyd yn eu perthynas.

Cynigiodd fwyd iddo yn y McDonalds gerllaw a derbyniodd y crwt gydag awch. Nid bod y crwt yn grwt ddim mwy. Tyfodd i fod yn ddyn, er yn ddyn rhyfedd. Profodd hynny ymhellach drwy fwyta'r unig beth llysieuol oedd ar y fwydlen. Ambell waith gofynnai iddo'i hun ai e oedd tad y boi, ond gallai weld y cysylltiad yn ei lygaid – pâr o lygaid oedd nid yn unig yn pefrio ond yn medru tyrchu i grombil dyn gydag un edrychiad hir.

Rhaid oedd iddo ofyn.

'Shwt mae'r Vegan Combo?'

'O, ti'n gwbod. Dim digon o gig...'

Efallai ei fod e'n od ond roedd e'n gwd boi, meddyliodd Skelly wrth edrych ar ei fab yn bwyta'r rwtsh, y math o fwyd y gallech fwyta heb ddannedd.

Rhestr siopa hir

W RTH SEFYLL WRTH y til roedd gan Skelly ddau gwestiwn yn ei ben. Yn gyntaf, oedd y papurau ugain punt ffug yn ddigon da i basio prawf y golau uwchfioled? Mynnodd Craggs oedd wedi gwerthu gwerth mil o bunnoedd o bapurau ffug iddo eu bod nhw wedi'u sganio'n glir yn rhai o'r archfarchnadoedd mawrion yn barod, gan ychwanegu fel jôc ei bod yn wir bellach bod arian yn tyfu ar goed. Tu ôl i Craggs safai rhes o goed Nadolig plastig lle hongiai stribedi o bapurau newydd eu printio yn sychu yn yr heulwen gwan drwy'r ffenest yn y to. Gan nad oedd Craggs erioed wedi cael ei ddal roedd rheswm i gredu y byddai'r papurau ffres yn gweithio'n iawn.

Dylai Craggs fyw mewn tŷ mawr yn Llys-faen neu rywle, yn hytrach na fflat ddi-nod ger Parc Ninian ond mae'n debyg ei fod yn cynhyrchu'r hyn roedd ei angen arno, heb fod yn drachwantus. Dyna, yn anad dim, oedd y gyfrinach. Dyn gyda dawn i wneud arian papur er gwaetha'r holl ddiogelwch oedd yn ceisio rhwystro maestro fel fe rhag gwneud hynny. Dyn talentog, ond nid Banc Lloegr. Printio beth oedd ei angen, dim mwy, dim llai.

Yr ail gwestiwn oedd a fyddai'r boi ifanc y tu ôl i'r til yn dychmygu bod yr eitemau roedd yn eu sganio yn mynd i fod o help wrth ddial? Y rhaff neilon. Y gwn rifet. Y dril fyddai neb yn meddwl defnyddio ar gyfer trepanio. Fyddai'r rhan fwyaf o bobl ddim yn gwybod beth yw trepanio hyd yn oed, sef torri twll yn y benglog ddynol er mwyn cyrraedd at yr ymennydd. Gwyddai Skelly fod y sŵn yn unig yn ddigon i godi dychryn ar rywun, fel sŵn deintydd yn hollti dant ond bod hwn yn dod o grombil eich bodolaeth, ac yn adleisio o fewn ogof y craniwm. Tâp du i lapio'n dynn dros y gwefusau. Cyllell Stanley gyda llafnau newydd ar gyfer unrhyw lawdriniaeth amatur. I'r barnwr y byddai'r pethau sbesial yn digwydd, y rhai roedd Skelly wedi bod yn ymchwilio iddynt yn ystod ei amser yn y clinc. 'Beth y'ch chi'n meddwl yw'r ffordd fwya poenus o ladd rhywun?' gofynnodd, a byddai'r atebion yn dod yn lleng, ac ambell un yn ddigon i droi stumog Skelly hyd yn oed. Ond yr ateb gorau i'w gwestiwn oedd, 'Gadael iddynt farw o henaint' – oedd wedi serio'n ddwfn yn y cof.

O edrych ar amserlen fanwl Mr Egg roedd heno'n noson benigamp i fynd i herwgipio yn y Fro. Mewn ysgrifen ryfeddol o dwt nodai Mr Egg batrwm domestig yr aelwyd oedd yn awgrymu y byddai'r barnwr a'i wraig yn cyrraedd tua'r un amser, o gwmpas y chwech, a byddai'r plant yn saff yn y tŷ ddwy awr cyn hynny. Camera ar y gatiau mawr ym mlaen y tŷ ond dim byd tua'r cefn, a llwybr cerdded cyhoeddus yn cysylltu â'r gât ar ddiwedd perllan o hen goed, a honno ar agor doed a ddelo. Anodd deall pam fod camera ar flaen y tŷ, oni bai ei fod yn rhyw fath o rybudd, fel yr arwydd yn rhybuddio 'Beware of the Dog' oedd yn chwerthinllyd o ystyried taw hen gi defaid oedd yno, oedd yn fwy tebygol o lyfu na brathu, oherwydd bod ganddo ddannedd ar goll ac mewn gwth o oedran. Hawdd, rhy hawdd o lawer. Efallai bod y ffycyr yn meddwl bod arian yn eich cadw'n saff, drwy fyw mewn tŷ crand mewn tirlun oedd yn llawn tai crand eraill. Wel, heno byddai'n darganfod taw dim ond dyn ffôl sy'n credu hynny, ar noson olaf ei deulu cyfan, a fe, Mr Ustus Roland Andrews, yr un olaf i adael tir y byw. Ni allai'r ffaith ei fod yn chwarae golff gyda'r Prif Gwnstabl yng Nghlwb Golff Wenfo ei achub, na'r ffaith bod dryll ei dad-cu yn gorwedd mewn drâr yn y stydi. Gwyddai Skelly hyn am ei fod wedi bod yn astudio'r ustus fel byddai rhai yn astudio pwnc yn y brifysgol. Byddai'n cael hanner awr swyddogol bob wythnos yn y carchar i ddefnyddio'r we, ond os oedd ganddo ychydig o arian neu ffags yn sbâr gallai fenthyg ffôn symudol a threulio amser maith yn chwilmentan drwy Facebook a Google a mwy.

Oherwydd ei fod wedi twyllo'r awdurdodau a dweud ei fod yn ymddiddori mewn hel achau llwyddodd i gael ambell lyfr arbennig wedi ei ddelifro i lyfrgell fechan y carchar. Drwy bori drwy'r rhain a gwneud gwaith trylwyr ar y we, gwyddai bod mab hyna'r barnwr newydd redeg hanner marathon a thrwy ddilyn pob aelod o'r teulu gwelodd ble aethon nhw ar eu gwyliau yn Llydaw, a gwyliau arall yn Vermont. Darllenodd flog gan yr ustus-oedd-yn-mynd-i-farw am ei ddiddordeb mewn hen greiriau ac yn hwnnw gwelodd lun o'r dryll yn y stydi a dysgu bod bwledi byw ar ei gyfer.

Dilynodd hanes ei wraig Valery hefyd a dysgu enwau ei ffrindiau, ble roedd hi'n hoffi siopa, ei hoff le trin gwallt, sut ardd roedd hi eisiau ei chreu. Gwybodaeth yw pŵer, fel yr esboniodd y dyn oedd yn dod i'r carchar unwaith y mis i roi gwers ar sut i ddefnyddio cyfrifiaduron ac roedd Skelly wedi awgrymu bod gwybodaeth sydd yn eich meddiant chi, a neb arall yn gwybod amdano, yn fwy pwerus nag unrhyw beth.

Anodd oedd lladd amser y prynhawn hwnnw oherwydd doedd dim angen te na choffi ar Skelly. Roedd yr adrenalin yn pwmpio o gwmpas ei gorff, ac yntau ar fin gwneud y fath ddrygioni ac yn hapus i fynd yn ôl i'r carchar unwaith ac am byth ar ôl iddo gael dial ar y plisman hwnnw hefyd. Byddai'n rhaid iddo fod yn anweladwy rhwng heno a bryd hynny, felly roedd y caban yn y coed yn berffaith, ac roedd ganddo nid yn unig blât cofrestru newydd ar gyfer y car i'w gyfnewid ar y ffordd ond roedd car arall yn disgwyl amdano ar gyrion Port Talbot, felly byddai'n ofalus iawn wrth gyrraedd y caban ger Llansamlet ac yn trefnu i gyrraedd Caerdydd drachefn gyda'r union un gofal. Meddyliodd am un peth fyddai'n tawelu ei nerfau ac yn cynnig ffordd dda o ymlacio. Gêm o pŵl yn y Maccie. Gallai weld a oedd un o'r hen stejyrs yno: chwarae am arian efallai. Ie, byddai teirawr yn hedfan wrth iddo sincio'r ddu, un ar ôl y llall, fel peiriant llwyddiannus.

Dim ond tri oedd yn y lle, tri Rasta oedd wedi bod yn smocio'r sgync rhyfedda oherwydd teimlai Skelly y gallai gael *high* dim ond trwy gerdded ar draws yr ystafell tuag at y bwrdd oedd yn rhydd. Gobeithai y byddai un o'r tri yn fodlon chwarae gydag e, ac yn fwy na hynny chwarae am arian, oherwydd roedd Skelly yn dwli ar y min oedd yn dod ar ei chwarae o botio am ganpunt neu fwy. Rhoddodd ddarn punt yn y slot a threfnu'r peli fel awtomaton, gan roi'r argraff y gallai wneud hyn yn ei gwsg, oedd fwy na thebyg yn wir oherwydd treuliodd slaben dda o'i ieuenctid yn chwarae pŵl, a phob gêm yn arwain at y prynhawn hwnnw mewn Con Club yn y Cymoedd pan lwyddodd i faeddu ei dad am y tro cyntaf. A'r tro olaf, fel mae'n digwydd, oherwydd allai'r dyn ddim wynebu'r siom na'r gnoc i'w urddas o golli drachefn.

Byth ers hynny mae Skelly wastad yn chwarae ei dad, ta pwy yw ei wrthwynebydd, ac mae'r dyn sy'n camu mlaen i osod punt arall ar y bwrdd yn gwneud hynny'n heriol, sydd yn ddigon o reswm i Skelly osod papur ugain punt ac mae'r rasta yn tynnu waled foliog ac yn plygu ugain arall ar ei ben heb anadlu bron. Yna, mae'n oedi am foment cyn tynnu dau bapur arall a'u gosod yn bentwr. Dyw Skelly ddim yn cofio a oes ganddo ddeugain arall yn ei boced, felly mae'n cerdded at yr ATM sy'n gloywi'n dawel yng nghornel yr ystafell.

Wrth i'r gêm ddechrau mae Skelly'n meddwl am ei dad, ac am y boi du sy'n camu fel paun o gwmpas ochr arall y bwrdd. Gyda hyn mae'r rasta, sy'n cyflwyno'i hun fel Rasta Pete, yn hollti'r peli a'r rheini'n tasgu'n dda iddo, gan gynnwys dwy sy'n disgyn yn ddisymwth i'w basgedi, gan ryddhau gwên fawr. Mae un o'i gyfeillion wedi bwydo arian i'r jiwcbocs ac mae ychydig bach o Northern Soul yn llenwi'r ystafell a Skelly wedi disgwyl reggae neu ska. Ers iddo fod yn y carchar roedd miwsig wedi newid tipyn, ac roedd ei ragfarnau'n boenus o hen ffasiwn, fel yr oedd ei dechneg o chwarae pŵl yn perthyn i oes a fu o'i gymharu â'r ffordd haerllug bron roedd Rasta Pete yn clirio'r bwrdd yn fecanyddol, un bêl ar ôl y llall, yna'n oedi am ychydig i dynnu dracht mawr o fwg porffor i mewn i'w ysgyfaint cyn camu'n ôl tuag at y bwrdd, closio ato fel petai'n closio at ei gariad a dechrau potio ag arddeliad. Collodd Skelly ddwy gêm yn olynol, a wnaeth iddo amau os taw heddiw oedd y diwrnod i fynd draw i dŷ'r barnwr. Roedd mesur o lwc yn bwysig, yn ogystal â chynllunio trylwyr a bod yn eofn. Pan gollodd Skelly'r chweched gêm, a chyrraedd ei limit dyddiol ar yr ATM plannwyd hedyn o amheuaeth yn ddwfn yn ei frest, ond yn naturiol ddigon roedd ei sgiliau yn rhydlyd. Ond a fyddai ei sgiliau eraill yr un peth? Ei allu i ledaenu ofn? Ei dalent am wneud i ddynion mawr fihafio fel plant bach, i grynu fel dail? Seicoleg oedd lot ohono, gwybod sut i ddod o hyd i'r man gwan yn sydyn ac wedyn bwrw hwnnw fel taflegryn ddiawl. Ie, dyna beth ddywedodd y shrinc dwl, yn llawn rhamant stiwpid a damcaniaethau gwag. Roedd Skelly wedi darllen digon yn y jael i ddeall beth oedd oblygiadau'r berthynas rhyngddo ef a'i dad, a bod y trais ar yr aelwyd wedi dilyn llwybr clir drwy ei fywyd, y model o sut i fihafio yn esbonio pam ei fod yn dilyn yr un trywydd. Ond beth oedd neb yn medru esbonio oedd pam fod Skelly am fynd gymaint â hynny'n fwy pell? Pam oedd Skelly yn cael y fath bleser o ddelio â thrais ac wrth boenydio? Gwyddai fod rhywbeth yn bod, rhyw nam arno, yn foesol neu'n seicolegol, a dyna pam roedd yn cuddio gymaint oddi wrth ei gariad unllygeidiog – doedd e ddim am iddi wybod mwy, yn enwedig yn dilyn yr achos llys wnaeth ei anfon i'r carchar yn y lle cyntaf.

Pethau od oedd y rhain i'w hystyried wrth iddo chwarae pŵl. Gyda chlec bendant cliriodd un bwrdd yn robotig bron ac ennill gêm yn hawdd, oedd wedi rhoi ychydig o hyder yn ôl iddo. Gan siglo llaw Rasta Pete gydag arddeliad cerddodd i ffwrdd i ddechrau ar noson hir, anodd a hynod bleserus o waith.

Swper sidêt yn Nhresimwn

Y NOSON HONNO roedd teulu'r Andrews wedi gwahodd pedwarawd o westeion draw i ddathlu'r ffaith fod Jonathan wedi ennill grant sylweddol i'r brifysgol i astudio'r berthynas rhwng doctor a chlaf, a'r swm sylweddol yn siŵr o arwain at gadair bersonol o fewn y flwyddyn. Felly roedd Doreen Lewis a Martha Smythe, ill dwy yn gweithio yn yr adran archaeoleg ac yn byw gyda'i gilydd ers blynyddoedd maith – y cwpwl mwyaf diddan a hapus a diddorol allai unrhyw un eu gwahodd i ginio, fel y dywedodd Roland wrth ei wraig Valery wrth osod y bwrdd.

'Mae'n grêt eu bod nhw'n dod oherwydd mae eu calendr cymdeithasol nhw'n bownd o fod yn llawn dop o'r naill fis i'r llall. Efallai taw nhw yw'r pâr mwyaf poblogaidd yn y Fro?'

'Yng Nghymru, efallai,' awgrymodd ei wraig wrth osod y ffyrc ar gyfer y cwrs pysgod.

Roedd ei gŵr yn arllwys potel o Chateau Musar arbennig o dda i ddecanter er mwyn rhyddhau'r arogleuon cedrwydd Libanus a lledr ac yna'n symud ymlaen i'r dasg nesaf sef dechrau cynnau canhwyllau ar hyd y lle, cannoedd yn wir. Roedd hyn yn nodweddiadol o'u ciniawau, y ffordd roedd yr holl wynebau a'r bwyd godidog ar y bwrdd yn morio mewn lagŵn o olau meddal melynnaidd fel menyn wedi toddi. Gwyddai pawb fod Roland yn mynd dros ben llestri, ond dyna un o'r pethau bach oedd yn gwneud i Valery ei garu cymaint, ei frwdfrydedd heintus am bethau, ei gariad at fywyd. Nid oedd y geiriau *bon viveur* yn dod yn agos at yr awch oedd yn animeiddio'i gŵr ac wrth iddi gymryd hoe fach yn y broses ddefodol o drefnu'r bwrdd edrychodd arno gyda gwên.

'Beth am Rob a Julie, odyn nhw wedi cwrdd â nhw o'r blaen?'

'Dwi ddim yn siŵr. Dim yn y tŷ yma o leiaf. Ond ma Rob yn giamstar wrth y bwrdd bwyd. Gall e siarad 'da unrhyw un am unrhyw beth. Dwi'n cofio'r tro pan oedd e wedi eistedd nesaf at rywun oedd yn arbenigo mewn ffiseg folecwlar ac roedd Rob wedi enwi rhyw theorem newydd roedd e wedi bod yn darllen amdani yn y *Scientific American* a chyn pen dim roedd y ddau wedi bondio ac yn gofyn i mi ddod â'r ports gorau mas er mwyn iddyn nhw gynnal cystadleuaeth eu disgrifio nhw. Ac mae Julie'r un peth ond mewn ffordd wahanol. Mae hi'n gwrando ac yn cynnig rhyw ddealltwriaeth fach sy'n profi ei bod hi wedi bod yn gwrando oherwydd ei bod hi eisiau deall, nid dim ond oherwydd chwilfrydedd neu gwrteisi.'

'A heno ry'n ni'n dathlu llwyddiant ein bachgen bach a dyfodd yn ddyn, ac yna llwyddo yn y pethau mae oedolyn yn gorfod eu gwneud. Faint o arian gafodd e, eto?'

'Yn agos at chwe miliwn. Sydd ddim yn ddrwg.'

'Ddim yn ddrwg o gwbl. Gan ystyried bod y byd yn llithro i ddirwasgiad, a does dim arian mawr yn unrhyw le, ma denu'r fath o arian ymchwil yn gamp a thri chwarter. Digon o reswm i wahodd rhai o'n ffrindiau da i eistedd o gwmpas y bwrdd gyda'n teulu bach clyd a thalentog ac anghofio am broblemau'r byd.'

Gyda hyn mae Roland yn camu mlaen i anwesu ei wraig, sy'n ei dynnu'n dynn o'i chwmpas.

'O'n nhw'n fabis bach, yn medru cael eu cario ar gledr eich llaw, a nawr maen nhw'n oedolion gyda chyfrifoldebau, a chyn hir bydd ganddyn nhw bartneriaid a llygedyn o obaith y byddan nhw yn eu tro yn cael plant. I ble'r aeth yr amser, Roland? Sut wnaeth y bwndeli bach 'na mewn cewynnau oedd yn gyrglo fel nant – chi'n cofio'r gyrglo? – droi'n bobl sy'n chwilio am ffyrdd i arwain y byd?'

'Sgen i ddim syniad. Ond roedd hi'n siwrne bleserus. Fel y trip 'na gymeron ni lawr y Mekong cyn y plant. Y gwyrddni. Y prydferthwch. Y pentrefi rhyfedd wedi eu hadeiladu nid ar lan y llyn ond ar y llyn. Atgofion, Valery. Mwy na môr ohonynt.'

Cusanodd y ddau fel hen sêr y ffilmiau du a gwyn cyn mynd yn ôl at eu dyletswyddau. Ar ochr arall y pentre trodd dyn diarth injan y car i ffwrdd cyn taflu ei fag ar ei gefn a cherdded ar hyd y llwybr ceffylau hyd at erchwyn gardd Roland a Valery. Nid oedd ganddynt syniad o'r erchyll bethau oedd yn mynd i fod yn rhan o'u noson. Dim mwy nag yr oedd Skelly yn gwybod y byddai mwy na phedwar person yn y tŷ, a'i gastell o gynllun yn troi mas i fod yn un wedi ei adeiladu ar dywod mân.

Gwingai Skelly oherwydd pwysau'r bag ar ei gefn. Doedd e ddim mor ffit ag oedd cyn mynd i mewn. Ond gallai weld y golau cynnes yn arllwys fel ffrâm o gwmpas y cyrtens, gan ddychmygu'r tad a'r fam a'r ddau blentyn, er taw oedolion oedden nhw, yn eistedd i fwynhau eu swper dathlu mewn cwmni clyd a diddan. Y ffycyrs, meddyliodd Skelly wrth i flas hallt neu sur fel beil godi i'w geg. Pam taw eu math nhw o bobl oedd yn cael dathlu pethau fel hyn? Roedd y werin bobl yn rhy brysur yn crafu byw ac yn ceisio cael dau ben llinyn ynghyd pan taw dim ond pen llinyn oedd gyda nhw i ddechrau. Teimlodd Skelly ei dymer yn codi wrth ddychmygu'r barnwr ddiawl yn codi llwncdestun i bob un wan jac oedd wedi gadael y llys, ac ar ei ffordd i'r carchar. Prin y byddai'n dathlu rhywun yn mynd yn rhydd, er gwaethaf ei ddieuogrwydd.

Erbyn hyn roedd wedi cyrraedd cysgod y berllan ac roedd un hen goeden afalau yn ddigon trwchus iddo orffwys yn ei herbyn i gael hoe fach. Gwyddai fod angen iddo fod yn y gegin, a chroesi'r gegin yn sydyn i sefyll yn nrws yr ystafell fwyta (ddeuddeg cam i ffwrdd) er mwyn gwneud yn siŵr bod y pedwar yn y fagl, yn dynn fel cwningod. Bron iddo danio sigarét ond gwyddai na allai smocio heb wynebu'r sialens o gael gwared ar y dystiolaeth, y DNA yn y poer, ac roedd hynny'n un peth yn ormod i'w ystyried pan oedd angen iddo seico ei hunan i fyny. Lai na phum munud a byddai'r dyn yn y trap a'i deulu druan yn troi'n aberth.

Doedd Roland ddim yn hoff iawn o *consommé* er bod ei wraig, oedd yn coginio bwyd gyda'r gorau, wedi gwneud un arbennig heno gan ddefnyddio llwyth o fwyd môr, pentwr gwastraffus efallai, ond roedd yn blasu'n hyfryd a phawb o gwmpas y bwrdd yn cytuno, yn sawru ac yn gwneud synau pleserus, a'i wraig yn wên o glust fel rhywun oedd newydd ennill medal am redeg 400 metr, fel yn wir yr oedd hi wedi ei wneud ym mabolgampau'r brifysgol. Sgleiniai'r dystiolaeth yn y cabinet y tu ôl iddi, cabinet yn llawn hanes a thrysorau teuluol, gan gynnwys yr holl bethau roedd y plant wedi ennill dros y blynyddoedd – yn yr Urdd, ambell *gymkana*, cystadlaethau hwylio rhwyfo, a chrys rygbi am chwarae i dîm Cymru dan 21.

Syllodd am funud neu fwy ar y ffotograff o Rhiannon, ei ferch annwyl, ei drysor a'i ffrind, canolbwynt ei falchder a chalon ei lawenydd. Dyna hi, ar gefn y ceffyl bach gwyn hyfrytaf ei natur, Plwmpen. Yn sioe y Bontfaen ondife? Enillodd bump rosét y diwrnod hwnnw.

Mae perthynas pob tad a'i ferch yn medru bod yn sbesial ond mae'r bont a'r gadwyn a'r rhaffau tynn sy'n cysylltu ef a hi yn rhyfeddol. Ni deimlai'n euog ei fod yn ei charu hi gymaint. Roedd gan ei fab berthynas arbennig â'i fam ac roedd ganddo ef berthynas arbennig â hi, Rhiannon. O, edrychai ymlaen at ei gweld hi o hyd! Trysor. Ei drysor ef. Yma i swper.

Ac roedd un trysor yn dyddio'n ôl dipyn ymhellach, sef bocs snyff ei hen, hen dad-cu – bocs bach arian oedd yn cynnwys darn o wallt o gynffon ceffyl Wellington ar ôl brwydr Waterloo ac yn yr un bocs roedd llofnod Napoleon Bonaparte ei hun. Ambell waith byddai Roland yn codi hwn allan o'r cas ac yn anwesu'r darn bach o wallt yn dyner ac yn ddeallus oherwydd roedd y bocs yma'n tanlinellu parch pobl at ei hen hen dad-cu, oedd wedi creu tipyn o hanes ei hun yn ei ddydd.

Esgusododd Doreen ei hun a mynd i'r lle chwech oedd yn deils du a gwyn ac aroglau drudfawr o Occitane, gan gynnwys yr hylif golchi dwylo hyfryd, er mwyn ogleuo'r caeau lafant yn crasu yn haul De Ffrainc.

Teimlodd Skelly bwysau'r *jemmy* yn ei law, gan dybio na fyddai'r ffyliaid wedi gadael drws y gegin ar agor ond wrth iddo droi'r bwlyn yn hawdd sylweddolodd bod ei waith gymaint â hynny'n haws. Clywai sŵn y mwmian siarad, yr is-don foddhaus oedd yn dod â phleser iddo, gan wybod fod ganddo'r pŵer digamsyniol i dawelu'r ystafell a'i throi yn sarcoffagws fel yr un yn *Raiders of the Lost Ark* a throi ystafell waraidd yn Nhresimwn yn fedd teuluol. Anadlodd yn ddwfn a dechrau cyfrif i lawr o ddeg. Wyth. Y bobl yn mwmian fel gwenyn. Pump. Yr adrenalin yn gyrru pwmp y galon yn wyllt. Tri. Dau. Un.

Camodd i'r ystafell gyda'r gwn yn ei law heb yngan gair. Oherwydd doedd dim angen gair mewn ystafell pan oerodd y naws fel haf yn troi'n aeaf. I ddechrau methodd y barnwr ag adnabod y dyn oedd yn sefyll o'u blaenau, yn gorchymyn i bawb fod yn dawel gydag awdurdod ei lygaid oer, llygaid oedd yn ceisio cuddio'r syrpréis o weld saith person yn yr ystafell nid pedwar. Diawliodd Skelly y ffaith fod y deinamig wedi newid a byddai'n rhaid iddo addasu'r cynllun – doedd ganddo ddim digon o lwpiau plastig i glymu saith, ac yn sicr roedd delio â phobl oedd efallai'n ffrindiau yn hytrach na theulu yn cymhlethu'r syniad o ddial.

'Noswaith dda,' meddai Skelly, gan wybod y byddai'r ffaith ei fod yn siarad Cymraeg yn drysu'r ffycwit o farnwr, ac roedd gwneud i bawb deimlo'n anesmwyth yn hanfodol mewn sefyllfa o'r fath. 'Nawr os y'ch chi eisiau byw, efallai hyd yn oed fwynhau'r swper olaf yma yn ei lawnder, mae'n rhaid i chi neud beth dwi'n dweud. Dim gair o'ch genau. Ufudd-dod hollol. *Capice?*'

Yn yr ystafell molchi trodd Doreen y tap dŵr i ffwrdd yn dawel, er mwyn clywed beth oedd y llais diarth yma yn ei ddweud a hefyd i wneud yn siŵr nad oedd perchennog y llais yn gwybod ei bod hi yno. Gwyddai'n barod fod hyn yn rhywbeth i'w wneud â gwaith Roland, ac felly nid ar chwarae bach roedd rhywun yn delio â'r dyn oedd wedi camu i'w bywydau. Ensyniai fod ganddo wn.

'Roland,' dywedodd Skelly.

'Mae'n ddrwg gen i ond dwi ddim yn...'

'O, peidiwch poeni. Dwi'n neb. Dim ond dyn aeth i garchar am amser hir. Digon o amser i feddwl beth i'w wneud ar ôl dod mas. Nawr te, os ga' i ofyn i chi droi rownd a rhoi eich dwylo tu ôl i'ch cefnau, yn ara bach, sdim angen gwneud unrhyw beth yn rhy sydyn nawr, oes e?'

Gallai Roland weld bod y dyn yn meddwl rywsut taw pedwar fyddai yn y tŷ, ac roedd yn ddigon posib bod y bobl eraill wedi dod fel syrpréis. Ac yn y sefyllfa yma roedd syrpréis yn arf allai weithio ddwy ffordd. Diolch byth fod Doreen wedi gwrthod y cwrs cyntaf felly doedd dim plât cawl ar y bwrdd, ond yn anffodus roedd y cytleri yno. Gweddïai Roland na fyddai'r dyn yn nodi hynny, ond drwy lwc neu ffawd neu ryw fath o ofal duwiol, gwelodd fod ei fab yn meddwl yr un peth, oherwydd roedd yn edrych ar y llwy a'r fforc a'r gyllell ac yna'n ôl at ei dad, fel signal. Darllenodd Roland y sefyllfa'n glir gan wybod bod angen iddo ddenu sylw'r dyn oddi wrth y bwrdd, felly byddai'n rhaid gwneud rhywbeth mwy na siarad. Ar amrant plygodd i lawr...

'Be ffyc chi'n neud?'

Ysgubodd Jonathan y cytleri draw i ganol y bwrdd mewn un symudiad – cystal â *croupier* mewn casino yn symud *chips* – i ble roedd pentwr bach o dŵls fel corcsgriw, a pheth fflat i weini cacen, ac roeddent yn edrych fel stwff sbâr, nid eitemau wedi eu gosod ar gyfer y gwesteion.

'Roedd lasys fy sgidiau'n rhydd...'

Dechreuodd Skelly chwerthin yn afreolus ac wedi setlo, tynnodd anadl fawr a dweud,

'Dwi wedi gweld e i gyd nawr! Dyma chi yn y twll rhyfedda 'ma, dyn diarth wedi cerdded mewn i'ch tŷ ac mae'n amlwg dyw e ddim am ddymuno'n dda i chi a'ch teulu. Na, i'r gwrthwyneb, ac y'ch chi am neud yn siŵr bod eich sgidiau mlaen yn iawn. Beth oedd yn mynd drwy'ch meddwl chi, ddyn? Gallen i fod wedi'ch saethu...'

'Mae'n ddrwg 'da fi. 'Nes i fe'n reddfol, heb feddwl.'

'Reit 'te, cawn ni glymu rhai lan yn dynn. Peidiwch poeni, wna i ddim clymu mor dynn fel bod y gwaed ddim yn gallu pwmpo. Bydd angen eich gwaed arnoch chi pan welwch chi beth dwi wedi paratoi...'

Prowliodd o gwmpas y bwrdd gan oedi i edrych i fyw llygad pob un o'r rheini oedd yn gaeth yno – hen dric roedd e wedi ei ddysgu gan Sammy the Psychopath pan oedd e wedi treulio chwe mis yng ngharchar Wakefield. Gallai weld ei hunan yno, ond hefyd yr ofn oedd bron am dasgu allan fel rhyw fath o arian byw.

Yn y cyfamser roedd Doreen ar bigau'r drain. Diolch byth ei bod hi wedi cymryd ei ffôn gyda hi ond fiw iddi ddeialu 999 oherwydd byddai'n rhaid iddi siarad â rhywun a byddai hynny'n siŵr o ddenu sylw'r lleidr. Doedd ganddi mo'r syniad lleiaf beth oedd yn digwydd yn yr ystafell fwyta ond roedd pethau'n ddigon rhyfedd, o glywed ambell air. Boddwyd ambell frawddeg gan sŵn ei hanadlu ei hunan, oedd yn rhuo fel dŵr môr mewn ogof, i'r fath lefel nes ei bod yn poeni y gallai'r dyn ei chlywed hi. Gwglodd am ffordd i decstio a rhoddodd ei chalon naid o weld ei bod hi'n bosib danfon neges SMS at y gwasanaethau argyfwng. Ond damia! Roedd angen cofrestru. Dechreuodd y broses gyda'i bysedd crynedig. Beth oedd gwerth gwasanaeth o'r fath os oedd rhaid i chi fewnbynnu llwyth o fanylion personol? Wrth iddi roi ei dyddiad geni a'i chyfeiriad curai ei chalon fel tympani yn un o weithiau mawr Wagner. Crynai ei chorff. Siglai ei choesau. Dechreuodd chwysu'n llif oer oedd yn bygwth troi'n rhaeadr. Prin ei bod yn medru cofio rhai o'r ffeithiau angenrheidiol a pham Dduw oedd angen iddi greu cyfrinair? O'r diwedd dyma hi'n derbyn cadarnhad bod y system yn barod ac erbyn hyn roedd hi'n diferu gan chwys.

We are at CF62 9EF and a man with gun has taken us hostage. He doesn't know I am in the house. Please send help. Doreen Lewis.

Gwasgodd 'Send' ond collwyd y signal ar yr union foment. Damia! Beth nawr?

Clymwyd y gwesteion yn saff ac roedd digon o'r rhaff i sicrhau eu bod yn cael eu rhwymo'n dynn. Roedd hi'n bryd i'r gemau ddechrau. Doedd Roland ddim yn mynd i farw heb weld y pethau gwaethaf yn ei fywyd: gallai Skelly ei sicrhau o hynny. Roedd ganddo rywbeth i bawb yn ei fag o driciau, pob math o degan i godi ofn a chreu diléit i'w hunan. Reit 'te, meddyliodd.

'Amser chwarae!'

Ond nid yw'n hawdd rheoli llond ystafell o bobl ofnus, fel mae Skelly yn darganfod. Roedd e wedi bwriadu poenydio plant y barnwr, ynghyd â'i wraig, cyn dechrau ar Mr Roland Andrews ond roedd y gwesteion ychwanegol wedi'i daflu oddi ar ei echel, braidd. Er bod Skelly yn ymddangos yn hyderus, yn prowlio fel arth yn yr ystafell gyfyng, roedd ei gynllun ar chwâl. Yn y gell un diwrnod roedd e wedi trafod yr union drefn y byddai'n ei defnyddio gyda'r plant, i'r fath raddau bod ei gyfaill, Luke wedi gofyn fwy nag unwaith a allai Skelly wneud y fath bethau. O, gallai wneud unrhyw beth, sicrhaodd ei ffrind – tagu, trywanu gyda charreg, gwenwyno...

Roedd un cwpwl yn yr ystafell yn bâr, roedd hynny'n amlwg o'r ffordd roedden nhw wedi closio at ei gilydd yn amddiffynnol, ond beth am yr hen fenyw? Od ei bod hi yma ar ei phen ei hunan. Ac o bryd i'w gilydd byddai ei llygaid yn edrych ar ddrws yr ystafell fel petai'n disgwyl i rywun ddod i fewn, neu fel petai rhywun tu fas. Byddai'n mynd i edrych yn y man, ond am nawr roedd am feddwl am gynllun newydd. Bron nad oedd ganddo ormod o wystlon. Gallai wneud ag ychydig bach o help i ddofi'r criw yma. Ond bydden nhw'n ddofach erbyn iddo ddechrau cymryd swfenîrs. O, byddent!

Dyw Skelly ddim yn gwybod pa mor hir mae e wedi bod yn yr ystafell ond mae sŵn yr holl bobl yn anadlu yn troi arno, ac mae un wedi dechrau beichio crio sydd yn gwneud iddo deimlo'n grac oherwydd dyw e ddim yn gallu meddwl yn strêt. Beth yw'r ffordd orau o ddelio â'r sefyllfa? Mae'n anodd eu gwahanu nhw oherwydd mae'n rhaid iddo aros yn yr ystafell. Yn wreiddiol roedd e'n mynd i gymryd un i ystafell arall gan adael y barnwr a'r lleill i ddyfalu'n ofnus beth oedd yn mynd ymlaen. Roedd ganddo fag bach tryloyw ar gyfer y swfenîrs. Clust i ddechrau. Gwefus yn ail. Tafod yn drydydd.

Ond nawr doedd y cynllun yn werth dim ac roedd yn rhaid iddo wneud penderfyniad ar fyrder oherwydd allai'r sefyllfa yma ddim para lot mwy. Gofynnodd i Andrews am allweddi – un i'r ystafell fwyta ac allweddi i'r car – a gallai glywed ochenaid o ryddhad gan rywun. Rhoddodd slap a hanner iddo yntau wedi iddo gynnig yr allweddi i gyd.

'Dyma'r unig rybudd. Dwi'n gadael mewn eiliad, a Mr Andrews gyda fi. Os oes un ohonoch chi'n symud yn ystod yr awr nesa bydd Mr Andrews yn marw. Os oes un ohonoch chi'n ceisio dianc neu dorri'n rhydd bydd Mr Andrews yn marw. Ydw i'n gwneud hynny'n hollol glir? Mae'n ddrwg 'da fi bo' chi heb gael cyfle i fwynhau'ch swper ond dwi wedi mwynhau fy hunan yn fawr. Diolch am y croeso.'

Edrychodd ar y criw wedi eu clymu, eu cegau wedi lapio mewn tâp ac roedd 'na olwg dwt iawn arnyn nhw, bwndeli dynol yn barod i'w hanfon. Eu hanfon ble oedd y cwestiwn. Uffern? Yn syth.

'Chi, nawr, allan!' cyfarthodd ar Andrews wrth ei lusgo tua'r drws. Caeodd y drws yn glep ar ei garcharorion ac am funud meddyliodd am roi'r lle ar dân, ond roedd hyd yn oed hynny yn anodd oherwydd roedd rhaid iddo ofalu am Andrews, a fe, wedi'r cwbl oedd y rheswm am hyn oll. Drwy'r drws ffrynt â nhw, a Skelly'n cael boddhad o weld yr Audi Quattro arian ar y dreif. Agorodd y drws i Andrews oherwydd doedd Andrews ddim yn medru agor y drws ei hun. Gwnaeth sioe fawr o ruo'r injan fel bod pawb oedd tu fewn yn clywed ac yn nodi sŵn y graean yn tasgu wrth i'r car fynd ffwl pelt i lawr y dreif ac allan i'r ffordd fawr. Symudodd y gêrs yn uwch yn gyflym, gan fwynhau'r sbid ac effaith y sbid ar y dyn oedd yn crynu wrth ei ymyl.

Roedd Skelly wedi gwneud ei waith ymchwil yn drwyadl ac erbyn iddynt ddechrau dringo bryn gan wneud wyth deg milltir yr awr dechreuodd arafu'n sydyn cyn gwneud tro pedol jyst cyn y ffordd ddeuol. Gwyddai fod camera ar y darn nesaf o hewl a doedd e ddim am i'r heddlu eu gweld, na chael record o'i symudiadau. Dyma yrru'n ôl tuag at Dresimwn, ond y tro hwn, wrth agosáu at gartref Andrews dyma symud yn araf, gwneud cyn lleied o sŵn â phosib a throi i lôn gul i'r lle roedd Skelly wedi gadael ei gar ei hun. Parcio. Agorodd y bŵt a gwneud i Andrews fynd i mewn iddo yn ei gwrcwd. Yna gyrrodd yn ôl ar hyd y ffordd roedden nhw newydd ddod, ond gyda phlât cofrestru newydd ar y car oherwydd doedd e ddim yn mynd i wneud unrhyw gamsyniad nawr, pan oedd ganddo gargo mor werthfawr yn y bŵt.

Yn ôl yn y tŷ, sleifiodd Doreen allan o'r tŷ bach ar ôl gwrando ar y tawelwch am gyfnod hir i ddarganfod fod drws yr ystafell fwyta ar gau. Clustfeiniodd y tu allan i'r drws am ennyd cyn galw enw ei chariad.

'Martha?'

Clywodd sŵn annaturiol, fel sŵn mochyn yn rwtio'n y pridd yn chwilio am dryffls. Trodd fwlyn y drws eto ac eto ond heb lwc. Edrychodd am rywbeth trwm i'w ddefnyddio i dorri'r drws solet i lawr ond dim ond casgliad o ymbaréls oedd yn y cyntedd. Drws derw cadarn. Erbyn hyn roedd hi mewn fflap, oherwydd dychmygai glywed sŵn car yn dychwelyd. Ond gallai yn bendant glywed sŵn pobl yn gwneud rhywbeth y tu fewn i'r ystafell fwyta ond doedd ganddi ddim syniad yn y byd beth allai hynny fod.

Roedd y gwesteion yn rowlio o gwmpas y llawr fel teganau twp, yn methu'n deg â thorri'n rhydd. Ac roedd clywed Doreen wedi cael effaith gyfystyr â gwthio darn o bren i nyth cacwn, gan achosi symud gwyllt.

Rhedodd Doreen o gwmpas y tŷ ond allai hi ddim gweld unrhyw beth fyddai o help. Bwyell. Roedd angen rhywbeth fel bwyell arni i dorri drwy'r drws, ond tŷ'r crach yn y Fro oedd hwn ac nid caban torrwr coed. Erbyn hyn roedd yn teimlo'n desbret, gan ddychmygu ei chariad yn gorff diymadferth ar lawr. Rhuthrodd fan hyn a fan 'co, gan agor cypyrddau a drysau heb fecso taten am anghwrteisi'r peth ond doedd dim byd yn addas. Oedodd ar y landing i feddwl beth ddylai wneud nesaf. Sylwodd ar ddiffoddydd tân hen ffasiwn a'i godi. Roedd yn beth digon trwm ond meddyliodd y câi nerth o rywle i'w daflu drwy'r ffenest, felly cariodd y diffoddydd i lawr y grisiau ac allan drwy'r drws ffrynt ac yna dilyn ochr y tŷ nes ei bod yn sefyll y tu allan i beth oedd hi'n tybio oedd ffenestri'r ystafell fwyta. Tynnodd anadl ddofn cyn gafael yng ngwaelod y diffoddydd gan gofio am y stori honno am y fam a'i phlentyn wedi mynd yn styc dan olwynion trên a hithau'n dod o hyd i ryw bŵer nerthol anesboniadwy i godi'r metal a chael ei mab yn rhydd. Cododd y tiwb metal a'i hyrddio drwy'r ffenest gan chwalu'r gwydr yn filiynau o ddiamwntiau bychain, a chyda hynny dyma'r larwm yn canu, gyda Doreen yn ceisio codi ei hunan drwy'r twll yn y ffenest. Roedd yr ystafell yn dywyll oherwydd roedd Skelly wedi edrych ar ôl y blaned a throi'r goleuadau bant. Felly dyma hi, wedi llwyddo i gyrraedd yr ystafell mewn comedi o argyfwng oherwydd doedd hi ddim yn medru gweld o gwbl, er bod ei llygaid yn dechrau cynefino â'r golau egwan ac yn ceisio adnabod pwy oedd pwy a gweld ble roedd Martha yn gorwedd. Wrth i'w llygaid gynefino gallai weld eu bod nhw ar y llawr, wedi eu clymu. A dyna Martha! Yn ei chwrcwd dan y bwrdd! Yna drwy wyrth gwelodd sglein cyllell dorri cig ar y bwrdd. Cydiodd yn honno a gweld ei bod hi'n gwaedu, ar ôl torri ei hunan ar ddarn o wydr wrth rowlio i mewn i'r ystafell fel hen acrobat. Tynnodd y tâp oddi ar wefusau Martha cyn torri ei dwylo'n rhydd, yna symud i ryddhau'r gweddill tra bod sŵn y larwm fel petai'n mynd yn uwch ac yn uwch.

Erbyn hyn roedd car wedi gadael gorsaf newydd yr heddlu ym Mhen-y-bont oherwydd roedd y larwm wedi eu cyrraedd gyda Red Notice, i gael blaenoriaeth. Yn swyddogol câi ei wadu bod y fath system yn bodoli ond roedd pawb yn gwybod os digwydd i rywun dorri mewn i dŷ plisman y byddai'r Red Notice yn dod lan ar yr un pryd.

Gwibiodd car yr heddlu lawr yr A48, y criw o ddau yn hapus oherwydd eu bod yn nesáu at ddiwedd shifft. Heb yn wybod iddynt, wrth iddyn nhw gyrraedd pwynt rhyw hanner ffordd i Dresimwn roedd Skelly yn stryglo i godi Andrews fel sach o datws allan o fŵt y car yn lletchwith. O'r diwedd dyma lwyddo i'w rolio mas, gyda'r barnwr yn bwrw haen o fwsog gyda thŷd bach tawel. Cododd Skelly'r dyn i'w draed mewn modd oedd yn ymylu ar fod yn gwrtais a'i arwain tuag at y caban.

'Home, sweet home,' meddai, wrth agor y drws. Gan wasgu cledr ei law yn erbyn cefn y dyn, aeth hwnnw dros y trothwy i'r ystafell fyddai'n gell iddo am sbel. A Skelly yno i gadw cwmni iddo. Gyda hen ddigon o amser i weithio ar y cynllun.

Roedd y caban yn y coed wedi ei baratoi ar gyfer dau ddyn i aros am fis, felly roedd digon o fwyd a hyd yn oed cyflenwad o DVDs, er nad oedd Skelly wedi meddwl beth fyddai Andrews eisiau ei wylio. Doedd e ddim mor bwysig â hynny, mewn gwirionedd, dim ond sbrat i ddal mecryll ond roedd yn rhaid iddo wneud yn siŵr ei fod yn dal y sbrat cyn symud ymlaen i wireddu ail ran y cynllun. Yn bell bant o'r byd a'i bethau. Lle na allai rhywun glywed hen farnwr yn gweiddi mewn poen.

Tro ar fyd

CERDDODD TOM TOM o gwmpas y ddinas am dair awr wrth iddo baratoi i adael. Diwrnod arwyddocaol a thri chwarter. Nid gadael Caerdydd yn unig ond gadael ei fywyd fel dyn sengl. Daliodd y Baycar i lawr i'r Bae gan geisio cofio pryd ddaeth y Bendy Buses yma yn y lle cyntaf.

Camodd oddi ar y bws y tu allan i Ganolfan y Mileniwm a dyma'r tro cyntaf iddo fod yn agos i'r lle ers dod o fewn trwch blewyn i golli ei fywyd yno. Pan fyddai'r cynulleidfaoedd yn eu dillad smart yn tyrru yno i fwynhau opera neu gyngherddau prin fod yr un ohonynt yn meddwl am blisman canol oed wedi ei rwymo'n gaeth ar y gantri uwch y llwyfan gydag asasin proffesiynol yn anelu bwa a saeth at ganol ei dalcen fel fersiwn sic o stori William Tell. Gallai'r sefyllfa weddu i opera fodern, gyda phawb yn canu wedi'u gwisgo mewn du a'r set yn llwyd a du fel un o luniau'r arlunwyr oedd yn peintio ym Merlin yng nghyfnod Gweriniaeth y Weimar.

Diolch byth fod Emma wedi bod yno i achub ei fywyd. Y fenyw roedd yn mynd i briodi, y fenyw ffantastig roedd yn mynd i'w gweld bob dydd o hyn ymlaen, a gwneud hynny gyda hapusrwydd llwyr. Heblaw, hynny yw, am y bygythiad yn erbyn eu bywydau o gyfeiriad Maffia Albania ar ôl i'r heddlu ddifetha eu cynlluniau a rhoi stop ar y cyflenwad mwyaf o gyffuriau ers, wel y Rhyfeloedd Opiwm. Roedd gadael ei fywyd annibynnol a rhannu tŷ a rhannu profiadau mor wahanol i'r ffordd o fyw roedd e, y *lone wolf* clasurol wedi bod yn byw. Ac wrth iddo gerdded heibio'r Packet cofiai batrymau a rhythmau'r dyddiau hynny. Gweithiai'n galed yn y dyddiau pan oedd plismona'n sicr yn wahanol o ran y berthynas rhwng y cops a'r troseddwyr, oherwydd byddai'n cwrdd â dihirod o bob lliw a llun mewn llefydd fel y Packet a rhaid cyfaddef, roedd gan y ddwy garfan edmygedd at ei gilydd.

Ambell waith byddai un ohonynt yn ei longyfarch am wneud jobyn da yn dal hwn a hwn neu hon a hon, er na fyddai'n gwneud hynny, wrth gwrs, os byddai aelod o'i giang, neu aelod o'r teulu yn cael ei ddal yn rhwyd Heddlu De Cymru. Roedd yr ardal yma'n dod yn fyw yn y nos, y bandiau R&B yn byddaru'r yfwyr lager a'r dawnswyr wedi eu cloffi gan alcohol mewn llefydd fel y Big Windsor. Byddai'n cael diodydd am ddim drwy'r nos bob nos yn y Casablanca, lle byddai'n anodd iddo ddiystyru'r mwg drwg, y 'red leb' chwedlonol ym mhobman oherwydd roedd haen felys o fwg yn codi megis tarth dros y system sain oedd yn gwneud i'r llawr grynu wrth i'r caneuon ska a reggae lifo'n un afon o sŵn a phỳls a'r dorf yn symud fel pysgod trofannol – *guppies* a *neon tetras, zebra fish* ac *angel fish* a *butterfly divers* – ffordd yma, troi'n ôl, pawb yn gwenu. Yn y golau gwyrdd mae'r lle'n union fel acwariwm ac mae'r mwg sy'n codi o'r sbliffs yn chwyrlïo fel gwymon nes troi'n ddim. Ambell waith byddai Tom Tom yn smocio joint bach tawel gyda Marty, ac yn gymysg â'r *booze* byddai'n help i waredu ei ben o'r diafoliaid byddai'n ei gadw ar ddi-hun – tri o'r rheini a'r tri wedi eu 'geni', megis, o fewn blwyddyn i'w gilydd. Tri methiant ar ei ran, tri ces lle roedd e wedi methu gweld rhywbeth pwysig ac yn achos un ni lwyddwyd i ddod o hyd i ferch fach. Does dim un diwrnod pan nad yw'n meddwl amdani ac yn teimlo rhywfaint o boen ei rhieni ac yn diawlio'i hun nad oedd e wedi meddwl chwilio'n fanylach yn y teulu oherwydd wedyn efallai y byddai wedi llwyddo i ddal yr ewythr cyn ei fod yn gwneud beth bynnag wnaeth e gyda chorff Cilla fach. Hyd yn oed nawr roedd yn anodd i Tom Tom dderbyn y gallai rhywun wneud rhywbeth mor ofnadwy i blentyn diniwed ac wedyn cadw lleoliad ei chorff yn gyfrinach er gwaetha'r achos llys, a'r dorf yn brefu am ei waed y tu allan i Lys y Goron a'r blynyddoedd unig yn y carchar.

Aeth Tom Tom i'w weld unwaith, wedi gofyn caniatâd oddi wrth y bobl iawn a dioddef trip hir ar drenau araf yr holl ffordd i garchar Wakefield, oedd fel rhywbeth allan o lyfr gan Dickens, ond nid cweit yn amgueddfa fel Dartmoor, sef y carchar gwaethaf roedd Tom Tom wedi ymweld ag ef. Roedd Wakefield yn adeilad briciau du ac roedd lleithder yn yr awyr wrth iddo gerdded drwy'r drysau mawr derw. Wrth ddweud ei fod yno i weld Harry Davies roedd yr enw'n ddigon i'r swyddogion ysgyrnygu dannedd ac edrych arno fel petaen nhw'n gofyn pam ar y ddaear roedd unrhyw un am ymweld â'r fath lysnafedd dynol?

Nid yr un dyn a welodd yn y llys yn cael ei gludo mewn fan GEOAmey oedd y creadur gwanllyd a thenau oedd yn eistedd ar gadair o'i flaen. Fe'i difethwyd gan dreigl amser. Roedd y gair 'sgerbydol' yn briodol i ddisgrifio'i gyflwr. Roedd yn hanner y dyn oedd e cynt, a gallai Tom Tom ddychmygu'r uffern haeddiannol oedd wedi bod yn gartref iddo dros y deuddeg mlynedd diwethaf. Gallai rhywun ddadlau y dylai fod mewn carchar i droseddwyr rhyw ond gan nad oedd neb yn gwybod beth oedd e wedi ei wneud yn union, y tu hwnt i'r gwaed ar ei ddillad, a'r llygad-dyst a'i gwelodd yn cario rhywbeth i fŵt y car ac wedyn yr olion gwaed yn y car. A difetha bywydau'r rhieni. Bu farw'r fam heb wybod beth ddigwyddodd i'w merch fach ac roedd y tad wedi yfed mor drwm nes bod ei afu wedi byrstio.

'Mr Davies, I'm here to ask you about the disappearance of your niece.'

'That was a long time ago. A very long time ago. Seems like a lifetime. What was her name again?' Dywedodd y geiriau yn freuddwydiol bron – effaith meddyginiaeth gref neu efallai dementia. Neu efallai ei fod yn pryfocio Tom Tom, a smalio methu cofio.

Doedd Tom Tom ddim yn disgwyl i'r dyn yma chwarae gêm, neu efallai ei fod wedi anghofio ei henw neu hyd yn oed wedi gweithio'n galed i anghofio ei henw er mwyn cysgu'r nos, neu lanhau llechen frwnt ei gydwybod.

Y tro hwn, fel bob tro blaenorol, doedd Davies ddim am ildio'i foment. Yn ei galon gallai Tom Tom deimlo fod hon wedi bod yn siwrne seithug, yr holl ffordd yma dim ond i benderfynu na fyddai'n werth dod yma byth eto. Gwell iddo bydru yn y clinc Fictoraidd uffernol hwn a gadael i'r hyn oedd ar ei gydwybod losgi ei enaid fel byddai asid go iawn yn llosgi ei berfeddion. Edrychodd Tom Tom am y geiriau iawn, rhai oedd yn broffesiynol ond oedd yn llwyddo i ddweud yr hyn roedd e eisiau dweud hefyd, ond llithrodd y rhain allan o'i afael fel brithyll bach yn dianc o'r dwylo. Ddaeth y geiriau ddim, er y bydden nhw'n siŵr o gyfeirio at bydru ac uffern.

Byddai Tom Tom yn casáu rhoi'r gorau i unrhyw achos, yn enwedig os oedd yn gwybod bod rhywun byw yn gwybod yr ateb ynglŷn â pham neu sut roedd rhywun wedi marw ac yn gallu datrys yr achos unwaith ac am byth. Ond gwyddai hefyd bod rhaid cau'r achos ambell waith heb lwyddiant, heb ddod â llofrudd o flaen ei well, a chyda'r ymweliad hwnnw gwyddai'n iawn y byddai'n rhaid rhoi'r gorau i chwilio am y ferch fach. Gobeithiai Tom Tom y byddai Davies yn llosgi yn uffern am byth bythoedd am wrthod dweud yr un gair dadlennol amdani.

*

Ar ei noson olaf fel dyn sengl meddyliodd Tom Tom am Marty, gan deimlo'r awydd i weld ei ffrind hanner gwallgo, gan sylweddoli ar yr un pryd os oedd y cawr-ddyn yn rhydd i gwrdd y gallai heno droi'n *bachelor party* o ryw fath, ac os oedd Marty yn y cawl, wel, *watch out*. Allai Tom Tom ddim cofio noson mas gyda Marty oedd heb gynnwys rhyw antur a hanner. Fel y tro hwnnw y cyfarfu â bildar yn yr hen Lansdowne a thyngu taw fe oedd y diafol oedd yn siŵr o ladd y ddau os oedden nhw'n derbyn ei gynnig i fynd i'w dŷ am barti fodca. Neu'r tro y bu'n paffio am arian yn erbyn dyn oedd wedi'i hyfforddi yng nghampfa tad Joe Calzaghe a'i lorio cyn iddo gael amser i wneud dim byd ffansi.

A'r noson honno, ar ddarn o dir wast lle roedd ceffylau gwyllt yn pori'n hamddenol ar glympiau o wair caled cerddodd dyn o Tipperary ymlaen, fel Frank Sinatra yn camu ar lwyfan, yn gweld ei hun fel rhan o fyd *showbiz*, gyda dynion meddw yn y gynulleidfa yn yfed Special Brew fesul pecyn o chwech. Camodd Marty ymlaen fel wal frics oedd newydd ddysgu cerdded ac am eiliad tybiai Tom Tom fod y dyn yn edrych yn amheus, nid yn unig oherwydd maint ei gyfaill ond hefyd yr olwg yn ei lygaid, yr un oedd yn datgan heb amheuaeth nad oedd yn becso hanner ffwc ynglŷn â beth oedd yn sefyll o'i flaen a bod enw'r boi am drin clustiau pobl fel cebábs yn rhyw stori wag, ddibwys.

Wnaeth y ffeit ddim para'n hir, a phrin fod y bwcis

answyddogol oedd yn udo'r prisiau diweddara wedi cael cyfle i gymryd *side bets* yn ystod yr ymladd oherwydd roedd Gregor o Dipperary yn bwrw Marty yn galed – dwrn de, dwrn chwith, taro'r ên, un i'r llygad, eto i'r ên – ond Marty yn edrych fel petai'n teimlo dim, fel petai pryfetyn yn brathu croen rheino. Ar ôl munud doedd Marty ddim wedi taflu gymaint ag un dwrn i gyfeiriad y gwibiwr o'r Ynys Werdd, oedd yn llwyddo i wneud cais gwych i fod yn Riverdance gyda chwimrwydd ei symudiadau, y dawnsio gosgeiddig cyn y taro ergydiol. Ond doedd e ddim yn mynd yn ddigon agos i gael ei ddannedd unrhyw le'n agos at glustiau Marty.

Doedd dim marc ar Marty erbyn i sŵn y gloch ganu, tra bod ei wrthwynebydd yn laddyr o chwys a'r boi oedd yn sefyll wrth ei ymyl yn rhoi amonia lan ei drwyn, ac efallai rhywbeth pwerus yn y dŵr roedd e'n arllwys i geg y dyn, a'r truan hwnnw'n gorfod wynebu rowndiau hir yn bwrw wal frics drosodd a throsodd a throsodd.

Roedd yr atgof wedi tanio rhywbeth yn Tom Tom. Deialodd rif Marty ac o fewn chwarter awr roedd e'n sefyll yno, yn gysgod trwchus dros Tom Tom oedd yn dal i nyrsio'r botel fach o gwrw.

'Dyma'r *genie* wedi dod mas o'r lamp...' awgrymodd Tom Tom, gyda gwên.

'Yffarn o seis ar y lamp, dybia i,' atebodd Marty, gan daflu ei siaced i lawr ar y gadair gyferbyn â Tom Tom: pabell o ledr oedd yn ddigon mawr i lapio o gwmpas tri dyn cyffredin. Ambell waith doedd Tom Tom ddim yn deall pam fod Marty yn dewis adeiladu ei gorff i fod yn fwy ac yn fwy, ac yn ychwanegu mwy o gryfder i'r cryfder nerthol cynhenid. Os cawr, cawr.

'Oes 'na gystadleuaeth i ddod o hyd i'r dyn mwyaf yng Nghymru?' gofynnodd Tom Tom wrth i Marty osod pedwar peint ar y bwrdd i'r ddau ohonyn nhw, ac arllwys detholiad sylweddol o bacedi o'i bocedi – Pork Scratchings, creision, cnau, Scampi Fries. Dododd wy wedi ei biclo mewn paced o greision.

'Poor man's chicken and chips,' esboniodd cyn llowcio'r cwbl fel cyw o wylan yn llyncu tamaid blasus roedd y rhiant wedi ei gludo o'r dymp.

'Nawr 'te, os taw hon yw dy noson olaf fel dyn sengl, ddylen ni wneud rhywbeth mawr, rhywbeth gwahanol i ddathlu'r achlysur.'

'Dwi ddim am ddiweddu lan yn A & E,' dywedodd Tom Tom yn blwmp ac yn blaen.

'Dim byd i beryglu dy fywyd, *compadre*. Ond mae'n beth mawr, a rhaid dathlu gyda chydig o steil a dyw eistedd fan hyn yn byta crisps ddim yn dod yn agos at hynny. Dim steil o gwbl, weda i.'

'Oes gen ti syniad, neu fyddai'n well imi beidio gwbod dim am beth sydd yn y pen mawr 'na?'

'Y pen mawr golygus ti'n feddwl?'

'A ceg fel blydi ogof. Dwi heb weld unrhyw un yn byta gymaint heb dynnu anadl. Wyth paced o snacs yn yr amser gymerodd i mi gael swig o Sol?'

'*Hors d'oeuvres* bach yn unig. Ma gen i ffansi noson o stêcs a wisgi. Ti'n gêm?'

'Ma hynny'n swnio'n waraidd...'

'A dyw "gwaraidd" ddim yn air ti'n cysylltu 'da fi... Beth mae'n feddwl?'

Chwythodd Tom Tom lond ceg o gwrw ar draws y bwrdd wrth iddo chwerthin yn afreolus. Roedd wrth ei fodd yng nghwmni Marty – cyfaill bore oes a brawd gwaed. Roedd yn ddigon o ffrind i Tom Tom anghofio ei egwyddorion fel plisman ambell waith, ond wedi'r cwbl roedd Marty yn foi dansierus ac roedd bod yn ei gwmni yn gyfystyr â chael byddin bersonol yn ei warchod.

Cerddodd y ddau heibio safle'r New Sea Lock gynt ac oedodd Marty yn y fan a'r lle i smocio sigâr fawr dew.

'Pryd ddechreuest ti smocio sigârs, Marty?'

'Pan dalodd rhywun am waith o'n i wedi neud yn Kirby.'

'Ma Kirby yn agos i Lerpwl, Mart. Ti 'di dechrau gweithio'n rhyngwladol?'

'Un gair, gyfaill. Brexit. Mae lot o *enforcers* wedi mynd adre i Ddwyrain Ewrop ac felly mae mwy o gyfleoedd i bobl fel fi, ac fel ti'n gwybod dwi wrth fy modd yn gyrru ar hyd y draffordd. Beth dwi'n neud yw hyn: edrych am griw o ddynion – tîm ffwtbol neu fois sy'n mynd i *stag* neu rywbeth – a dwi'n sefyll tu ôl iddyn nhw wrth y cownter ac yn dechrau sgwrs fel, "Those mega breakfasts look as if they'll put you in cardiac care if you have more than one of them. And I always have ten. Do you think they're worth it? I mean that's over fifty quids worth of breakfast. Value for money?" Ac mae wastad un sydd ddim yn credu alla i fwyta tri deg sosej ac ugain wy heb anghofio'r pwdin gwaed a'r bara saim a'r bîns a'r shrwmps...'

'Na'r tost. Ma nhw bownd o fod yn rhoi dwy dorth i fynd 'da hwnna...'

'Gwir. A beth sydd hefyd yn wir yw bod rhywun wastad yn beto na alla i fyta gymaint â hynny, sydd fel ffordd o gael brecwast am ddim.'

'Brecwast am ddim. Ie plis.'

'A dim wast o gwbl. Ond mae rhywun yn gorfod mynd ymhellach ac yn lle beto ffiffti cwid bydd e am feto can punt. Un tro ges i rywun yn beto tri chant ac yn cerdded draw i nôl yr arian o'r ATM. Glywais i ei ffrind yn dweud 'tho fe i beidio bod mor ddwl ond roedd ei fêt yn gwbl benderfynol o ennill. Ha blydi ha! Wnes i archebu brecwast ychwanegol i fi fy hun a'i wahodd i eistedd lawr ac i ddechrau stopwatsh er mwyn iddo weld pa mor gyflym gallai ei arian ddiflannu. Roedd yr ecseitement wedi creu whant bwyd arna i, felly aeth popeth lawr yr hatsh mor glou fel wnes i anghofio neud y tric 'da'r sos coch a'i yfed e fel sŵp.'

'Alla i ddim stumogi gweld hynna, rhaid dweud. Mae'n un o'r pethau mwya disgysting erioed. A dwi'n derbyn enillaist ti'r bet?'

'Wyth munud ac ugain eiliad. I glirio mynydd o fwyd. Rhes o wynebau wedi rhewi mewn syndod. Sy'n neud i mi feddwl, odyn ni'n mynd am stêcs?'

'Arna i, *compadre*. A dim ymladd na cwmpo mas 'da unrhyw yn y bwyty?'

'Am unwaith, ocê...'

Dewisodd Marty fynd i'r lle newydd oedd yn rhy ddrud i bobl gyffredin fel nhw i fynd iddo ond gan ei fod yn achlysur arbennig, a gan fod ganddo rowlyn go dew o bapurau pum deg punt yn dwt ym mhoced ei drowsus, teimlai fel y math o drît oedd yn gweddu i'r fath achlysur.

Gawson nhw ford reit wrth y ffenest ac archebodd Marty wisgis mawr i ddechrau, oedd yn arwydd gwael, oherwydd ofynnodd Marty ddim oedd Tom Tom wedi syrthio'n gyfan gwbl oddi ar y wagen. Hyd yn oed os oedd Tom Tom wedi troi'n ddirwestwr, nid heno oedd y noson i ymwrthod. Dau hen ffrind yn ffarwelio â statws dyn sengl un ohonyn nhw. Tro ar fyd, a rhaid oedd i Marty gyffesu nad oedd e erioed wedi disgwyl gweld y dydd pan fyddai Tom Tom yn priodi.

'Alla i ddeall pam,' ymatebodd Tom Tom oedd yn cofio'r

dyn a fu fel *marionette* chwil gyda'r nos ac yn ffyrnigrwydd o waith yng ngolau dydd.

Prin fod y gweinydd erioed wedi cymryd archeb o stêc fel cwrs cyntaf, a stêc fel prif gwrs ac yna stêc i bwdin ond dyna beth oedd y cawr mawr wedi archebu tra bod ei fêt wedi dadlau bod ganddo'r hawl i gael prôn coctel ar ei noson ola fel dyn sengl, ac oherwydd hynny fe gafodd e hwnnw 'On the house, sir, with the compliments of the chef.'

A thros ginio rhaffodd y ddau eu straeon am yr holl anturiaethau yn y dyddiau gwyllt a fu.

'Ti'n cofio'r peth 'na yn y maes parcio, fel rhywbeth allan o ffilm?'

'A hongian y pedoffeil 'na gerfydd ei goesau dros y bont.'

'O'dd e'n ddigon parod i siarad wedyn. Cyffesu popeth fel pwll y môr.'

'A'r boi 'na gyda'r dryll *home-made* wthodd lan yn ei wyneb.'

'O'dd e'n un o'r pethau mwya doniol dwi wedi gweld. Yn union fel rhywbeth mewn cartŵn.'

'Y'n ni wedi gweld pethau rhyfedd yn y ddinas fach...'

'*Sláinte*,' atebodd Marty, gan archebu jwg o ddŵr i fynd gyda'r Powers.

Cyrhaeddodd ei stêc Porterhouse wrth i Marty ddechrau canu, a Tom Tom ddechrau teimlo'n flin dros y cwsmeriaid eraill oedd ddim yn disgwyl cael eu serenadu gan Bendigeidfran, er bod llais digon dymunol ganddo os allech ei berswadio i droi'r lefel sain i lawr ychydig. Ond pwy oedd yn mynd i ofyn iddo wneud hynny oedd y cwestiwn. Gwyddai Tom Tom o brofiad nad oedd modd rhoi stop ar 'The Fields of Athenry' tan y diwedd, felly gwell oedd derbyn bod y dyn yn ei hwyliau a byddai'n rhaid iddo stopio canu er mwyn bwyta'r stecen nesaf.

'Shwt ma'r wejen?' gofynnodd Tom Tom pan oedd eiliadau ola'r perfformans yn dal i grynu yng nghlustiau'r cwsmeriaid.

'Dal i 'ngharu i. Er gwaetha pawb a phopeth, fel dywedodd Dafydd Iwan.'

'Dim plans?'

'Beth? I briodi? Na. Dwi ddim yn credu bydda i'n dilyn dy esiampl di. No fear.'

Nododd Tom Tom bod ei gyfaill yn dechrau slyrio ychydig a wnaeth iddo boeni am y bil yn fwy na Marty oherwydd roedd e wedi bod yn llowcio wisgis fel dŵr y mynydd, ac roedd pob un yn bymtheg punt. Doedd Tom Tom ddim am ddechrau ei fywyd priodasol yn fethdalwr a doedd e ddim yn siŵr oedd ganddo ddigon o arian ar ei gerdyn i dalu'r biliau i gyd, er roedd yn amau bod Marty wedi gyrru i lannau Mersi i neud job er mwyn cael digon o bres i dalu am heno. Yn sicr roedd 'na deimlad felly, fel petai wedi cynllunio'r noson gan dybio byddai'r cyfle'n dod, a hwn oedd y cyfle.

'Felly mae'r ddau blisman heriodd Maffia Albania, ac ennill, yn barod i briodi.'

'Mae'n edrych felly.'

'Wyt ti'n siŵr dy fod ti eisiau i fi fod yn *best man*? Sdim plisman all neud y peth yn, wel, yn fwy parchus? Ma nifer o dy gyd-weithwyr di'n meddwl 'mod i'n ddylanwad drwg...'

'Mae Emma isie i ti fod. Ry'n ni wedi gofyn i ti'n swyddogol, felly ry'n ni'n hollol, hollol sicr. Bydd yn fraint dy gael di yno. Ti wastad wedi bod yna i fi pan mae angen. Pan o'n i'n sobri. Pan dwi 'di bod mewn twll. A dwi'n ddiolchgar. Yn ddiolchgar iawn, iawn.'

'I Batman a Robin, felly...'

Cododd y ddau y gwydrau crisial smart a theimlodd Tom Tom y gwrid yn codi i'w fochau.

'A dim mwy o ganu...'

'My lips are sealed,' addawodd Marty, gan ofyn am y bil a thalu gydag arian brwnt oedd wedi croesi'r ffin yn ddiweddar.

Storom drofannol

T REFNODD TOM TOM y mis mêl a chael bargen heb ei hail. Penbleth i'r ddau, Tom Tom ac Emma, oedd y cwestiwn ynglŷn â ble i briodi a hyd yn oed ynglŷn a ddylen nhw briodi oherwydd bod y ddau yn y ffors, ac yn ddigon hen i wybod beth oedd cariad a'i fod yn cyrraedd yn annisgwyl, a doedd dim angen rhyw sbloetsh fawr i brofi'r cariad hwnnw gerbron Duw. Ond gan bod y ddau yn anffyddwyr doedd hi ddim yn bwysig bod y ddefod yn digwydd mewn capel neu eglwys neu beidio.

Felly dyma benderfynu ar wasanaeth sifil moel yn Neuadd y Dref gan wahodd criw dethol o bobl i ymuno â nhw yn y Park Plaza wedi hynny. Roedd Marty wedi'i wisgo fel galwr bingo tra bod ei gariad, Trish, wedi'i gwisgo fel petai'n mynd i'r Oscars yn hytrach nag ystafell ddi-nod lle byddai menyw gyda thro yn ei llygad yn darllen sgript ffurfiol a sych er mwyn uno'r cwpwl.

Yr unig reswm eu bod nhw wedi penderfynu priodi o gwbl oedd bod cynrychiolydd yn yr Undeb wedi esbonio y byddai un yn cael swm sylweddol o arian petai'r llall yn marw yn y gwaith, ac er nad oedd Tom Tom yn medru dechrau amgyffred sut fyddai'n teimlo petai rhywbeth yn digwydd i Emma teimlai bod angen bod yn gyfrifol, yn aeddfed am y math yma o beth. Yn enwedig o ystyried yr holl farwolaethau yn y ffors yn ddiweddar. Gallech agor mynwent breifat ar eu cyfer, a'i llenwi erbyn y Nadolig.

Teimlai'r ddau fel troseddwyr wrth gyrraedd y maes awyr a chyflwyno eu dogfennau ffug. Roedd yn amod clir a phendant gan MI6 eu bod yn teithio'n gyfrin, oherwydd os oedd yr Albaniaid ar eu holau cyn y digwyddiad yng Nghanolfan y Mileniwm yna'n sicr y bydden nhw ar eu holau bedair awr ar hugain y dydd ar ôl i Tom Tom lwyddo i osgoi cael ei ladd gan y llofrudd proffesiynol mwyaf profiadol yr ochr yma i Fynyddoedd yr Iwrals.

Rhyfeddai'r ddau pa mor gyflym y cyrhaeddodd yr holl ddogfennau ar ôl tynnu'r lluniau angenrheidiol – dau basbort, cardiau credyd, hyd yn oed bob o dystysgrif geni jyst rhag ofn – y cwbl lot yn dod mewn bwndel o fewn deuddydd a'r ddau'n gorfod ymarfer llunio eu llofnodau newydd. Harold Ivan Chester, mewn llawysgrif agored rhywun oedd yn datgan ei addysg a'i statws mewn bywyd. Doedd yr enw ddim yn siwtio Tom Tom, na'r ddelwedd o'r Harry Chester chwaith. Dyn busnes a'i basbort yn llawn dop o stampiau o wledydd gwahanol, yn enwedig y Dwyrain Pell. Doedd ganddo ddim yr un dyddiad geni â Tom Tom – yr un mis, yr un flwyddyn, ond fe anwyd Chester ddiwrnod cyn Tom Tom ac ni allai ddyfalu pam y gwahaniaeth bychan yma, ond teimlai Tom Tom nad oedd yn gyd-ddigwyddiad hollol, oherwydd roedd popeth arall wedi ei drefnu'r fanwl iawn.

Vanessa Gable oedd Emma, a wnaeth arwain at sgwrs fywiog rhwng Emma a Tom ynglŷn â sut i dalfyrru'r enw Vanessa. Roedd Nessie yn swnio fel y bwystfil chwedlonol yn Loch Ness; Ness yn eu hatgoffa o Elliott Ness, yr actor oedd yn chwarae gangsters mewn hen ffilmiau, a Van yn rhy debyg i fel, wel, fan. Bu'r ddau'n chwerthin nes bod cnoc ar ddrws Emma yn gwneud iddyn nhw rewi oherwydd roedd eu nerfau'n frau oherwydd y sesiynau gyda MI6 ynglŷn â beth fyddai camau nesaf yr Albaniaid. Roedd llygedyn bach o obaith oherwydd roedd posibilrwydd eu bod wedi dod o hyd i snitsh o fewn y teulu, wedi llwyddo i ddarganfod man gwan a manteisio arno'n llawn. Ond gronyn bach, bach o obaith oedd hyn yn wyneb y ffaith bod yr Albaniaid yn siŵr o fod yn gandryll. Roedd eu maeddu nhw unwaith yn ddigon i'w hala nhw'n hurt bost. Roedd dwywaith y tu hwnt i'w ddirnad.

Ac mi roedden nhw'n gandryll, yn ddiffiniad o dymer wyllt, mwy na hanner gwallgo o grac. Fel roedd MI6 yn amau, roedd hi'n ddigon gwael eu bod nhw wedi eu trechu gan y bobl yma unwaith, pan lwyddodd y cops yng Nghymru i ddal un o'r cargos cocên mwyaf yn hanes y ddynolryw, yn sicr yn hanes Maffia Albania, a doedd y Maffia ddim yn ymateb i sialens o'r fath i'w hawdurdod heb fynnu gwaed. A dyna wnaethon nhw, gan anfon Mr Du, yr asasin mwyaf profiadol gyda'i gyllyll bwaog a'i lygaid fel slits. Daeth yr holl deuluoedd Albaniaidd at ei gilydd yn y gynhadledd fwyaf yn hanes y teuluoedd, mewn pentref diarffordd ar lethrau Mynyddoedd Tomorr.

Llyncodd pennaeth y Maffia sip drudfawr o Chivas Regal cyn cychwyn ei araith:

'Mae'n dri o'r gloch. Erbyn chwech o'r gloch dwi eisiau cynllun manwl ac enwau'r bobl sydd yn mynd i wireddu'r cynllun manwl hwn, ac wedi i ni bleidleisio gallwn agor rhai o'r boteli gorau yn y selar, y rhai o Libanus, a chodi llwncdestun i'r rheini yn Wales sydd yn mynd i ddihuno mewn gwlad o boen diddiwedd. Emma Freeman. Codwn wydriad iddi hi a'i dioddefaint. A Thomas Thomas, croeso i'ch bywyd newydd, a bywyd byr o fyw mewn ofn a threial.

'Mae angen dial a gwneud hynny'n gyflym, yn gyflym iawn.

Chwalu byd y ffycyrs, a'i chwalu'n deilchion. Nawr. Does dim ots am y gost. Na, yn fwy na hynny, dwi am i bobl weld ein bod yn talu pris uchel, ein bod ni'n medru talu pris uchel iawn am ddifetha bywydau'r ddau 'ma. I ddweud y gwir pam na awn ni ymhellach a dweud ein bod ni'n mynd i bisho gwaed ar y cops draw 'na, neu hyd yn oed mynd mor bell â pisho ar eu bywydau nhw i gyd, y ddinas, y wlad, pob un o'r ffycyrs sy'n byw yn Wales. Gwlad fach sydd yn mynd i fod dan gymylau du sy'n agor er mwyn pisho lawr arnyn nhw fel glaw.'

*

Llwyddodd Tom Tom i gael gwyliau mis mêl ar ynys Antigua am bris rhesymol gan eu bod yn teithio yno ar erchwyn y tymor corwyntoedd ac wrth edrych allan drwy ffenest eu hystafell yn y gwesty roedd yn y cymylau lliw inc a chwyrlïai'n chwyrn, a'r gwynt oedd yn codi stêm ac yn eu dryllio'n rhubanau sydyn, arwydd bod y tymor tywydd gwyllt ar fin dechrau. I gadarnhau'r teimlad ym mêr ei esgyrn gwelodd Tom Tom rai o'r gweithwyr yn y gwesty dros y ffordd yn dechrau bolltio'r ffenestri.

'Mae'n edrych fel petai tywydd drwg ar y ffordd, er does neb yn y gwesty wedi dweud bw na be am y peth.' Drwy ffenest gallent weld cymylau duach, mwy trwchus yn chwyrlïo'n gynt, gan lyncu'r rhubanau bach o lesni oedd yn weddill, a chreu cysgodion yn lledaenu dros y tir. Fflachiai mellt fel gwe pry cop, y weiars tenau yn fflachio'n llachar yn erbyn y gefnlen ddu.

'Tywydd y disgownt, felly? Y rheswm bod y trip yma mor tsiep. Wyt ti'n awgrymu taw nawr yw'r amser i fynd lawr i'r pwll oherwydd hwn fydd y cyfle ola efallai?'

'O edrych ar y ffordd mae'r coed yn dechrau plygu efallai byddai'n syniad i gael y Piña Colada olaf hefyd cyn y storm.'

Roedd y tywydd wedi newid yn hynod o sydyn. Diwrnod paradwysaidd o awyr lliw asur a môr oedd yn llyn tawel o *turquoise* yn troi'n dymestl, a thonnau oedd yn ferw gwyllt. O fewn dwy awr.

Chwarddodd Emma yn uchel, er iddi deimlo siom hefyd oherwydd roedd y tridiau diwethaf wedi bod ymhlith dyddiau gorau ei bywyd. Llwyddodd y ddau i anghofio'u bywydau 'nôl yng Nghymru ac ar ben hynny cytunodd y ddau i osgoi trafod yr Albaniaid, Caerdydd, ac unrhyw beth fyddai'n agor llifddorau o atgofion, gan ganiatáu afon wyllt o ddelweddau i lifo i mewn. Doedd Tom Tom ddim wedi dechrau ei gwrs o therapi i ddelio â'r profiad o gael ei glymu ar y gantri yng Nghanolfan y Mileniwm, a'i ben yn darged ar gyfer bwa a saeth. Hongian yno am oriau, heb obaith na ffordd i chwilio am help. Diolch byth am sgiliau digamsyniol Emma, wnaeth achub ei fywyd, heb os. Dyna'r math o ddelweddau hunllefus roedd Tom Tom yn gorfod eu claddu, neu eu hosgoi, a doedd e ddim yn hawdd, yn enwedig ar ôl tri neu bedwar Piña Colada, ac yntau'n difaru'i enaid ei fod wedi dechrau yfed eto, ond ar y llaw arall yn mwynhau'r teimlad o golli gafael, wrth i'r nos drofannol ddisgyn yn sydyn fel llen.

Yn y cwt bach ar erchwyn lliain tarmac y maes awyr, lle byddai'r dyn boliog yn stampio'r pasbortau, roedd y swyddog yn chwysu nes bod ei grys yn wlyb, a hwnnw'n bygwth bostio oherwydd y straen o ddal y bloneg i mewn. Pendronai dros y delweddau o'i flaen, yn clirio mwg y sigâr dew oedd yn llosgi ar yr ashtre, gan orchuddio delwedd o Bunny Girl oedd yn perthyn i oes a fu.

Yna cofiodd ble roedd e wedi gweld llun y dyn yma o'r

blaen, a'r fenyw, petai'n dod i hynny. Nid ar un o ffacsys Interpol oedd wastad yn mynd yn syth i'r bin ond ar un gan yr Albaniaid, oedd bron byth yn cysylltu, oherwydd prin fod unrhyw fasnach gyffuriau ar yr ynys, nac unrhyw reswm arall iddyn nhw ymweld â'r lle, nac ymwneud ag e, y tu hwnt i dalu swm bach teidi i gyfri banc ar Ynysoedd y Cayman bob tri mis er mwyn ei gadw ar y llyfrau, a gwneud yn siŵr ei fod yn effro i bethau fel hyn. Sugnodd ddracht hir o fwg sigâr, fel y byddai dringwr mynydd yn anadlu awyr llawn oson yr ucheldir, cyn peswch yn hardd. I dawelu'r llwnc cymerodd sip sylweddol o'i hoff rỳm o Weriniaeth Dominica, gan gynnig winc sydyn i'r fenyw hardd oedd yn gwenu arno ar y label, cyn deialu'r rhif fyddai'n trosglwyddo ei alwad drwy sawl gwlad a sawl system ddiogelwch cyn cyrraedd ei fentor yn rhywle, Tobago efallai. Esboniodd i'r dyn, Raoul, ei fod yn credu bod y ddau gop wedi cyrraedd yr ynys, ac er i'r dyn ben arall y ffôn ryfeddu, cafodd orchymyn clir a phendant.

'Confirm identities. Then exterminate the two and our masters will reward us for our efforts.'

Doedd y dyn boliog ddim yn llofrudd, na chwaith yn rhywun digon dewr i brynu arf hyd yn oed, heb sôn am ddefnyddio un, ond roedd y llais yma ben arall y ffôn yn rhoi gorchymyn nid gofyn cwestiwn ac roedd y dyn chwyslyd yn gwybod digon am y ffordd roedd tentaclau'r Albaniaid yn medru cyrraedd mor bell â'r ynys hon. Cofiai sut roedd y boi tollau oedd yn gwneud y job o'i flaen wedi marw. Cafodd ei lofruddio, do, ond nid ei lofruddio mewn ffordd normal. Darganfuwyd ei gorff wedi'i hoelio ar ddrws y casino, fel arwydd i'r bobl oedd ag arian a phŵer nad nhw oedd y rhai â'r pŵer a'r arian mewn gwirionedd.

Doedd dim sôn am y bois diogelwch, y rhai ddylai fod wedi

gwneud yn siŵr na allai rhywun gael ei groeshoelio wrth yr olwyn blacjac enfawr oedd yn fflachio cystal â goleudy San Lazar y tu hwnt i'r lawnt o flaen y casino, yn troi'r môr du yn rhubanau o olau gwyn am eiliadau. Dim siw na miw. Yn wir roedd diflaniad y tri boi cyhyrog yn gymaint o ddirgelwch â'r dyn tollau yn hongian yno'n gorff. Felly, os gallai'r Albis wneud hyn doedd dim dewis gan y dyn tollau newydd. Rhaid oedd cael gwared ar y ddau, ond teimlai i'r byw na allai wneud hynny heb gymorth. Ffoniodd gyfeillion iddo, Vincent a Leroy, i esbonio ei ddilema cyn cynnig crocbris am ei fywyd ei hun, os gallai'r ddau wneud yn siŵr ei fod yn cadw ar dir y byw a bod y ddau gop yn cael eu sgubo oddi ar y tir hwnnw.

Nid Vincent oedd y person mwyaf addas ar gyfer cyflawni llofruddiaeth. Crwc bach oedd e, y math o foi oedd yn dwyn bagiau menywod oddi ar gefn ei foto-beic, yn gyrru'n wyllt ar ochr palmant a thynnu'r bagiau yn rhydd o afael mam neu fam-gu: dim byd arwrol, dim ond snatsh sydyn ac wedyn ei heglu hi. Ond cytunodd i drafod y posibilrwydd o ladd y ddau ymwelydd i'r ynys oherwydd bod Raoul yn cynnig swm sylweddol ar y naw i'r dyn tew. Nid oedd Leroy yn foi clyfar, nac oedd, i'r gwrthwyneb. Roedd ei dwpdra yn nodweddiadol ohono ond roedd yn ddyn hynod o gryf, cyhyrau pwerus ac ysgwyddau mor llydan â rhai bustach, a gallai ymdebygu i daflegryn dynol, neu darw hurt yn dinistrio popeth o'i flaen.

Yfodd y tri chynllwyniwr yn araf, gan sawru'r blas myglyd ar y wisgi drud. Ni esboniodd y dyn tew taw cops oedd y ddau i'w lladd, ond rhoddodd fanylion y gwesty, rhif eu hystafell a hefyd rif ffôn un o'r garddwyr allai agor drws yng nghefn y compownd er mwyn iddyn nhw sleifio i mewn fel niwl y bore, gwneud y weithred ac yna lithro allan. Edrychodd Vincent ar Leroy, gan dybio nad oedd yr un bod byw yn llai tebygol o sleifio fel niwl, a'i gefn yn unig yn ymdebygu i oergell Americanaidd a'i freichiau yn hir ac yn flewog ac yn hongian o'i ysgwyddau llydan fel rhai orangwtáng.

*

Eisteddai Emma a Tom Tom ar y feranda yn sipian sudd mango ffres ac yn mwynhau'r olygfa. Trionglau gwynion y cychod hwylio yn ling-di-longian ar draws y bae. Plant bach yn brysur yn deifio dan y dŵr i chwilio am gregyn ffansi i'w gwerthu i'r twristiaid, ac efallai'r ffaith fod y tymor twristiaid ar fin dirwyn i ben yn esbonio'u prysurdeb.

'Ma hyn yn lyfli, ond allen i ddim byw fel hyn bob dydd chwaith,' meddai Emma. 'Na, ddim y math 'na o bobl y'n ni. Mae angen stwff i'w neud, pobl i'w dal. Ond ma brêc yn neud lles. Dwi'n teimlo 'mod i wedi heneiddio tipyn mewn blwyddyn. Mae gymaint o bethau wedi digwydd, un ar ôl y llall.'

'Ond ti'n dal yn gorjys.'

'Diolch am ddweud hynny.'

'Hawl gan bawb ei farn.'

'Rwyt ti'n lyfli, Thomas Thomas. Fy ngŵr. Well i mi ddechrau defnyddio hynny'n fwy aml.'

'Pwy feddyliai?'

'Ie, wir.'

Gwelodd y ddau fod 'na rhyw gomosiwn i lawr ar y traeth, gyda'r plant yn arllwys allan o'r môr fel morgrug, a rhai yn ei sgrialu hi ar hyd y graean. Yn y pellter gallent glywed lleisiau bach yn gweiddi, 'Siarc!' Cododd y ddau a thasgu i'r traeth drwy ddrws preifat y gwesty, ac roedden nhw yno, ill dau, mewn pryd i godi un plentyn bach allan o lwybr anifail wnaeth bron â chyffwrdd yng nghoes Tom Tom cyn troi o'r neilltu a symud tuag at y dŵr agored. Crynai'r bachgen yn ei freichiau ac o fewn munud roedd nid yn unig ei dad a'i fam wedi ymddangos o nunlle ond poblogaeth y pentre pysgota'n gyfan, a phawb yn eu llongyfarch ac yn diolch iddynt am achub bywyd Baldwin, y crwt ifanc.

'That was a bull shark, sir, also known as a Zambezi shark. You were lucky to get away with both legs intact,' awgrymodd y tad wrth Tom Tom, cyn cynnig ei law i ddiolch iddo eto.

Edrychodd Emma a Tom Tom ar ei gilydd mewn syndod. Digwyddodd popeth mor sydyn. O fewn munud roedd Tom Tom wedi ei ddyrchafu'n arwr, ac efallai bod ei ddiffyg gwybodaeth am siarcod tarw wedi bod o help.

'Dewch draw pan mae'r haul yn machlud,' awgrymodd mam Baldwin, oedd yn anwesu ei mab, yn ei dynnu'n dynn at ei bronnau.

Gofynnwyd i'r ddau fynychu cinio diolchgarwch ar y traeth y noson honno, gyda'r tad, oedd yn edrych fel y dyn hapusaf ar y blaned, yn dweud y byddai cyfle i flasu'r rỳm cartref roedd ei dad-cu yn ei gynhyrchu. Stwff da iawn, awgrymodd gyda winc.

Am ginio! Am barti! Am ddathlu bythgofiadwy. Ond mae dathlu achub bywyd rhywun rhag ceg ddanheddog siarc barus wastad yn mynd i fod yn ddathliad a thri chwarter. Eto, prin fod Emma a Tom wedi dychmygu sbloets o'r fath. Adeiladwyd bar dros dro yn unswydd ar gyfer y digwyddiad. Un funud roedd y draethell yn wag ac ar ôl dwy awr o saer coed lleol yn torri pren a bwrw hoelion dyma'r Honoured Guests Bar yn barod i weini coctels. Roedd y ddistyllfa leol wedi cyfrannu tri chrât o English Harbour Rum, ac un o'r gwestai crand wedi rhoi menthyg un o'i micsolegwyr gorau, barman oedd yn enwog mor bell â Bermuda am ei goctels nodweddiadol o flasus. A'r coctel gorau yn ei dyb ef oedd cymysgu'r union rỳm hwnnw gyda llond perllan o flasau ffrwyth – sblash o grenadîn, gwirod eirin gwlanog, piwre mango, wedi ei addurno'n gelfydd â dail pinafal, yn tyfu o rimyn pob gwydr.

A thra bod y seiri coed a'r gweithwyr bar wrthi'n paratoi, roedd plant y pentref yn adeiladu coelcerth enfawr gyda phentyrrau o froc môr, gydag un criw o ryw ugain o blant yn llusgo coeden gyfan ar hyd y traeth i fod yn sail i'r bensaernïaeth letchwith o frigau a chasgenni a bocsys pren. Wrth edrych ar eu hwyrion yn morgruga'n brysur yn casglu a llusgo a chodi coelcerth oedd dair, bedair gwaith yn uwch na nhw eu hunain, proffwydodd un tad-cu wrth un arall y byddai rhywun yn medru gweld y fflamau mor bell i ffwrdd â Montserrat, efallai Basseterre, ac atebodd ei gyfaill, gyda sglein o ddiawlineb yn ei lygaid, ei fod yn siŵr y gallai rhywun weld yr ŵyl dân yn Anguilla, a chwarddodd y ddau o feddwl bod y cryts yma'n medru creu'r fath olau o fflamau gwyllt yn y nos. Digon i oleuo llwybr lliw tanjerîn ar draws y môr. Ond roedd mwy i ddod…

Cyrhaeddodd tryc sylweddol yn cario system sain fwya'r ynys, yr un oedd yn cael ei defnyddio yn y carnifal, yr un oedd mor bwerus nes y byddai'r ynys yn daeargrynu gyda phŵer y bas. Roedd y pentrefwyr wedi llwyddo i gael whiprownd a threfnu bod Boasta i ddod i chwarae oherwydd hwn oedd y band mwyaf poblogaidd ar yr ynysoedd, dynion ifainc oedd yn medru rhannu eu hegni a defnyddio rhythm i gael pawb ar eu traed, yr ifanc a'r hen, a rhai'n awgrymu bod y miwsig yn ddigon i siglo'r meirwon ym mynwent eglwys Gracehill Moravian a'r eglwys gadeiriol. Cannoedd o sgerbydau'n gwisgo rhubanau hen ddillad ac yn sgancio'n wyllt.

Taflodd Tom Tom ei addunedau i domen wyllt y fflamau'r noson honno drwy yfed alcohol a mwy o alcohol, ac allai Emma ddim ei feio o gwbl. Wedi'r cyfan roedd achub rhywun o geg siarc yn rhywbeth gwerth ei ddathlu a gwyddai hefyd fod ganddo'r hunanreolaeth i stopio pan oedden nhw'n ôl yng Nghymru. Ac roedd ei weld yn dawnsio yn wledd, heb sôn am y wledd go iawn o bysgod môr a chregyn a reis sbeislyd a photeli cwrw â dagrau oer yn arllwys i lawr ochrau ei gyddfau gwydr. Ac roedd pawb yn gwenu'n ddi-stop a pharêd o ddynion yn dod draw at Tom Tom i'w longyfarch, gan ysgwyd llaw a chynnig potel arall neu un o'r coctels pwerus nes bod rhaid iddo gymryd stoc oherwydd roedd yn dechrau gweld dwbl, ac Emma yn dechrau dawnsio'n agosach ato i wneud yn siŵr na fyddai'n cwympo ar lawr.

Dym. By-dym. By-dym. By-dym. Roedd y miwsig yn heintus, a gwres y nos yn ddigon i chwysu peth o'r alcohol allan o'i groen. Erbyn canol nos roedd fel petai'r pentref cyfan ar ei draed, a'r band wedi bod yn chwarae'n ddi-stop am deirawr a mwy a doedd dim arwydd bod y band na'r dorf yn blino ar glywed ambell gân fwy nag unwaith, oherwydd rhan o'r diléit mewn gwrando ar y caneuon oedd gwybod y geiriau, y geiriau oedd yn sôn amdanyn nhw, pobl pentref bach ym mharadwys Antigua oedd yn hapus er yn dlawd ac yn ddiolchgar am y caneuon a chynaeafau llawn y môr ac am nosweithiau fel y rhain, pan oedd y sêr yn ddirifedi, a'r coed ar lan y môr yn siglo'n wyllt i rythm y gitâr fas.

Wrth i Emma a Tom Tom ddawnsio roedd Vincent a Leroy yn ceisio penderfynu faint o arian i'w roi i'r porthor nos yn y gwesty lle roedd y ddau gop yn aros. Byddai tâl i rywun i gadw'n dawel am ladrad yn swm rhesymol, digon parchus ond ddim dros ben llestri, ond os oedd rhaid cadw'n dawel am lofruddiaeth roedd angen tipyn mwy. Heblaw eu bod yn medru defnyddio ofn i gadw'r gwefusau ar gau, i lynu at ei gilydd am byth bythoedd. Ond wrth gwrs, crwc bach pathetig oedd Vincent, ac roedd Leroy mor bell o fod yn Einstein fel y gallech ddadlau ei fod yn esiampl berffaith o ddiesblygiad, ac felly roedd hyd yn oed gwneud y bygythiad priodol yn anodd, oherwydd yn yr achos yma roedd dau frên yn gyfystyr ag un, neu lai hyd yn oed.

Cerddodd y ddau at ddesg y gwesty lle mae gwyfynod yn gwau'n gwmwl o gwmpas y goleuadau. Mewn isleisiau maen nhw'n esbonio beth allai ddigwydd i'r anffodusyn tu ôl i'r ddesg – sef yr hyn ddigwyddodd i'r boi tollau gafodd ei groeshoelio – ac er nad oedd gan Vincent brofiad o'r math yma o beth aeth pethau'n dda oherwydd roedd y porthor yn crynu fel deilen fanana wrth iddo estyn copi o'r allwedd sgerbwd a agorai bob drws ar yr ail lawr, gan gynnwys ystafell 202. Wrth i'r bygythiwr a'r dyn mawr fel cawr gerdded ar draws y cyntedd meddyliodd y porthor am alw'r heddlu ond neidiodd delwedd o ddyn yn hongian mewn casino i'w ben, ynghyd â wynebau ei wraig a'i blant, a snipiodd y syniad yn ei hanner, fel rhywun yn torri llinell deliffon.

Doedd y gair 'chwil' ddim yn ddigonol i ddisgrifio cyflwr Tom Tom wrth iddo igam-ogamu'n llafurus tua'r gwesty, gydag Emma fel ffon fagl iddo, a'i gorff yn hongian arni. Erbyn iddynt gyrraedd y dderbynfa maen nhw'n gorfod eistedd ar un o'r soffas moethus lle mae Tom Tom yn cwympo i gysgu'n syth ac yn dechrau rhochian yn uchel. Gofynna Freeman am flanced i osod drosto, nid i'w gadw'n gynnes – mae'n noson fyglyd o drofannol – ond er mwyn ei urddas. Mae'n gwybod y bydd yn difaru yn y bore ond nid yw'n teimlo ei bod yn medru ei godi a'i gario i'r grisiau, a byddai ceisio ei gael i mewn i'r lifft yn ormod o bantomeim. Dyw'r porthor ddim am gynnig helpu oherwydd teimla taw hyn yw'r ateb gorau i'w gonwndrwm, sef gwybod bod dau ddyn yn disgwyl am y gŵr a'r wraig yma yn eu hystafell.

Ac ydyn, mae Vincent a Leroy yn aros yno ar bigau'r drain, yn ofni siarad, yn gyndyn i anadlu bron ac mae amser wedi newid, gyda'r naill na'r llall yn meiddio symud oherwydd er bod ganddynt arfau nad oes ganddynt unrhyw brofiad o'u defnyddio ac yn sicr does gan yr un ohonynt ddymuniad i fod yn llofrudd. Ond does dim dewis. Oni bai eu bod nhw'n lladd y cops o Brydain – maen nhw wedi gweithio hyn mas o leiaf – bydd rhywun yn eu lladd nhw. Tu allan i'r ystafell mae awel yn suo'n dawel ond does dim sŵn traed, ac mae'r ddau ddarpar asasin yn poeni fod y ddau gop yn mynd i aros mas tan y wawr yn y parti mawr. Nid heno oedd y noson i wneud hyn ond sut oedd modd gwybod bod y cop yn mynd i achub bachgen, a bod 'na garnifal yn mynd i ddilyn?

Mae mosgitos yn setlo ar eu gyddfau a'u breichiau ac mae'n arteithiol i'w gweld nhw'n sugno gwaed fel llaeth drwy welltyn tenau *proboscis*. Nid yw'r rhifau ar y cloc wrth ymyl y gwely yn newid, ac mae amser wedi rhewi, pob munud yn pwyso fel carreg, y dasg o'u blaenau yn drwm fel cydwybod. Mae Leroy am ddweud rhywbeth ac mae Vincent am ddweud rhywbeth ond nid yw'r un o'r ddau yn meiddio gwneud. Mae'r tawelwch yn ormesol, gyda sŵn y mosgitos yn torri drwodd fel driliau bychain. Ac yn eu dwylo mae'r *machetes* yn teimlo'n drymach ac yn drymach, ac mae eu bysedd ar fin colli teimlad. Maen nhw wedi aros yn ystafell 202 am awr, efallai teirawr, ond allan nhw ddim aros am byth. Ac mae'n teimlo fel petaen nhw wedi bod yn aros mor hir â hynny, fel delwau yn y tywyllwch.

Daw'r porthor draw i siarad â Freeman, gan gynnig lle i

Tom Tom gysgu ar y soffa fach yn yr ystafell tu ôl i ddesg y *concierge*, gan fynnu y byddai'n gyfforddus yno ac yn cadarnhau y byddai'n wirion i geisio llusgo'r dyn i'r grisiau neu i'r lifft oherwydd mae corff sy'n cysgu'n drwm fel corff rhywun marw, yn drymach rhywsut. Daw'r syniad fel bendith i Emma, a chyda help y porthor mae'n symud Tom Tom ac yn penderfynu aros yn yr un ystafell, gan werthfawrogi'r preifatrwydd.

Yn fuan wedyn mae Vincent a Leroy wrth y ddesg ac yn gofyn i'r porthor ydy e wedi gweld trigolion ystafell 202 ond mae'n siglo ei ben heb godi ei lygaid. Llusga'r ddau allan i'r nos, eu hofnau am y dyfodol mor llawn â'r lleuad binc sy'n llusern enfawr uwchben, gan oleuo'r ddau yn cerdded tuag at derfyn bywyd. Pan fydd yr Albis yn clywed. Pris methiant yw marwolaeth, fel y mae un o'u diharebion yn datgan.

*

Mae golau'r haul yn dallu fel laser pan mae Tom Tom yn dihuno, a'i gur pen yn bwrw fel gordd duwiau Sgandinafia, ac am eiliad neu ddwy mae e wedi anghofio nid yn unig ble mae e ond pwy yw e, ond pan mae'n gweld Emma yn gorwedd ar ei bwys – Emma, ei wraig!– mae atgofion am y noson wyllt yn rhaeadru drwy ei ben yn un llif o liw a sŵn ac alcohol. Ac mae'n cofio'r siarc a'r holl bobl yn siglo llaw nes ei fod yn teimlo fel prif weinidog neu arlywydd. Mae arno syched anhygoel ac mae'n codi i chwilio am beiriant dŵr. Mae'n agor y drws a dim ond wedi gwneud hynny mae'n sylweddoli nad yw e yn yr ystafell wely ond mewn cyntedd sydd yn llawn dop o bobl yn fagiau i gyd. Tu allan mae bws mawr gwyn, yr injan yn rhuo wrth i'r gyrrwr geisio denu sylw'r teithwyr oherwydd mae'r awyren yn gadael mewn llai na dwy awr. Bron i Tom Tom wagio'r peiriant dŵr cyfan wrth iddo lowcio un cwpanaid ar ôl y llall, ac mae'n dechrau teimlo fymryn bach yn well, er fod pob rhan o'i gorff yn sgrechian arno ac yn ei gyhuddo o geisio gwenwyno ei hunan. Ac mae'n wir wrth gwrs. Petai rhywun yn darganfod alcohol heddiw byddai'n rhaid ei gadw yn y cwpwrdd gwenwyn gyda'r holl wenwynau eraill. Mae'n cofio hyn o un o'i seisynau sychu pan oedd y cynorthwywyr yn defnyddio pob tric yn eu llyfrau i helpu Tom Tom i wella. Beth fyddai Dr Bloom yn ei ddweud petai'n gweld Tom Tom nawr – y methiant crynedig yma oedd yn ceisio yfed holl ddŵr Antigua? Ond efallai byddai Dr Bloom yn credu – o weld Emma yn cerdded lan y tu ôl iddo ac yn plannu cusan ar ei ysgwydd – y byddai popeth yn iawn, oherwydd os oes gan ddyn gariad, does dim lle iddo gasáu ei hun gymaint.

'Wel, Mr Thomas, geson ni noson fawr, yn do? Y math o noson mae arwr mawr y pentref yn ei chael os ydy e'n achub bywyd plentyn. Awn ni lan?' meddai Emma wrth Tom Tom, y ffurfioldeb chwareus yn ymgais i newid hwyliau ei gŵr newydd oedd yn dal i grynu.

Dyw Tom Tom ddim yn siŵr all e wynebu gwneud ei ffordd drwy'r dorf ond diolch i'r drefn mae anesmwythder y gyrrwr wedi gwneud iddo hysio'r dorf tua'r drws gan greu llwybr clir i'r grisiau, er bod teils y cyntedd yn donnau dan ei draed, a'r byd yn sigledig.

Emma sy'n gweld yr arwydd cyntaf, bod y darn o wallt osododd hi o gwmpas bwlyn y drws wedi torri. Mae'n ystyried mynd i nôl rhyw fath o arf o'r lle bwyta lawr llawr, ond wedyn mae'n rhesymu bod syrpréis yn arf ynddo'i hun. Gwyddai na fydd Tom Tom o unrhyw gymorth, ond mae'n credu y bydd gofyn iddo aros y tu allan yn help seicolegol oherwydd bydd yn edrych fel bac-yp hyd yn oed os na fydd yn medru cynnig bac-yp o unrhyw fath mewn gwirionedd. Mae Emma yn llithro'r allwedd i dwll y clo yn slic ac yn sydyn, ac yn ei droi heb wneud clic. Bron. Yna mae'n hyrddio i fewn i'r ystafell yn barod i daflu ei hunan at rywun. Ond doedd neb yna ac ar ôl iddi edrych yn sydyn yn yr ystafell molchi mae'n cerdded allan er mwyn tynnu Tom Tom i fewn. Mae ei nerfau ar dân wrth iddi osod Tom Tom mewn cadair a dechrau esbonio, ond wrth wneud hynny mae'n ceisio dyfalu pwy oedd yn yr ystafell a pham. Mae hi'n ofni'r gwaethaf, sy'n naturiol oherwydd roedd eu mis mêl yn gyfle i fynd o afael yr Albaniaid – efallai'r rheswm eu bod nhw wedi priodi yn y lle cyntaf. Ond fel yr oedd hi ac Interpol yn gwybod, roedd tentaclau'r Maffia yn ymestyn yn bell, a'u hwynebau wedi eu naddu ym meddyliau pobl ddrwg ar bob cyfandir. Synnai hi ddim petai rhywun wedi gweld y tu hwnt i'r pasbortau ffals, a'r enwau creu, a'r farf roedd Tom Tom wedi ceisio'i thyfu er nad oedd yn ymdebygu o gwbl i ddynion ar daith i Begwn y De, neu hen fwyngloddwyr mewn ffotograffau sepia.

'Be sy'n digwydd?' gofynnodd Tom Tom, yr adrenalin ddaeth yn sgil y cyffro yn ei ddihuno fel llond bwced o goffi.

'Roedd rhywun wedi torri mewn i'r ystafell. Cymryd dim, ond bod yn ofalus iawn. Prin 'mod i'n medru gweld dim byd ond olion traed…'

Gyda hynny dyma Emma yn olrhain maint yr esgidiau drwy fesur mannau lle roedd un dyn… dau ddyn… wedi bod. Yn sefyll. Yn aros. Roedd y ddau wedi bod yn aros iddyn nhw ddychwelyd. Efallai fod y ffaith iddyn nhw gysgu lawr llawr wedi achub eu bywydau. Gwyddai Emma na ddylai ddychmygu gormod ac y byddai angen iddi ofyn cwestiynau a chael mwy o dystiolaeth na darn o wallt wedi hollti ac olion dau ddyn, un dipyn trymach na'r llall. Ond roedd yn ddigon difrifol iddi ffonio'r rhif oedd ganddi ar gyfer cyswllt lleol, gan awgrymu bod Tom Tom yn mynd i lawr y grisiau i archebu brecwast iddynt fwyta wrth aros iddo gyrraedd. Roedd yr olwg ar wyneb Tom Tom yn bictiwr, oherwydd roedd hi'n amlwg fod y syniad o wynebu bwyd yn codi cyfog arno. Eto roedd rhaid gadael y lle heb amharu ar y dystiolaeth dan draed. Trodd ei hawgrym yn orchymyn.

'Tom Tom. Y lle brecwast. Nawr.'

Cododd Tom Tom fel awtomaton a cherdded i lawr y grisiau, i mewn i ddiwrnod oedd eisoes yn crasu, a'r golau cryf yn dallu.

Ef oedd yr unig un yn y lle bwyta – roedden nhw ar fin cau am y bore – ond llwyddodd i gael lle wrth ei hoff fwrdd, er nad oedd yn medru gwerthfawrogi'r olygfa. Prin ei fod yn medru agor ei lygaid yn erbyn ffyrnigrwydd y golau, oedd yn tasgu'n wyllt oddi ar y tonnau. Roedd ei feddwl yn llawn cwestiynau ac ar ben hynny roedd yn teimlo pang o anesmwythyd ei fod wedi siomi Emma trwy fod mor chwil, hyd at ddiymadferthedd a hithau'n gorfod delio â'r ffaith fod dau berson wedi torri mewn i'w hystafell. Saethodd rhywbeth oer i lawr ei asgwrn cefn wrth feddwl ei bod hi wedi gorfod mynd i mewn i'r ystafell heb wybod os oedd dieithriaid yno yn disgwyl amdanynt, ac yntau fel wew yn sefyll y tu allan heb ddeall pam na sut nac unrhyw beth ynglŷn â beth oedd yn mynd ymlaen. Drato! Pam na challiodd pan oedd cyfle, cyn hanner nos, neu cyn ei fod wedi cyrraedd pwynt pan allai ddim cofio sawl drinc roedd e wedi'i yfed?

Ymddangosodd Emma gyda golwg mwy difrifol ar ei hwyneb na phan adawodd bum munud yn gynharach.

'Dwi ddim yn credu bydd amser am frecwast. Maen nhw'n cael ni mas o 'ma'n syth, bant o'r ynys. O fewn yr awr…'

'Beth?'

'Roedd sôn ein bod ni yma. GCHQ wedi clywed ein henwau sawl gwaith mewn sgyrsiau rhwng fan hyn a Tirana. Mae'r boi lleol yn credu bod pobl wedi eu cyflogi i'n lladd.'

'Lwcus aethon ni i'r parti felly. Ni yw'r unig bobl yn y byd efallai sydd yn ddiolchgar i siarc am achub ein bywydau!'

Braf oedd clywed Emma yn chwerthin, er eu bod ar fin gorfod ffoi o'u mis mêl.

'Ein dillad?' gofynnodd Tom Tom.

'Sdim amser.'

'Pasborts?'

'Ry'n ni'n cael rhai newydd. Byddan nhw'n barod erbyn i'r RAF gyrraedd.'

'Falle bod y pasborts wedi cael eu gwneud yn barod cyn nawr…'

'Hm, ie, dyna sut dwi'n dehongli fe 'fyd.'

'Emma, Emma, Emma. Am ffordd i ddechrau bywyd priodasol. Ar y ryn. Yn newid enwau bob whip-stitsh. A nawr yn gorfod dianc o'r Caribî gyda chymorth yr RAF.'

'Dim ond un peth positif alla i feddwl amdano…' dywedodd Emma, gyda gwên fach slei. '… Dwi erioed wedi bod mewn helicopter. Am ffordd i orffen mis mêl!'

'Mr and Mrs Wanted.'

'Na, Mr and Mrs Jones.'

Cusanodd y ddau yn gyflym wrth i gar nesáu, a chyn i'r gyrrwr ddangos ei gerdyn adnabod. Yn y byd hwn allwch chi ddim trystio unrhyw un. Synnai Tom Tom fod pethau wedi symud mor gyflym ac yn sicr roedd mwy wedi digwydd yn y bedair awr ar hugain ddiwethaf nag mewn unrhyw gyfnod cyffelyb yn ei fywyd. Siarcod. Parti a hanner. Rhywun arall am ei ladd. Fel byw tri bywyd ar yr un pryd. Dechreuodd injan soffistigedig y Merc gwyn fwmian yn dawel. Trodd i lawr y dreif hir o flaen y gwesty er mwyn i Emma a Tom gychwyn am adref.

Deuparth gwaith ei ddechrau

R OEDD EMMA A Tom Tom yn cyrraedd maes awyr Gatwick yn y prynhawn ac roedd Marty wedi cynnig dod i'w hebrwng, er bod Tom Tom wedi dweud fwy nag unwaith na ddylai yrru'r holl ffordd ond, fel yr esboniodd Marty, doedd dim angen talu'r tollau ar Bont Hafren rhagor, felly roedd pob trip i Loegr yn gyfle i arbed arian. Oherwydd bod Emma a Tom Tom wedi bod ar eu mis mêl roedd ganddynt bàs ar gyfer y lolfa egseciwtif, ac roedd dyn mewn lifrai smart yno i'w harwain at dri *limousine* crand, sgleiniog wedi eu parcio'n barod, pob un â *chauffeur*. Ond roedd yn rhaid hepgor y fath wasanaeth arbennig oherwydd roedd Marty wedi cynnig lifft i'r ddau.

Ffoniodd Marty i ddweud ei fod e ar y ffordd i'r man casglu ac o fewn cwpwl o funudau gwelodd Tom Tom gerbyd nodweddiadol o wahanol yn dod tuag atynt ac wrth iddo glosio bu'n rhaid iddo edrych ddwywaith cyn credu'r peth. Dyna lle roedd Blaenau Gwent Shoppabus, gyda Marty wrth yr olwyn, ei gorff enfawr wedi ei wasgu'n dynn i gaban bychan y gyrrwr. Pan welodd Emma pa fath o limo crand oedd yma i'w casglu dechreuodd chwerthin yn braf, a bu'n rhaid i'r dyn oedd yn helpu â'r bagiau chwerthin hefyd, nid yn unig am y math o fws ond oherwydd maint y dyn oedd yn gyrru, a'r olwg hynod anghyfforddus oedd arno.

Wrth ddod i stop wrth ochr y pafin agorodd drysau'r Shoppabus gyda his bach swil a dechreuodd Marty geisio rhyddhau ei hunan o'r gwregys diogelwch, nid tasg hawdd o gwbl iddo, gan ei fod yn cael trafferth plygu unrhyw ffordd, ond llwyddodd i wenu drwy'r cwbl. Erbyn iddo dorri'n rhydd roedd yn chwyslyd a'i wyneb yn goch ond doedd e ddim mewn cymaint o fflwstwr nes anghofio rhoi tip sylweddol i ddyn y bagiau, gan bilio dau bapur ugain o rôl dew fel rholyn til mewn siop.

'Amser da?' gofynnodd Marty, gyda llais rhywiol awgrymog, hyd yn oed mewn dau air byr.

'O, digon o gyffro! Wnawn ni esbonio ar yr M4.'

'Ga i?' Ensyniodd ei fod yn gofyn caniatâd i roi cusan i Emma cyn symud tua ati i blannu un fawr wlyb ar ei boch.

'Croeso 'nôl, Mrs...'

'Freeman. Dwi'n cadw'n enw, dwi ddim yn berchen i neb, dim hyd yn oed fy hyfryd ŵr newydd sbon.'

Gwenodd Tom Tom mewn ffordd oedd yn estron i Marty. Edrychai'n ifancach, cipolwg o sut yr edrychai pan oedd yn fachgen, yn dechrau datblygu'r chwilfrydedd byw oedd yn rhan mor fawr o'i allu fel ditectif erbyn hyn. Cododd y bagiau i gyd fel petaen nhw wedi eu stwffio'n llawn â dim byd trymach na phlu.

'All aboard.'

Wrth iddynt anelu tuag at y draffordd rhaid oedd gofyn y cwestiwn.

'Ble gest ti'r bws, gyfaill?'

'Brynais i fe wrth ffrind i mi oedd mewn trwbl oherwydd dyled.'

'Beth ddigwyddodd i'r car?'

'Mae e wedi cael ei droi yn floc soled o fetal lawr y *scrappies*. Bwrais i ochr garej wrth ymarfer *somersaults*.'

'Wedi bod yn edrych ar hen *cop shows* ar y teledu eto, wyt ti? Paid dweud. *Starsky and Hutch*?'

'The very boys.'

★

Erbyn iddyn nhw gyrraedd y Gwasanaethau tua hanner ffordd adre roedd Emma wedi esbonio popeth oedd wedi digwydd yn Antigua ac roedd yr holl hanes yn dipyn o sioc i Marty. Dros goffi yn y Moto Leigh Delamere – un o'r llefydd 'na ma bron pawb wedi aros am goffi rhywbryd yn eu bywydau – esboniodd Marty beth oedd wedi bod yn digwydd yng Nghaerdydd, ac roedd yn amlwg y byddai un o'r ddau, neu'r ddau, yn cael ei dynnu i mewn i ymchwiliad y llofruddiaethau diweddar yn y ddinas.

'Dwi 'di clywed bod beth ddigwyddodd yn llawer gwaeth na maen nhw'n adrodd yn y papurau.' Roedd chwilfrydedd go iawn yn llais Marty wrth ddweud hyn. .

'Wyt ti 'di bod yn siarad â rhywun sy'n gweithio i'r papurau? Ein gohebydd troseddau bondigrybwyll yn Media Wales?' gofynnodd Tom Tom yn ei dro.

'Ie,' oedd yr ateb swrth.

'Ers pryd y'ch chi'n nabod eich gilydd?'

'Dim ond ers i chi'ch dau fynd i ffwrdd,' esboniodd Marty.

'Cyd-ddigwyddiad rhyfedd, felly.'

'Mae'r byd yn llawn ohonyn nhw, Tom Tom. Pan ni'n ôl yng Nghaerdydd odych chi eisiau mynd adre'n syth neu i'r gwaith?'

Daeth yr ateb ar ffurf galwad ffôn gan bennaeth newydd yr adran. Prin fod Emma wedi adnabod yr enw, oherwydd roedd y ddau wedi penderfynu osgoi newyddion o unrhyw fath ar eu mis mêl ac roedd hi'n bur annhebyg fod ei chyd-weithwyr yng Nghymru wedi clywed am yr helyntion yn y Caribî. Roedd Interpol wedi mynnu cadw'r holl beth yn dawel er mwyn rhoi amser iddyn nhw ymchwilio i'r mater yn rhyngwladol, oedd yn cymryd mwy o amser oherwydd y cymhlethdodau'n dilyn Brexit a'r ansicrwydd yn Wcráin, oedd yn golygu bod gwybodaeth a dogfennaeth yn hwyr yn cyrraedd – os cyrraedd o gwbl. Ac roedd cysylltiad pendant ag Wcráin, heb sôn am Albania. Un noson, wrth sipian Piña Colada yn fyfyriol ar y traeth awgrymodd Tom Tom i Emma y dylen nhw fynd i Albania ar eu gwyliau, heb wybod ar y pryd bod Albania ar fin ymyrryd ar eu gwyliau yn Antigua. Roedd tentaclau hirion y Maffia yn ymestyn i bob cwr o'r byd, bron yn gwawdio systemau rhyngwladol plismona a'r holl wybodaeth oedd yn hedfan o gwmpas y gwledydd, a'r miloedd o bobl oedd yn ceisio torri gafael y Maffia ym mynyddoedd y Balcanau.

'Croeso'n ôl,' meddai'r llais ben arall y ffôn. Acen Gogledd Lloegr. Rhywle fel Barnsley neu Hebdon Bridge. 'Mae'n flin gen i darfu ar eich gwyliau, ond mae rhywbeth wedi codi, a byswn yn gwerthfawrogi'n fawr petaech chi a'r Arolygydd Thomas Thomas yn medru dod i'r swyddfa heddiw rhywbryd. Dwi'n deall bod eich awyren wedi glanio'n ddiogel rhyw ddwy awr yn ôl.'

'Ry'n ni yng Nghymru'n barod, syr. Gallwn ni fod yno o fewn yr awr.'

'Diolch yn fawr iawn. Wna i esbonio popeth pan gyrhaeddwch chi, felly. Drefna i *briefing* fel gall pawb gael hynny o wybodaeth sydd i law. Wela i chi mewn ychydig...'

'Told ya,' meddai Marty, wrth droi bant o'r M4 a Tom Tom yn gorfod awgrymu y dylai arafu wrth nesáu at y ddinas, gan ryfeddu bod Blaenau Gwent Shoppabus yn medru tasgu mor gyflym pan oedd esgid maint 15 yn fflat ar y llawr.

Edrychodd Emma a Tom Tom ar y ddinas yn tyfu, yr adeiladau'n lluosi ac erbyn cyrraedd Ysbyty'r Waun roedd y tri wedi cychwyn yr hen sgwrs arferol – sut roedd y lle wedi newid, a sut fyddai'r problemau traffig oherwydd bod Stryd y Castell yn dal ar gau i draffig arferol, a'r cwestiwn mwyaf, sef a fyddai canol y ddinas yn medru adfywio. Daeth tro ar fyd, neu efallai troi'r byd ar ei ben fyddai'r ffordd orau o ddisgrifio'r hyn oedd wedi digwydd. Yr holl lefydd bwyta wedi cau. Y siopau gweigion fel rhyw amgueddfa i ddirywiad yr economi.

'Croeso'n ôl i Gaerdydd,' dywedodd Marty, gan droi deial y radio i Cardiff FM ac acen leol yn cyflwyno'r trac nesaf. 'Sleaford Mods a Billy Nomates yn canu "Mork a Mindy".' Trac sain i'r ffilm fer lle mae dau gop yn dychwelyd o'u mis mêl i wynebu ces a hanner.

Penderfyna Marty ei fod am bicio i lawr stryd unffordd, gan fod ganddo blismyn fel cyd-deithwyr: mae e wastad wedi hoffi'r ffaith fod ganddo un droed yn isfyd y ddinas ac un arall hanner ffordd dros drothwy pencadlys yr heddlu, oherwydd ei berthynas â Tom Tom. Na, yn fwy na hynny. Roedd Marty yn caru Tom Tom. Roedd wir yn gobeithio bod y briodas yn mynd i fod yn hapus, oherwydd dyw hi ddim yn hawdd gadael gwaith ar ôl os ydy'r ddau'n gweithio yn yr un lle. Ar ben hynny mae Tom Tom ac Emma yn gydwybodol iawn, efallai ychydig bach yn obsésd â'u gwaith. Os oes unrhyw un yn mynd i ddal drwgweithredwyr gwaethaf y wlad, wel dyma'r pâr i wneud hynny. Dyna beth oedd ym mhen Marty wrth iddo ffarwelio â'r ddau.

'Nôl i'r hen rwtîn

Mae Freeman a Tom Tom newydd gwrdd â dyn o MI6 oedd yn arwain y frwydr yn erbyn yr Albaniaid, boi oedd yn hoff iawn o'r holl stwff *cloak and dagger*. Roedd 'Bond, James Bond', fel roedd Tom Tom yn cyfeirio ato, wedi mynnu eu bod yn cwrdd y tu allan i'r ddinas, yn y math o le y byddai deliwr cyffuriau yn ei ddewis i werthu llond bŵt car.

'Ein cyngor ni yw aros nes bod y Maffia ar chwâl ac wedyn dechrau'n ôl. Tan hynny mae angen cadw'ch enwau eraill, cadw'n dawel, bod allan o gyrraedd y byd. Dwi ddim am i chi gyfathrebu â neb... Ond, mae'r Heddlu am eich gweld 'nôl ar ddyletswydd cyn gynted â phosib.'

Petai e wedi ei gadael hi fan'na byddai Freeman a Tom Tom wedi cytuno, yn enwedig oherwydd byddai'n rhaid iddyn nhw gyfaddef eu bod wedi cael eu siglo i'r carn o weld tentaclau'r Albaniaid wedi cyrraedd eu mis mêl yn y Caribî, a llwyddo i gael dau *goon* – a diolch byth mai *goons* ac nid lladdwyr disgybledig a threfnus oedden nhw – i mewn i'w hystafell. Ac ar ben hynny roedd gorfod ffoi'r ynys ar fyrder gyda wyneb y peilot hyd yn oed yn edrych yn nerfus, a dyw hynny byth yn arwydd da. Ddim yn codi'r galon, ddwedwn ni. Ond mae Bond yn mynd yn rhy bell.

'A bydd angen i chi wahanu am ychydig. Rhoi cyfle i ni wneud popeth yn saff.'

'Allwn ni ddim gwneud hynny, syr,' dywedodd Tom Tom.

'Ry'n ni newydd briodi ac wedi gorfod colli urddas drwy orfod ffoi o'n mis mêl. A beth maen nhw wastad yn ddweud am derfysgaeth? Rhaid cadw fynd, byw bywyd normal a pheidio byw mewn ofn neu bydd y terfysgwyr wedi ennill. Wel, beth yw'r gwahaniaeth rhwng y Maffia Albanaidd a'r terfysgwyr? Mae'r ddau yn defnyddio ofn fel arf ac yn ymosod ar normalrwydd a chymdeithas. Ac os y'n ni'n ildio nawr byddwn yn ildio am weddill ein bywydau. Do'n i ddim eisiau gadael Antigua yn y ffordd 'na ond digwyddodd popeth mor gyflym fel nad oedd amser i gysidro beth oedd yn digwydd. Ond nawr...'

'Diolch, D. I. Thomas. Galla i gydymdeimlo ag anawsterau'r sefyllfa. Ond mae'n fater o ddiogelu pawb, nid dim ond chi'ch dau.'

Gyda hynny teimlodd Tom Tom ei fod wedi bod yn ddall i'r wir sefyllfa, ac wedi bod yn rhy hunanol i weld beth oedd beth, neu efallai bod cariad wedi ei wneud yn ddall.

'Dilema, syr, dyna beth yw e...'

'Ydy dilyn cyfarwyddyd pobl sy'n byw a bod ym myd gwybodaeth yn ddilema?'

Gallai'r gêm o ping pong yma fynd ymlaen am oriau, meddyliodd Freeman. Roedd hi am osgoi mynd yn groes graen i'r hyn roedd ei gŵr yn ei ddweud, wrth iddi ryfeddu pa mor ddwys oedd ei theimladau tuag ato.

'Gawn ni noson i feddwl dros hyn?' holodd Emma gan ddefnyddio ei goslais mwyaf diplomyddol.

'Bydd hynny'n iawn. Rwy'n sylweddoli fy mod yn gofyn rhywbeth mawr, a hynny heb air o rybudd. Gawn ni gwrdd yma am ddeg bore fory? Fydd hynny'n gyfleus? Ac yn y cyfamser mi wna i gario mlaen â'r trefniadau angenrheidiol. Nid 'mod i eisiau rhoi hyd yn oed mwy o bwysau arnoch chi ond dwi hefyd yn ymwybodol bod angen gwneud pethau ar fyrder nawr.'

'Deg o'r gloch amdani, syr,' atebodd Freeman.

Edrychodd y ddau ar gar y bòs yn mynd heibio'r iard sgrap cyn troi am yr A470.

'Wel, ein noson olaf gyda'n gilydd am ychydig,' dywedodd Freeman, gan dynnu'n glòs at Tom Tom. 'Ac mae'n amlwg allwn ni ddim mynd adref. Ble awn ni? Gwesty yn y Fro efallai? Defnyddio'r enwau a'r cardiau credyd ffug, fel petaen ni mewn ffilm?'

Gwyddai Tom Tom taw dyna'r ateb synhwyrol i'r sefyllfa ond roedd e'n rhy effro i gysgu ac roedd angen cyfle i brosesu'r hyn oedd yn digwydd, felly gofynnodd a fyddai'n iawn iddyn nhw yrru o gwmpas am ychydig, efallai mynd i'r maes parcio ar y morglawdd lle roedd hi'n bosib gweld y môr ac edrych allan tua Gwlad yr Haf a chefn crwn Dartmoor. Roedd yn un o'i hoff lefydd i feddwl.

'Wnaeth e ddim rhoi unrhyw gyfarwyddiadau ynglŷn â beth allen ni neud heno, felly mae hynny'n iawn 'da fi. Ond beth am y ffaith bod gyda ni ddau gar?'

'Gallwn ni adael un tu fas i dŷ Marty. Fydd neb yn meiddio dwyn car o fan'na!'

Cyfyng-gyngor

E R BOD EI fŵts cowboi lan ar y ddesg doedd y maer ddim
mewn mŵd i ymlacio, i eistedd 'nôl yn y gadair foethus
a gofyn i'w gynorthwyydd agor y ffenestri led y pen er
mwyn iddo fwynhau sigâr. Doedd Owain Huw ddim yn
faer cyffredin, ond yn hytrach yn rhan o'r ffenomen newydd
hynny, maer y ddinas fel Sadiq Khan yn Llundain neu Andy
Burnham ym Manceinion, ac er bod Caerdydd yn ddinas fach
– cannoedd o filoedd o drigolion o'i gymharu â'i miliynau
hwythau – roedd y pŵer ddaeth yn sgil creu'r swydd wedi
apelio'n fawr ato. Gwyddai y byddai'n frwydr feunyddiol
rhwng ei awdurdod e a'r Llywodraeth dafliad carreg i ffwrdd,
ond dyna ni. Os oedd am gynrychioli ei bobl, 'Y Praidd' fel yr
oedd yn hoff o'u disgrifio, byddai strygl gyda'r gwleidyddion
gwladol yn anorfod.

Creadur newydd oedd e, aelod o'r Blaid Lafur oedd am weld
nid yn unig ddŵr coch clir rhwng Cymru a Llafur yn Lloegr
ond sianel sylweddol o ddŵr, Môr Hafren sgarlad i wahanu ni a
nhw. Nid aelod o'r Llafur jwrasig mohono, roedd hynny'n sicr.
Nid yntau oedd y siaradwr Cymraeg cyntaf i gyrraedd swydd
ac iddi statws uchel, a gwyddai na allai fyth gystadlu â Rhodri
Morgan o ran egni ymenyddol – Rhodri, ei fentor gwleidyddol
gyda'i frêns fforensig a'i gof anhygoel. Heddwch i'w lwch!
Cofiai sut roedd Rhodri wastad yn cyfarch rhywun roedd e heb
ei weld ers sbel trwy ddweud rhywbeth am y sgwrs flaenorol

fu rhyngddyn nhw. Byddai Owain yn gwneud ei orau i gofio yn yr un ffordd hefyd, ond teimlai ei fod yn perthyn i genhedlaeth wahanol, un oedd yn dibynnu ar yr iPhone fel cof a llyfrgell. Ta waeth. Roedd ganddo ddinas i'w gwarchod a'i datblygu, dinas oedd yn tyfu'n gyflym i'r gogledd a swyddi newydd yn dechrau arllwys i mewn, gan fod y pandemig wedi dod i ben. Ond roedd hyd yn oed hynny'n fendith gymhleth, oherwydd roedd prif weithredwr Admiral wedi darogan taw dim ond deugain y cant o'u gweithlu fyddai'n dychwelyd i weithio yng nghanol y ddinas. Ac o safbwynt y myfyrwyr oedd yn debygol o fod yn cael eu dysgu ar-lein, roedd goblygiadau sylweddol am letya yn y ddinas, heb sôn am incwm y brifysgol. Dyna pam roedd yn cynnal y cyfarfod nesaf, gyda'r Prif Gwnstabl. Pingiodd ei ffôn gyda neges wrth ei gynorthwyydd yn datgan bod y dyn wedi cyrraedd yn barod. Dyn prydlon ar y naw, fel y gallech ddisgwyl.

'Diolch yn fawr iawn am ddod i 'ngweld i, a maddeuwch i mi am ddod â chi draw fan hyn yn hytrach na finnau'n dod draw atoch chi. Dim ond ar ôl derbyn eich neges wnes i feddwl am hynny. Ond dyna ni, eisteddwch. Gymrwch chi baned?'

'Dwi wedi cael digon o gaffîn y bore 'ma i'n chwythu i blaned Mawrth, felly gwell peidio. Byddai cael harten yn swyddfa'r Maer yn fwy nag embaras!' dywedodd y Prif Gwnstabl gan sganio'r ystafell mewn modd proffesiynol, a dysgu am y dyn drwy'r hyn oedd o'i gwmpas.

'Dŵr?'

'Dŵr yn dda. Diolch.'

'Wel, braf iawn cael cyfle i gwrdd go iawn. Prin fod dyn wedi cael cyfle i ddweud helô cyn gorfod gofyn cymwynas, neu gymorth o ryw fath.'

'Gofynnwch, a chwi a gewch. O fewn rheswm wrth gwrs.'

Doedd y Prif Gwnstabl ddim yn hoff iawn o chwarare gemau gyda'r gwleidyddion oherwydd roedd y rheolau'n newid drwy'r amser.

'Wna i ddim gofyn gormod. Dim mor gynnar â hyn yn ein perthynas.'

Chwarddodd y ddau, oedd yn help wrth ddechrau creu'r berthynas honno.

'Wel, dyma'r ddilema. Ry'n ni wedi trefnu cynhadledd fawr yn Neuadd y Ddinas mewn cwta bythefnos i gwmnïau o dramor, a chael ymateb da iawn gan rai o'r rhai mawr, y *players* fel ni'n lico'u galw nhw. Apple. Google. Lot o gwmnïau tec ry'n ni wedi denu yma gyda lluniau o bobl yn syrffio a manylion am rent isel mewn swyddfeydd.'

'Da gweld y posibilrwydd o weld y lle yn ffynnu eto, mewn amser digon pryderus i bawb. Ond fel maen nhw'n dweud, daw tro ar fyd. Ond dwi ddim yn siŵr beth sydd ei angen. Os oes angen diogelwch, mae'n rhaid i mi'ch rhybuddio nad yw'r adnoddau dynol ar gael. Rhwng y toriadau a'r argyfwng morâl ar ôl Covid a'r twf mewn tor cyfraith ers i'r economi ddirywio'n lleol, ry'n ni'n stryglo i gadw'n pennau uwch y dŵr.'

'Diolch am fod mor onest, ac mae'r Cyngor yn deall yn iawn fod y sefyllfa'n anodd. Daeth y Comisiynydd i 'ngweld i bore 'ma ac roedd y gwg ar ei wyneb yn adrodd cyfrolau. Ond nid diogelwch sydd gen i dan sylw...'

Oedodd i yfed dracht o goffi ac adleisiodd y Prif Gwnstabl yr ystum gyda'i ddŵr.

'Ry'n ni'n ceisio rhoi'r argraff bod symud gweithlu o America neu Iwerddon neu ble bynnag i Dde Cymru yn syniad da. Ysgolion da. Digon o gyfleusterau diwylliannol – mae'r math yma o weithiwr yn hoff o gerddoriaeth, ac yn y pecynnau gwybodaeth ry'n ni'n rhoi i'n hymwelwyr pan maen nhw'n ymweld bydd samplau o gwrw crefft, mêl lleol, y math hynny o beth sy'n tanlinellu safon byw, bod bwyd da, ffres ar gael. Bara surdoes. Ma hynny'n gwbl allweddol.'

'Wela i,' meddai'r Prif Gwnstabl, er ni allai weld hynny mewn gwirionedd.

Yna, daeth y maer at brif bwrpas y cyfarfod.

'Y cyrff 'ma. Dwi ddim am weld stori am y rhain yn disodli stori llwyddiant y gynhadledd, chi'n deall? Bydd hi'n anodd perswadio pobl i symud teuluoedd i le newydd yn y byd os yw e'n cael ei gysylltu â llofruddiaethau, os taw dyna sydd wedi digwydd. Felly, mae'r Comisiynydd a minnau am wneud yn siŵr bod yr achos yma wedi ei setlo cyn bod y gynhadledd yn dechrau.'

Deallodd y Prif Gwnstabl nawr pam fod y Comisiynydd wedi cael gwahoddiad i weld y maer cyn ef ei hun. Apwyntiad gwleidyddol oedd y Comisiynydd, dyn wedi ei ethol i'w swydd, ac yn fwy rhydd i wneud pethau er mwyn plesio'r cyhoedd, neu ei feistri gwleidyddol.

'Mae angen arestio rhywun a dweud hynny wrth y byd, o fewn yr wythnos. Peidiwch poeni am yr arian ychwanegol, y gweithio dros oriau. Bydd cyfraniad o adran datblygu'r economi yn hen ddigon i dalu'r bil. Mae'r Comisiynydd yn hapus â'r hyn sydd wedi ei drefnu.'

Wrth gwrs ei fod e. Doedd ganddo ddim dewis. Mae'r maer yn cael beth bynnag mae'r maer yn ei ddymuno.

'Beth yw'r siawns o hyn yn digwydd? Oes *leads* da gyda chi?'

'Dim *leads* o gwbl. Mae'n ddyddiau cynnar iawn.'

'Ond ma 'da chi rywun ry'ch chi'n amau?' Roedd y cwestiwn mor naïf nes bod y Prif Gwnstabl yn amau a ddylai ateb o gwbl. Prin fod y corff yn oer a nawr roedd y dyn ifanc 'ma, y crwt 'ma, yn credu eu bod ar fin arestio rhywun. Gormod o edrych ar *CSI: Miami*, tybiai.

'Fe wnawn ni'n gorau... ond alla i ddim addo unrhyw beth. Ond bydd un o'r ditectifs gorau yn dechrau ar yr achos cyn hir.'

'Pam nad yw e wedi dechrau'n barod?'

'Mae hi wedi bod ar ei mis mêl. Ac roedd yr Albaniaid wedi ceisio'i lladd hi a'i gŵr...'

'O, Freeman. Dwi wedi darllen amdani. Ac mae ei gŵr yn blisman hefyd...'

'Pâr arbennig, ydyn. Ry'n ni'n lwcus i'w cael nhw ar y ffors. Oes unrhyw beth arall?'

'Na, na. Daliwch y llofrudd, yna fe drefnwn yffarn o gynhadledd i'r wasg. O fewn wythnos. Clir?'

'Clir fel crisial. Ddweda i wrth Freeman a Tom Tom am ei siapo hi.'

'Tom? O wela i. 'Na beth chi'n galw Thomas Thomas. Diolch am alw. Bydd cyfle i ni sgwrsio eto pan fydd y gyllideb yn cael ei thrafod fis nesaf. Cyfle i bawb ofyn am fwy a chael llai fydd hi, ond does neb eisiau bod ar waelod y gasgen...'

Swniai'r geiriau fel bygythiad, er bod y maer yn gwenu'n gwrtais.

'Pob lwc.'

A dyma'r ddau yn siglo llaw cyn i'r Prif Gwnstabl gerdded yn araf ac yn urddasol ar y carped coch trwchus i'r lifft. Caeodd y drysau efydd y tu ôl iddo ac edrychodd ar ei adlewyrchiad ar y gwydr ar ffrâm poster yn rhestru danteithion y dydd yn y cantîn.

'O ffyc,' meddai'n uchel, gan roi sioc iddo'i hun.

RHAN DAU
GORMOD O GYRFF

Patholega

DWY LOFRUDDIAETH MEWN un anadl bron. Does dim rhyfedd bod Heddlu Cymru yn falch o gael Freeman a Tom Tom yn ôl. Mae Emma yn cyrraedd safle'r llofruddiaeth gyntaf ddeg munud cyn bod Rawson yn cyrraedd am yr eildro ac mae'n rhyfeddu i weld cymaint o blismyn ar hyd y lle, o ystyried yr holl sôn am doriadau. Eto roedd rhaid creu perimedr o gwmpas y lle oherwydd roedd y cyfryngau ar dân eisiau gwybod mwy, a gallai weld cwpwl o ddynion â chamerâu lensys hir yn tynnu lluniau o'r babell wen roedd fforensics wedi'i chodi dros y corff. Dangosodd ei cherdyn warant i blisman wrth y glwyd a arweiniai at lwybr rhwng pentyrrau o sbwriel, gyda bagiau duon wedi eu gwasgaru o gwmpas fel tip answyddogol.

Am le i farw. Hynny yw, os taw dyma ble ddigwyddodd y lladd – y tu ôl i hen beiriant torri gwair rhydlyd a beic modur oedd wedi mynd ar dân beth amser yn ôl. Gan ei bod hi eisoes wedi gwisgo ei sliperi plastig dros ei hesgidiau dyma fanteisio ar y cyfle i edrych o gwmpas y safle, oherwydd doedd y whilmentan hyd bys ddim wedi dechrau eto. Anodd oedd gweld y gwahaniaeth rhwng cliw a'r holl bechingalw oedd wedi eu lluchio ar hyd y lle, a gwyddai Emma y byddai hyn yn gwneud gwaith ei chyd-weithwyr gymaint â hynny'n anoddach. Roedd Rawson yn amau'n barod bod ôl cynllunio ar hwn, yn rhannol oherwydd y ffordd ddefodol y trefnwyd y corff, heb sôn am y blodau. Fel yr esboniodd ar y ffôn roedd y llofrudd yn hoff o batrymau, oedd yn medru gwneud pethau'n haws yn y pen draw, ond hefyd yn awgrymu person gofalus a thrylwyr wrth ei waith.

Clywodd Emma gar yn grwgnach ar hyd y llwybr graean a gweld Alun Rawson yn camu allan o'r car wedi gwisgo'r gêr yn barod, nid am ei fod yn hynod broffesiynol ond oherwydd ei fod ar frys i gyrraedd te parti ei ferch oedd yn dathlu ei phen-blwydd. Hawdd oedd anghofio bod gan batholegwyr deuluoedd, a thipyn haws oedd eu dychmygu'n byw bywyd unig, gyda dim ond y meirw a'r ysbrydion i gadw cwmni wrth fwyta Pot Noodle a gwylio teledu. Ond doedd ei fywyd ddim fel un aelod o dîm *CSI: Miami*, roedd hynny'n sicr. Doedd dim glamour yn perthyn i waed, tybiai.

Cerddodd Rawson yn ofalus tuag ati, gan nodio'i ben yn hytrach na siglo llaw oherwydd natur yr hyn oedd ar fin digwydd. Cariai gyflenwad o bensiliau newydd drwy'r amser er mwyn dangos pethau i dditectifs da fel Emma Freeman. Diawch, roedd hi'n dda, yn drylwyr i'r carn, ac er ei fod yn rhyfeddu braidd ei bod hi a Tom Tom nawr yn eitem – yn briod, er mwyn y nefoedd! – doedd dim amheuaeth y byddai ei phriodas yn un ddedwydd. Roedd y ddau mor wahanol o ran eu personoliaethau ac eto'n debyg iawn pan oedd hi'n dod i blismona.

'Reit 'te, ry'ch chi'n gorfod gweld hyn i'w gredu. Dwi wedi gweld ambell beth rhyfedd ac ambell beth mwy rhyfedd na rhyfedd, ond mae hwn, wel, mewn adran ar ben ei hun. Gallech ysgrifennu llyfr am hwn, heb os. Mae 'na bethau'n cysylltu'r corff yma a'r corff ar yr ynys, fel y gweli di... Pryd wyt ti'n mynd draw i Echni? Cyn hir, dybia i.'

Cododd len y babell, gan dywys Emma tuag at y *cadaver.*

Dyna'r gair roedd Rawson yn ei ddefnyddio i ddisgrifio'r gelain, ac roedd yn gyson gyda'r math o waith roedd e'n ei wneud, lle roedd gwyddoniaeth yn mynnu ei fod yn wrthrychol, yn cadw hyd braich, tra bod Emma a'i bath yn gorfod defnyddio rhywfaint o ddychymyg, ail-greu bywyd person, deall ei fyd, adnabod ei gyfoedion, olrhain patrymau ei fywyd bob dydd, y gwrthwyneb bron i'r difaterwch ymddangosiadol oedd yn perthyn i'r patholegydd proffesiynol.

'Dyma ni.'

Cerddodd Emma bron ar flaenau'i thraed o gwmpas y corff. Nododd y blodau oedd wedi'u trefnu o'i gwmpas yn batrwm clir – bron fel neges o ryw fath. Neu lofnod. Gwyddai cyn cyrraedd bod y llofrudd wedi hollti'r benglog ond nid oedd yn disgwyl gweld bod hanner y pen yn gorwedd draw o'r corff a'r gweddill yn edrych fel un o'r modelau mewn gwers anatomeg, y model sy'n caniatáu i chi weld y tu fewn i'r corff.

'Ergyd sylweddol iawn, fel o'ch chi'n dweud dros y ffôn.'

'Roedd yr hen filwyr samwrai yn Japan yn dangos faint o fin oedd ar eu cleddyfau drwy daflu darn o sidan lan i'r awyr a'i dorri rhubanau wrth iddo ddisgyn. Dwi'n dychmygu rhywbeth tebyg, cleddyf siarp iawn, *scimitar* neu *machete*.'

'A dim sôn am hwnnw, wrth gwrs. Ma rhywun wedi gwneud hyn a mynd â'r arf adre.'

'Neu wneud yn siŵr ei fod yn taflu'r peth yn bell o olwg unrhyw un.'

'A'r lladd, beth, ddeuddydd yn ôl?'

Edrychodd Rawson arni fel petai ganddo rywbeth mawr i'w ddatgelu, gan oedi'n ddramatig cyn cychwyn siarad.

'Nawr 'te. Dyma'r peth rhyfedd. Er bod y dull o ladd, a'r blodau a'r drefn ddefodol mae'r corff wedi ei drefnu ar lawr yn debyg iawn i'r un ar yr ynys, mae hwn yn wahanol iawn.

Rwy'n amcangyfrif bod hwn wedi cael ei ladd rhyw flwyddyn yn ôl.'

'Blwyddyn?'

'Rhywbeth felly.'

'Gan yr un person, fwy na thebyg, ond cadwyd y corff mewn rhewgell, oherwydd pan gyrhaeddais roedd y cig yn dal i ddadmer. Cadwyd y *cadaver* yn oer iawn am amser hir ac wedyn ei adael fan hyn.'

'Alla i weld pam fod hwn yn agos at dop siart achosion rhyfedd Alun Rawson. Oes 'na unrhyw beth arall sydd angen imi wybod?'

'Ar wahân i'r ffaith fod pawb yn falch i'ch gweld chi'n ôl ac yn gobeithio eich bod wedi cael mis mêl melys gyda Tom Tom?'

Roedd hyn mor anghyson â'r sefyllfa, ond eto roedd pawb yn gwybod bod Rawson yn un i dynnu coes. Fel yr adeg wnaeth e agor stondin gebábs ar ddiwrnod agored y morg a gwneud llond sied o arian. Hiwmor du oedd hiwmor Rawson.

'Pam taw fan hyn mae'r corff felly?'

'Haws llusgo corff i Dongwynlais nag i ynys fechan yng nghanol Môr Hafren,'

'Llusgo. Oes olion llusgo?'

'Mwy na hynny. Olion car llusg o ryw fath. Sled gyda dau runner.'

'Odiach ac odiach, Mr Rawson.'

'Pryd mae rhywun yn casglu'r corff?'

'Unwaith byddwch chi wedi gorffen.'

'Byddwn i'n hoffi deng munud wrth fy hunan. Bydd y ffotograffau ac yn y blaen yn help ond mae rhywbeth ynglŷn â bod yn y fan a'r lle, dwi'm yn gwybod, yn help i weld rhywbeth am feddwl y llofrudd. Ma hwn yn debyg i rai o'r clasuron. Y math o ladd defodol sy'n debygol o ffindo'i ffordd i mewn i'r llawlyfrau.'

Gwenodd Rawson wrth gofio bod Freeman wedi darllen canran helaeth o'r un llyfrau ag yntau. Hyderai y gallai basio'r un arholiadau, heb os. Ac roedd hi'n iawn, dyma'r math o batrwm fyddai'n mynd i'r gwerslyfrau.

'Mae e fel Chikatilo...' Doedd dim angen iddi esbonio i Rawson. Hwn oedd yr enwog Gigydd o Rostov wnaeth ladd mwy na hanner cant o bobl ifanc yn Rwsia yn y 1980au. Byddai'n difrodi'r cyrff, gan dynnu eu llygaid, rhwygo eu stumogau, cnoi eu trwynau i ffwrdd ac yn dawnsio o gwmpas y meirwon gan weiddi fel anifail.

'Cymrodd hi ddeuddeg mlynedd i'w ddala fe,' ymatebodd Rawson. 'Gob'itho na fydd e'n cymryd gymaint â hynny i ni.'

'Gobeithio wir. Dwi'n deall fod y Maer yn awyddus i ni orffen cyn pedwar o'r gloch dydd Gwener er mwyn iddo fod ar y newyddion chwech... O, am *optimism* gwag!'

'Ond mae siawns o hynny, os y'ch chi ar y ces,' dywedodd Rawson, yn ddiflewyn-ar-dafod.

'Diolch am eich ffydd.'

'Fyddwch chi am ymweld â'r corff arall hefyd? Bydd y *chopper* yn medru'n cymryd ni, os y'ch chi eisiau?'

'Byddai'n well 'da fi fynd mewn cwch. Prin fod y llofrudd wedi defnyddio helicopter.'

'Pwynt da. Gynnar fory? Byddwn yn gadael o Ganolfan Hamdden Channel View. Os ydy'r teid yn iawn, gadael am saith.'

'I'r dim. Diolch, Alun.'

Cerddodd Rawson i ffwrdd, gan feddwl taw dyna'r tro cyntaf iddo glywed Emma Freeman yn defnyddio'i henw cyntaf.

Aeth Emma i'w chwrcwd yn y babell, gan ddefnyddio'i

breichiau i droi ei chorff er mwyn gwneud yn siŵr bod camera'r cof yn gweld ac yn prosesu popeth. Os taw neges oedd y blodau a'r ffordd roedd y corff wedi ei drefnu, i bwy oedd y neges? Beth oedd yn gyffredin rhwng y ddau a phwy oedden nhw? Pan fyddai'n ôl yn HQ byddai'n cychwyn y busnes o ofyn am fanylion pawb oedd wedi mynd ar goll yn ddiweddar tra bod Rawson yn gweld pa mor bell allai fynd gyda'r dannedd, a gweld a allai fatsio'r setiau dannedd gyda rhywun yn y system. Beth oedd yn mynd drwy feddwl y person yma? Mae digon o risg mewn lladd rhywun heb gael eich dal, ond lladd dau berson ac wedyn symud y cyrff i lefydd, dim ond er mwyn denu sylw? Un yn oerach na marwolaeth ei hun. Cadw'r corff mewn rhewgell. Am fisoedd a mwy. Risgi iawn. Ai dyna oedd e? Rhywun oedd yn crefu sylw? Neu oedd rhywbeth arall? Mae'n rhaid bod y blodau yn gliw pwysig. 'Say it with flowers' fel roedd yr hysbyseb yn awgrymu. Llofnod prydferth.

Cofiai am un llofrudd yng Nghanada wedi cuddio darnau o bobl mewn potiau blodau, ond ni allai gofio'i enw, oedd yn rhyfedd oherwydd roedd ganddi falchder mawr ynglŷn â'i chof. Dyna oedd ditectif, wedi'r cwbl. Person â chof da a ffordd effeithiol o brosesu gwybodaeth. Ond fan hyn, yn y babell yma yn Nhongwynlais, roedd hi'n anodd gweld yr hyn roedd angen arni. Clywai'r traffig ar yr M4 fel suo'r môr a thu allan i'r babell gallai weld Castell Coch.

Cofiai ymchwilio i achos nid nepell o fan hyn, ymosodiad treisgar mewn lle o'r enw Cefn Colstyn, ger Pen-tyrch, ac roedd yr achos wedi serio ar ei chof oherwydd dyna'r unig un doedd hi ddim wedi ei ddatrys. Gŵr ifanc yn mynd allan i lampo cwningod gyda dau gi *lurcher* un noson, a phan fethodd â dychwelyd erbyn pump y bore dyma'i fam yn ffonio'r heddlu ac yn dechrau'r broses o chwilio. Pan ganfuwyd y corff ar hyd darn o hen reilffordd yn arwain tuag at Dreforgan roedd y brain wedi gorffen gwaith y llofrudd, ond roedd pawb yn cytuno taw dyna'r ymosodiad mwyaf hyll a milain roedd unrhyw un wedi'i weld hyd at hynny.

Amheuwyd y tad am sbel, oherwydd roedd ganddo hanes o ymladd ac wedi ei wahardd rhag mynd i unrhyw dafarn yn Rhondda Cynon Taf a Chaerdydd sirol. Mewn un digwyddiad bu bron iddo ddallu landledi'r dafarn lle digwyddodd cythrwfwl dros gêm o pŵl. Ond roedd ei alibi yn dynn fel pen ôl gerbil, fel byddai Tom Tom yn ei ddweud, ac aeth yr achos yn angof gan bawb ond y fam yn ei chyflwr truenus o alar dwys. Oherwydd bod ei meddwl yn crwydro i hen achosion, tybiodd Emma ei fod yn amser iddi adael.

Ond wrth iddi godi gwelodd un peth bach wnaeth dynnu ei sylw. Y sgrapyn lleiaf o ffoil arian, y math sydd o gwmpas tabledi, ond nid oedd yn bosib gweld pa fath o dabledi oherwydd roedd y darn yn fach iawn. Ond rhywbeth yn dechrau gydag 'A' oedd e a gallai fynd drwy MIMS pan fyddai'n cyrraedd adref, sef y beibl moddion roedd fferyllwyr yn ei ddefnyddio. Roedd ganddi'r argraffiad diweddaraf – anrheg pen-blwydd gan un o'i chyd-weithwyr – ond roedd hi'n amau bod cannoedd o gyffuriau'n dechrau gydag A. Wrth iddi gerdded 'nôl i'r car a dymuno nos da i'r ddau blisman wrth y glwyd mae un peth bach yn nagio. Yr achos hwnnw y methodd hi â'i ddatrys, gan adael y fam yn gwingo am flynyddoedd. Pam fethodd hi? Beth oedd yr un cliw fethodd hi â'i weld, cliw mor fach â sgrapyn di-nod o bapur arian? Gwnaeth nodyn ar ei ffôn ynglŷn â'r hyn roedd hi wedi'i ddarganfod a'i anfon ati hi ei hun er mwyn gwneud yn siŵr ei bod yn rhoi'r wybodaeth yn y system yn y bore. Cliw di-werth efallai. Ond roedd unrhyw gliw yn well na dim byd. Hyd yn oed hanner tabled. A hwnnw heb ei weld gan y tîm fforensig er gwaethaf eu hymdrechion blaen bys. Nid dyma'r tro cyntaf i hyn ddigwydd, a gwyddai Emma ei bod hi'n gwybod *sut* i edrych, nid *ble* i edrych.

Cwsg da mewn caban

DIHUNODD YR USTUS Roland Andrews o drwmgwsg artiffisial. Roedd Skelly wedi ychwanegu Mogadon i'w de neithiwr oherwydd roedd ganddo bethau i'w gwneud yn y bore, gan gynnwys dechrau tynnu tîm at ei gilydd. Gwyddai o'i brofiad yn Nhresimwn na allai wireddu ei freuddwyd heb help, felly trefnodd i gwrdd â Scabz ddim yn bell o'r caban ond ddim yn ddigon agos iddo wybod yn union ble roedd y lle. Roedd gwarchod gwybodaeth am y lleoliad fel garantî ar gyfer y dyfodol. Nid bod Scabz yn un oedd yn medru defnyddio gwybodaeth yn dda. Ond roedd yn gryf fel ychen, ac nid oedd ganddo ofn unrhyw beth nac unrhyw un. Hefyd roedd yn un o'r bobl oedd wastad yn dilyn gorchymyn a dyna pam roedd Skelly ac yntau wedi cydweithio yn llwyddiannus yn y gorffennol, pan lwyddon nhw i ddwyn swm mawr o arian mewn pum job yn ardal Ewenni ac Aberogwr.

Dewiswyd tai crand oedd â chlawdd o dyfiant gwyrdd trwchus o flaen y lle, fel gallai'r fan fod o'r golwg. Byddent yn gwneud yn siŵr nad oedd system diogelwch o unrhyw fath ac roedd yr hen bobl oedd yn byw yn y crand-dai yma yn rhy hen i ddrwgdybio. A dyna ble byddai Scabz yn dilyn gorchmynion. 'Hongia'r hen fenyw allan o ffenest yr ystafell molchi', a byddai Scabz yn ei chario ar ei gefn fel petai'n codi clustog plu, a'r peth nesaf roedd yn ei dal hi wrth ei phigyrnau.

Ni allai weiddi oherwydd y tâp dros ei cheg ac erbyn iddo'i siglo hi cwpwl o weithiau a gadael i Scabz wneud y peth gwthio pensil lan trwyn rhywun, a bygwth ei wthio lan i'r ymennydd, 'neu efallai jyst mor bell â'r llygaid, gawn ni weld', byddai'r hen fenyw neu'r hen foi yn adrodd yn union ble roedd yr arian neu'r gemwaith wedi eu cuddio. A phan fyddai Scabz yn pwyntio'r pensil atyn nhw cyn gadael, fyddai'r un ohonynt yn meiddio ffonio'r cops.

I ddweud y gwir roedd y math o ofn roedd Scabz yn medru ei achosi yn ddigon solet i'w caniatáu i fynd yn ôl i un neu ddau o'r tai eto, i odro hyd yn oed mwy. Ar un adeg cymerwyd cloc enfawr oherwydd roedd mam Scabz wastad wedi bod eisiau un, er nad oedd digon o le yn ei thŷ cyngor a bu'n rhaid iddo dorri pum modfedd o'r top er mwyn ei ffitio dan y grisiau. Ond llwyddodd i wneud hynny heb effeithio ar y mecanwaith ac ambell noson byddai'i fam yn codi cyn yr awr, bob awr, dim ond i fwynhau'r gwcw yn saethu allan a sŵn soniarus y clychau bach fel angylion yn canu grwndi.

'Bydd angen mwy na chwpwl o ddryllau bach,' esboniodd Skelly i Scabz. 'Mwy fel artileri, pethau *chunky*, y math o bethau pan chi'n eu saethu nhw mae pobl yn talu sylw. Odi dy gefnder yn medru cael gafael ar rai o'r rhain?' Estynnodd restr siopa arfau i'r dyn, wnaeth ddarllen yr enwau yn araf, gan ynganu pob gair fesul un oherwydd nid oedd darllen yn un o'i gryfderau. Bu'n rhaid iddo gyfaddef nad oedd yn gyfarwydd â rhai o'r pethau a sgrifennwyd i lawr ond teimlai'n siŵr y byddai ei gefnder Pete yn gwybod beth oedd beth.

Roedd rheswm pam adwaenid garej Pete ym Mhont-y-clun fel yr Armoury Show ac oherwydd taw Pete oedd wedi bathu'r enw, ac oherwydd ei fod yn ddyn mor ffyrnig a byr ei dymer, doedd neb wedi meiddio esbonio iddo taw sioe gelf yn Efrog Newydd oedd yr Armoury Show ac felly roedd yr enw ychydig yn naff. Pwy yn ei iawn bwyll fyddai'n ystyried awgrymu hynny wrth ddyn oedd yn gwerthu dryllau i'r Barry Mafia ac yn medru cyflenwi archebion am stwff o Rwsia ac America, ac a oedd yn enwog am ddodi bwled ym mhen-glin ei dad-cu? Ei dad-cu, o bawb! Roedd hynny'n esbonio pam bod yr hen ddyn yn cerdded gyda ffon ac yn mynd rownd y lle yn disgrifio'i fab fel ffycin seico Natsi ddiawl a phethau cyffelyb.

Addawodd Scabz y byddai'n rhoi'r archeb i mewn yn syth – fel petai'n delio â Morrisons neu ASDA – gan ofyn oedd gan Skelly syniad pryd byddai'r hyn roedd e am wneud yn digwydd, oherwydd roedd wedi trefnu gwyliau teulu yn Ibiza mewn wythnos a bydden nhw bant am bythefnos, a doedd dim modd cael arian yn ôl. Wrth iddo raffu'r holl stwff, edrychai Skelly yn fwy a mwy blin. Yna rhoddodd un bys yn erbyn ei wefus a dweud yn glir a chyda phendantrwydd oedd yn ddigon i rewi'r gwaed i'ch aorta.

'Bydd y ffi am neud y gwaith yn hen ddigon i chi fyw yn Ibiza am weddill y flwyddyn. Gwna di dy job a bydd pethau'n edrych yn reit ffycin foethus rownd eich tŷ chi. Galli di brynu *cuckoo clock* newydd i dy fam-gu fel bod 'da ddi ddau ffycin *cuckoo clock* a gall y ddau baru a chael *cuckoo clocks* bach, a gall hi roi un yr un i bob brat bach yn y teulu. Clir?'

Nodiodd y boi, gan ddeall na fyddai'n mynd i Ibiza y tro hwn, roedd cymaint â hynny'n glir. Ond byddai'n medru talu am fwy nag un trip yno wedi gwneud yr un job yma, gallai wir.

Cadwodd Skelly un peth yn hollol, hollol gyfrinachol. Beth oedd y bwriad, beth oedd targed y trip. Dim byd llai na nai Tom Tom. Byddai rhwydo'r ffycyr yn droffi gyda'r gorau. O, byddai. Pwyll pia hi.

Echni

CANODD CLOCH Y tu fewn i Emma wrth iddi gamu oddi
ar y cwch gyda help warden yr ynys. Larwm bach oedd
yn cysylltu drwy wifren i'w greddfau, a'r rheini'n cysylltu yn
eu tro gyda'r wybodaeth yn ei phen. Tyngai ei bod hi wedi
gweld ei wyneb yn rhywle o'r blaen – roedd yn ymhyfrydu yn
ei gallu i gofio wynebau – ond roedd hwn ychydig bach allan o
gyrraedd am y tro. Efallai bod a wnelo hyn rhywbeth â'r cyd-
destun anarferol, oherwydd prin yr oedd hi'n gorfod mentro
dros y môr i wneud ei gwaith.

Ar y ffordd draw anfonodd e-bost at ddau aelod o'i thîm
i ofyn iddyn nhw edrych drwy'r rhestr o bobl oedd wedi
diflannu yn ystod y flwyddyn ddiwethaf. Yna, mewn ffordd
oedd yn bur amhroffesiynol ac felly'n od o beth iddi hi ei
wneud, meddyliodd am y diwrnod paradwysaidd hwnnw pan
aeth hi a Tom Tom allan i bysgota yn Antigua – y môr yn
asur ac yn llyfn fel drych, y capten yn ei hwyliau yn yfed rỳm
roedd ei fam-gu wedi ei wneud iddo'n anrheg, a Tom Tom
yn hel atgofion am fynd i bysgota gyda'i ewythr pan oedd yn
grwtyn.

I goroni'r cyfan llwyddodd ei gŵr newydd i ddal tri
physgodyn sylweddol, gyda'r capten yn rhuo chwerthin wrth
edrych ar Tom Tom yn ceisio rhwydo'r bwystfilod sgleiniog
a'u tynnu ar fwrdd y llong fechan. Tri math gwahanol o
bysgod hefyd – *barracuda, marlin* a *wahoo* – ac roedd Emma

wedi trefnu i gael llun o Tom Tom yn sefyll ar fwrdd y *Celestial Path* gyda'i wialen a'i dri throffi wedi ei fframio mewn siop yn Clare Road fel anrheg iddo.

Arweiniwyd hi a Rawson gan Chris Pierce y warden i fyny rhes serth o risiau, gan ddweud wrthynt am fod yn ofalus iawn tua'r top oherwydd roedd tirlithriad wedi sgubo peth o dop y clogwyn i ffwrdd. Roedd cyd-weithwyr Rawson yn dilyn mewn RIB arall, felly penderfynodd y ddau y byddai'n dda cael cipolwg ar y corff cyn bod y gweddill yn cyrraedd.

Wrth i'r warden eu harwain ar hyd llwybr igam-ogam ceisiodd Emma dwrio ar hyd silffoedd gwaelod ei chof er mwyn cofio ble roedd hi wedi gweld y wyneb yma o'r blaen ond heb lwc.

'*Déjà vu*,' meddai Rawson wrth iddynt nesáu at y corff. Er bod y ddau wedi ei rhybuddio bod y naill gorff mewn cyflwr tebyg i'r llall roedd hi'n dal yn od gweld y tebygrwydd drosti'i hun.

'*Déjà vu* o fath,' atebodd Emma, gan nodi eu bod nhw allan yn y Sianel oedd yn gwneud popeth yn anoddach.

'Mae symud corff yn ddigon anodd ar y tir mawr heb sôn am ei gludo i le fel hwn.'

'Yr holl risiau…'

'A'r ffaith bod y warden yn byw yma dros yr haf. Felly, mae gwarchodwr yma ddydd a nos.'

Stryglodd Emma i gofio. Ble oedd hi wedi gweld y dyn yma o'r blaen? Diawliai ei hunan am fod mor anghofus. Doedd hyn ddim fel anghofio rhywbeth wrth fynd i siopa. Drats!

'Pwy wnaeth ddarganfod y corff – chi, dwi'n tybio?'

'Ie,' dywedodd y warden yn swrth. 'Dwi wedi bod yn rhannu'r ynys gyda chorff am sbel nawr. O'n i'n disgwyl i chi gyrraedd yn gynt na hyn.'

'Roedd 'da ni lofruddiaeth arall i ddelio â hi,' esboniodd Rawson. 'Felly, ymddiheuriadau am yr oedi,' ychwanegodd, gan ymserchu mewn ffordd hollol ffug. Bron iddo foesymgrymu oherwydd dyna'r math o foi oedd Rawson. Ambell waith dychmygai Emma fe'n eistedd ar stol mewn clwb yn rhywle fel Los Angeles yn mynd drwy rwtîn comedi am fyw mewn morg.

'Sdim *chopper* 'da chi?' gofynnodd Pierce, heb sylweddoli bod Rawson yn chwarae ag e fel ci yn creu gêm gyda llygoden.

'Dyw hi'n hedfan braidd dim dyddiau 'ma, oherwydd y toriadau. Ry'n ni'n lwcus bo' ni wedi llwyddo i gael ffordd i ddod yma ein hunain heb orfod mynd ar ofyn y bad achub neu wylwyr y glannau.'

Erbyn hyn roedd y tri wedi closio ar y corff a stumiodd Rawson nad oedd angen i'r warden fynd yn agosach, ac roedd golwg o ryddhad dwfn ar ei wyneb, a throdd yn ôl am y lle roedd yn lletya'r haf.

'Mae'r tywydd ar fin newid,' dywedodd Pierce wrth gerdded i ffwrdd, bron wrtho'i hunan. Casglai cymylau lliw inc uwch ei ben, i gadarnhau ei ddoniau fel dyn tywydd.

'Boi neis,' awgrymodd Rawson wrth iddo ddechrau gwisgo ei lifrai plastig yng nghysgod llwyn bach oedd wedi ei blygu'n bonsai gwyllt gan y gwynt.

'Prin ei eiriau,' atebodd Emma wrth iddi hithau hefyd newid i 'rywbeth mwy cyfforddus', fel roedd Rawson yn hoffi ei ddweud.

'Mae'n od,' dywedodd, wrth i'r ddau godi o'u cwrcwd a cherdded y deg llath olaf tuag at y dyn marw. 'Mae 'da ni sysbect amlwg iawn, allech chi ddweud prif sysbect yn barod, oherwydd Pierce yw'r unig berson sy'n byw ar yr ynys, ond dyw e ddim yn bihafio fel rhywun gyda gormod ar ei gydwybod a dyw bod yn swrth ddim yn drosedd. Ond mae un peth sy'n mynd i danseilio unrhyw amheuaeth ohono fe...'

Darllenodd Rawson feddwl Freeman.

'Allai e ddim fod wedi lladd y dyn arall. All rhywun ddim bod mewn dau le ar yr un pryd, yn enwedig os oedd yn gorfod croesi Môr Hafren yn gyntaf.'

'Ond dyw e ddim yn cymryd yn hir iawn,' mentrodd Emma, wrth blygu i lawr.

Roedd y corff y tro hwn wedi ei drefnu'n debyg i'r llall, er bod dau wahaniaeth sylfaenol, fel y nododd Emma yn ei llyfr nodiadau. Teimlai'n hen ffasiwn wrth wneud hynny ond roedd hi'n hoff o'r broses o drosglwyddo gwybodaeth i'r gliniadur wedyn, oherwydd roedd yn ffordd o sicrhau bod y ffeithiau yn ymdreiddio i'w hymennydd. Y tro hwn roedd yr hanner penglog ar yr ochr arall i'r corff ac roedd twll wedi ei dorri yn nhrowsus y dyn, o gwmpas y *genitalia*, oedd eto'n awgrymu neges, neu ddymuniad clir i ddwyn sylw at rannau preifat y dyn.

'Mae'r tebygrwydd yn anhygoel,' meddai Rawson wrth iddo archwilio'r hollt yn y benglog. 'Ond eto...' Crafodd ei ben gyda'i bensil, cyn ei ddefnyddio i godi'r hanner pen oddi ar y glaswellt isel.

'Mae'r hollt yma wedi ei wneud gyda thipyn llai o nerth.'

'Efallai nad oedd wedi taro cystal â'r llall.'

'Ac edrychwch ar hyn...'

Cododd y gwefusau gyda'i bensil wedyn, y darnau o gnawd yn ystyfnig, yn glynu at ei gilydd. Roedd dannedd yn eisiau, tri ohonynt o leiaf.

'Wnaeth e hyn yn bwrpasol hefyd. Mae'n un sy'n hoff o'i ddefodau.'

Heb yn wybod i'r ddau roedd yr ynys wedi newid cymeriad,

wrth i haen drwchus o niwl o'r môr ledaenu a setlo, gan fygu
sŵn y gwylanod nes eu bod yn swnio fel petaen nhw dan
glustogau. Wrth edrych lan o'r corff prin fod y ddau yn medru
gweld ei gilydd ac roedd popeth y tu hwnt i ryw bum metr i
ffwrdd wedi ei lyncu'n gyfan gwbl gan yr haen lwyd, oedd
yn ymddangos yn fwyfwy trwchus bob munud. Yn y pellter
gallent glywed sŵn injan cwch, a'r ddau'n gobeithio na fyddai'r
niwl yn ormod o anhawster iddynt lanio'n ddiogel.

Cerddodd Emma yn araf o gwmpas y corff, gan geisio
dychmygu beth oedd wedi digwydd yma. Oedd y llofrudd
wedi tynnu'r dannedd cyn lladd? Pam y twll o gwmpas y
genitalia? Nid oedd arwydd pendant ei fod wedi ymyrryd â'r
corff yn rhywiol er y byddai defnyddio golau uwchfioled yn
help i chwilio am olion semen ac roedd hwnnw ar ei ffordd.
Byddai'n anodd i'r criw ddringo'r grisiau yn y niwl oedd wedi
twchu a thewhau eto.

Edrychodd Emma ar Rawson yn mynd o gwmpas ei bethau
gydag urddas a chyflymdra proffesiynol. Ffeithiau oedd
ei gryfder, yn ogystal â bywydeg, entomoleg, tymheredd,
ffeithiau am sut roedd y gwaed yn oeri, y patrymau i'r ffordd
roedd *rigor mortis* yn datblygu, yn gwybod yr effaith ar y croen
o drawiadau gan fetal, bric, darn o bren, cyllell... Byddai peth
o'i waith yn digwydd yn y maes, yn enwedig os oedd y corff
yn ffres neu'n newydd, ond roedd y rhan fwyaf yn digwydd yn
ôl yn y morg, ei balas sgleiniog oedd yn drewi o ddisinffectant.
Honno oedd ei theatr, lle byddai'n perfformio. Yn perfformio
awtopsi, ond hefyd yn perfformio bron fel comedïwr, gyda'i
jôcs du a'i sylwadau crafog yn torri'r tensiwn fel un o'i sgalpels
sgleiniog.

'Unwaith bydd y bois wedi gwneud y swabs a thynnu'r
lluniau, wna i drefnu bod hwn yn dod draw i'r tir mawr, oni

bai bod angen mwy o amser arnoch chi? Dwi am edrych yn fanylach ar y garddyrnau yma. Mae fel petai rhywun wedi clymu'r boi lan, ond ddim yn dynn iawn. Dwi ddim yn siŵr beth aeth mlaen fan hyn. Drychwch...'

Er bod Emma yn dipyn o batholegwraig amatur doedd hi ddim yn siŵr beth i'w wneud o'r marciau ar y garddyrnau er bod ganddi ddigon o wybodaeth i rag-weld y sylw nesa gan Rawson...

'Os godwn ni waelod y trowsus...'

A dyna ble roedd marciau tebyg i'r garddyrnau, rhubanau tenau lle roedd lliw'r croen yn wahanol. Synnodd Emma nad oedd yr un o'r ddau yn medru dyfalu beth oedd beth ond wedyn roeddynt allan o'u cynefin, ym myd od y gwylanod rheibus.

'Bydd cerdded o gwmpas y lle yn help i ddeall beth sydd wedi digwydd yma ond alla i ddim neud hynny nes fy mod i'n medru gweld yn iawn. Mae'r niwl 'ma'n waeth nawr os rhywbeth. Ac mae'r bois yn cymryd tipyn o amser i gyrraedd o'r cwch. Tybed os ydyn nhw'n ocê.'

'Bydd Pierce wedi mynd i'w hebrwng nhw, bownd o fod.'

Camodd y ddau bant o'r corff i aros amdanynt.

'Roedd ysbyty colera ar yr ynys, o'ch chi'n gwybod 'na?' gofynnodd Rawson, gan amau ei bod hi eisoes yn gwybod. Ond doedd Emma ddim wedi clywed am hynny ac esboniodd Rawson rywfaint o'r hanes iddi er mwyn lladd amser. Erbyn iddo orffen y stori doedd dal dim sôn am y criw o'r cwch, ond roedd y niwl yn dechrau codi, felly dyma nhw'n penderfynu mynd i chwilio am y warden a'u cyd-weithwyr ac er y gweiddi a gweiddi ddaeth 'run ateb, a phan wnaethon nhw gyrraedd pabell y warden doedd dim sŵn o'r tu fewn. Ond wrth i Emma agor y fflaps dyma hi'n gweld Pierce yn gorwedd yno mewn trwmgwsg, a photel o Coke wedi moelyd yn gorwedd wrth ei ymyl. Ymunodd Rawson â hi ac roedd ei farn ef yn bendant reit o'r cychwyn.

'Mae e wedi cymryd rhywbeth sydd wedi'i fwrw fe mas yn llwyr. Yn y Coke efallai. Mae'n bosib mai rhywun arall sy wedi gwneud hyn – dyna sydd fwyaf tebygol.'

'Reit,' dywedodd Emma, 'Arhoswch chi fan hyn gyda Pierce ac mi af i i gwrdd â'r lleill.'

Straffaglodd i gerdded tua'r jeti oherwydd doedd y niwl ddim wedi diflannu cweit digon ac roedd gwreiddiau trwchus yn tyfu ar draws y llwybr. Wrth iddi nesáu at nythfa'r gwylanod cefn-ddu lleiaf trodd y sŵn i fod yn fedlam swnllyd.

Erbyn iddi gyrraedd y man glanio roedd yn dechrau amau eu bod wedi dychmygu clywed sŵn injan yn cyrraedd ond gyda hynny daeth syniad sydyn i'w phen. Efallai nad cyrraedd oedd y cwch, ond gadael. Ac os felly, pwy oedd wedi gadael? Pentyrrodd llu o gwestiynau yn ei phen. Oedd y person yma wedi bod ar yr ynys cyhyd? Ai'r person yma oedd wedi rhoi rhywbeth yn niod Pierce? Ac yna cwestiwn pwysicach. Oedd y llofrudd wedi bod ar yr ynys yr un pryd â nhw?

Gyda lwc daeth un, ac wedyn ddau far lan ar ei ffôn, felly dyma hi'n ffonio capten y cwch heddlu i weld ble roedden nhw a dyna pryd aeth ei meddwl yn chwil. Doedden nhw ddim wedi gadael Channel View oherwydd y rhybuddion ynglŷn â'r niwl, ac roedd hynny'n rhannol gadarnhau ei damcaniaeth. Esboniodd y sefyllfa i'r capten gan ofyn iddo gysylltu â phawb oedd angen i weld a oedd cwch wedi dod i mewn i Gaerdydd yn yr awr neu ddwy ddiwethaf. Ond tybiai y byddai'r cwch oedd wedi ffoi o'r ynys wedi mynd i rywle arall – am Gasnewydd efallai – a phoenai hefyd ei fod yn rhy fach i ymddangos ar y radar, felly fyddai dim modd eu dal nhw.

Erbyn iddi gyrraedd yn ôl yn y babell mae Pierce yn eistedd, er yn dal yn ddryslyd ac yn wan iawn, ei ben yn hongian fel blodyn sydd heb gael dŵr.

'Wyt ti wedi gofyn iddo o ble ddaeth y Coke?' gofynnodd Freeman i Rawson, wnaeth ddweud ei fod wedi oedi, dal yn ôl, a gadael i'r bobl broffesiynol ofyn y cwestiynau. Gwerthfawrogodd Emma ei gwrteisi. Aeth ati'n syth.

'Beth yw'r peth diwethaf i chi gofio?' gofynnodd Freeman i'r warden.

'Ar ôl gadael chi'ch dau ddes i'n ôl yma'n syth a chael cinio o Pot Noodle a brechdan gaws. Diolch am ddod â'r bwyd draw gyda llaw. Mae'r tywydd wedi bod yn wael ers wythnos ac o'n i'n dechrau poeni 'mod i'n mynd i fyw ar omlets wyau gwylanod.'

'Ac wedi'r wledd?'

'Es i'n syth i gysgu.'

'Pryd yfoch chi'r Coke?'

'O ie. Jyst cyn troi mewn.'

Cododd Rawson y botel, oedd erbyn hyn mewn bag plastig, a'i dangos i Emma.

'Pryd gawsoch chi hwnnw? Doedd e ddim ar y rhestr o stwff ddaethon ni draw.'

Freeman ei hun oedd wedi siopa am y nwyddau. Cofiai feddwl bod angen mwy o fwyd ffres.

'Dwi ddim yn siŵr. Rwy'n credu i mi ddod o hyd iddo ar ôl i grŵp o wirfoddolwyr adael. Ro'n nhw wedi bod yn peintio, gweithio ar y llwybrau, cyfri adar, y math yna o beth. O'dd e'n edrych heb ei agor ond, wedi meddwl, pan agorais y botel roedd fel petai rhywun wedi troi'r caead a'i ryddhau...'

'Pwy arall sydd wedi bod ar yr ynys yn ddiweddar? Dim ond y gwirfoddolwyr?'

'Ie, er roedd hynny ddeg niwrnod yn ôl, efallai pythefnos.'

'Neb arall? Dim pysgotwyr? Rwy'n deall bod 'da chi dafarn yma?'

'Ma cwrw 'da ni ac ro'n ni'n hoff o ddweud taw dyma'r dafarn fwya deheuol yng Nghymru. Sy'n dechnegol wir.'

'Glywson ni injan cwch rhyw awr yn ôl, ac i ddechrau roedden ni'n meddwl taw pobl yn cyrraedd oedd 'na ond mae'n bosib bod rhywun wedi gadael. A fyddai'n bosib i rywun fod ar yr ynys heb yn wybod i chi?'

'Yn dechnegol, byddai, ond mewn gwirionedd mae'r lle yn rhy fach, a phrin bod unrhyw le ar yr ynys na fydda i'n ymweld ag e mewn diwrnod. Mae'n rhan o 'ngwaith i.'

'Mae'n anodd gweld sut allai rhywun gyrraedd, efallai dau berson, heb eich bod chi'n gwybod, felly.'

'Dwi'n gwybod bod hyn yn edrych yn wael... bron fel petai'r unig opsiwn yw 'mod i wedi lladd y dyn 'ma ond wir i chi do'n i'n gwybod dim nes i mi ddod ar draws y corff a Iesu gwyn, ges i ofn o weld beth oedd wedi digwydd iddo. Dwi wedi gweld ambell ddamwain ar glogwyni ar warchodfeydd ble ro'n i'n gweithio – cyrff wedi cwympo cannoedd o droedfeddi – ond roedd hwn yn waeth... oherwydd ei fod yn bwrpasol. Pa fath o ddiawl allai wneud hyn?'

'Dyna beth fyddwn ni'n ceisio ei ddarganfod.'

Meddalodd tôn Freeman wrth iddi barhau gyda'r holi. Roedd y dyn wedi cael ei ysgwyd hyd at fêr ei esgyrn, i fôn ei fyw. Er bod rhaid amau Pierce, nid oedd digwydd bod ar ynys lle darganfuwyd corff yn dystiolaeth o unrhyw fath, ac roedd sŵn yr injan yn adleisio drwy ei phen hi. Sut lwyddodd rhywun i ddod â dyn i'r ynys heb yn wybod i Pierce ac yna'i ladd? Sut fyddai Tom Tom yn esbonio hyn? Meddyliodd sut y byddai e'n delio â'r cwestiwn yma. Gwyddai y byddai'n dod at y cwestiwn o gyfeiriad arall, o ochr annisgwyl. Byddai'n gofyn ai dyna oedd y cwestiwn cywir i ddechrau. Ond cyn bod amser ganddi i ddechrau dilyn trywydd Tom Tom dyma Rawson yn ebychu gair.

'Wetsiwt! Roedd y dyn yn gwisgo wetsiwt cyn iddo farw.'

Prin fod ditectifs yn cael epiffani go iawn yn aml ond gyda'r un posibilrwydd gwelodd Freeman bob math o bethau'n dod yn glir. Gallai'r llofrudd fod wedi bod yn cuddio rhywle ar ochrau'r ynys. Efallai fod ogof lle gallai gadw allan o'r ffordd ar ôl iddo gludo'r corff i'r lan. Ac roedd symud corff gyda chymorth dŵr y môr dipyn haws na llusgo pwysau ar draws y tir.

Dychmygai'r llofrudd yn llechwra mewn rhyw encil yn y creigiau tra'i bod hi a Rawson yn mynd o gwmpas eu pethau, efallai'n sbio arnynt o bell. Yr hyfdra. Yr haerllugrwydd. Ond eto, efallai'r gwendid. Efallai nad oedd y person yma wedi dewis bod ar yr ynys yr un pryd â'r heddlu. Efallai bod rhywbeth wedi ei rwystro rhag gadael. Beth os taw nhw oedd y rheswm? Eu bod nhw wedi cyrraedd tua'r un pryd ag yr oedd y llofrudd yn ceisio gadael, ac yn sylweddoli nad oedd lle i guddio allan ar y môr ac yntau wedi gorfod cuddio o'r herwydd? Roedd yr amseroedd yn matsio'n ddigon agos i hynny fod yn bosbilrwydd. Mor, mor agos! Gallai hi fod wedi datrys y llofruddiaeth yma yn yr un anadl ag yr oedd hi wedi ymweld â'r corff. Ond dim nawr. Roedd y llofrudd, neu'r llofruddwyr, wedi dianc dan ei thrwyn. Efallai. Roedd wastad efallai.

Y dyn casglu cleddyfau

Dyw FREEMAN ddim wedi cysylltu â Maurice ers amser hir, ac mae'n edrych ymlaen at weld yr hen ŵr, yn enwedig o gael y cyfle i ymweld â'i gartref eto, oherwydd roedd y lle yn fwy o amgueddfa na chartre preifat. Arbenigwr ar arfau yw Maurice, dyn oedd wedi gweithio am ddegawdau yn gwneud unrhyw beth oedd yn ymwneud â chleddyfau a chyllyll, a chanddo'r gallu anhygoel i awgrymu'r math o lafn a ddefnyddiwyd i dorri neu drywanu rhywun o arsylwi ar natur, dyfnder a siâp y croen o gwmpas yr anaf. Gweithiodd ar ran amgueddfeydd, cynhyrchwyr ffilm oedd eisiau i bethau fod mor gredadwy â phosib, a hyd yn oed ar ran ambell wlad oedd angen dadlau'r achos dros ddychwelyd rhyw eitem oedd wedi cael ei dwyn gan wlad arall.

Adnabu Maurice lais Freeman o'r sillaf gyntaf ac roedd yn amlwg wrth ei fodd i'w glywed a phan ddeallodd ei bod hi'n mynd i ymweld dywedodd gyda phendantrwydd theatrig ei fod yn mynd i wneud cacennau ar gyfer yr achlysur tra bod Freeman yn cofio'i sgiliau digamsyniol wrth goginio: gallai'n hawdd agor *pâtisserie* gyda'r doniau a etifeddodd gan ei dad oedd yn gogydd go iawn, yn Normandi yn rhywle.

Y tro cyntaf iddi ymweld â Maurice Kramer roedd hi am wybod mwy am y ffordd bu i'w gŵr farw, pan gafodd ei ddienyddio'n gyhoeddus. Bu Maurice yn ddigon caredig i fod yn gwbl onest, gan esbonio'r hyn yr oedd yn ei ddeall am sydynrwydd ac effeithiolrwydd y weithred o edrych ar y dystiolaeth fideo a hefyd edrych ar y lluniau o'r pen a'r gwddf. Bu'n gysur, er yn gysur bach, i wybod bod y diwedd wedi bod yn sydyn iawn, a bod y synhwyrau ac ymwybyddiaeth ei gŵr o fod yn fyw ac ar ei bengliniau mewn gwlad estron mewn ystafell fach yn llawn gelynion, wedi dod i ben mewn *guillotine* o eiliad.

Cyrhaeddodd Freeman am un ar ddeg ar roedd aroglau hyfryd pan atebodd Maurice y drws mewn ffedog llachar-wyn a gwên enfawr ar ei wyneb.

'Dewch i mewn, dewch i mewn. Mae'n hollol hyfryd i'ch gweld wedi'r holl flynydde.'

Wrth iddo gymryd ei siaced edrychodd Freeman o gwmpas yr ystafell ffrynt gan synnu ei bod hi'n bosib storio cymaint o fetel mewn un tŷ teras, o faint canolig.

'Mae'n edrych fel petai'ch casgliad wedi tyfu ers y tro diwethaf i mi fod yma.'

'Mae'n anodd troi cyfle i lawr pan mae'n dod ar eich traws. Prynais i hwn bythefnos yn ôl. Bydd rhaid imi edrych am ychydig mwy o waith er mwyn talu amdano.'

Cododd gleddyf o Siapan oedd yn edrych fel bod angen dau ddyn i'w godi. Roedd ei frwdfrydedd am arfau yn heintus.

'Dyma enghraifft odidog o'r Nodachi, fersiwn sylweddol o gleddyf Tachi, yn dyddio'n ôl i ddiwedd y bedwaredd ganrif. Nawr, byddai hwn yn rhy ddrud i gasglwr syml fel fi fel arfer, ond roedd y perchennog yn hen ffrind i mi ac wedi rhoi cymal yn ei ewyllys y dylai ei weddw werthu hwn i mi am swm benodol, a dyna wnaeth hi. Mae 'na rywbeth am gleddyfau samwrai sy'n urddasol. Nawr, byddai cawr o gleddyf fel hwn yn cael ei ddefnyddio gan filwr ar droed i ymladd yn erbyn marchog ar geffyl, ac mae'n hirach ac yn fwy o faint na chleddyf Katana. Maddeuwch i mi, dwi wedi troi'n rhy dechnegol yn barod a minnau ond yn lladd amser wrth aros i'r te fod yn barod. Mewn lle agored roedd yn gleddyf perffaith, yr ochr fflat yn wynebu ysgwyddau'r dyn oedd yn ei gario a'r blêd yn barod am y gelyn.'

Canodd larwm yn y gegin i nodi fod y te yn barod, cyn i Maurice ymhelaethu.

'Nid ymweliad personol mo hwn, dwi'n tybio,' meddai Maurice, oedd yn awchu i glywed beth oedd gan Emma i'w ddweud.

'Ry'ch chi wedi clywed am y llofruddiaethau, mae'n siŵr.'

'Un ar yr ynys, ac un ger Castell Coch.'

'Mae gen i'r holl fanylion, y lluniau ac ati, ond ry'n ni heb symud y corff diweddaraf hyd yn hyn, felly o'n i am weld os yw delweddau fforensig yn mynd i fod yn ddigon i chi neu os licech chi ddod i weld drosoch chi'ch hun.'

'Gymrwch chi Madeleine fach, Emma?' gofynnodd Maurice er mwyn ceisio disodli'r ddelwedd oedd wedi fflachio i'w ben, sef gŵr Emma yn wynebu'r tywyllwch olaf, ar gamera, o flaen miloedd o bobl yn edrych ar sgriniau ar bob cyfandir. Cofiodd pa mor tyff oedd y blismones oedd yn pigo siwgr oddi ar blaenau ei bysedd. A chraff. A deallus.

Erbyn hyn roedd hi'n edmygu'r casgliad o arfau oedd wedi eu trefnu'n ofalus, megis mewn amgueddfa, a nifer o eitemau nid yn unig wedi eu labeli ond hefyd yn cynnwys bocs bach twt o wybodaeth am ddyddiadau, hanes a hyd yn oed y diwylliant o gwmpas y cleddyf. Cerddodd Maurice o gwmpas y tair ystafell, yn ei thywys hi gyda brwdfrydedd plentyn yn arllwys ohono wrth godi hwn a hwn a hon a hon.

'Dyma'r diléit mwya sydd wedi dod i'r casgliad ers i mi'ch gweld chi ddiwethaf,' dywedodd yr hen ŵr, ei lygaid yn pefrio'n hapus fel iâr falch yn arddangos ei chyw newydd i'r byd.

'Gawn ni orffen ein te ac wedyn edrych ar y dystiolaeth.'

Anodd oedd i Maurice aros yno mewn distawrwydd. Prin ei fod yn gweld unrhyw un o'r naill ddydd i'r llall ac roedd e hefyd yn gorfod derbyn fod ei waed yn cyflymu o weld beth roedd cleddyf neu gyllell yn medru ei wneud. Ar adegau byddai'n cwestiynu a oedd e'n or-hoff o'r profiad o weld ble roedd rhywun wedi cael ei drywanu, ond ar yr un pryd byddai'n cofio am yr holl fywydau fyddai'n cael eu difetha wrth i'r pla o ladd gyda chyllyll ledaenu allan o Lundain i ddinasoedd eraill yn Lloegr. Diolch byth nad oedd y ffenomen wedi cyrraedd Cymru yn yr un ffordd. Hyd yma. Arllwysodd fwy o de: yr hylif, erbyn hyn, yr un lliw â rhwd ar ôl bod yn sefyll am ddeg munud.

Efallai byddai angen rhywbeth cryfach i gyd-fynd â'r lluniau roedd Emma yn dechrau lledaenu o'i blaen fel rhywun yn trefnu gêm o gardiau. Trodd y cyntaf i'w gyfeiriad yntau, llun agos, manwl iawn, o ble roedd cleddyf wedi torri'r pen i ffwrdd. Yn aml byddai'r ongl yn rhoi cliw i chi am daldra'r llofrudd a hefyd am ei bwysau, a chliw hefyd am ba mor gryf neu ffit oedd y person wnaeth y weithred. Roedd hwn yn jobyn da, toriad glân. Rhywun oedd yn gwybod yn union beth i'w wneud, dim oedi, un symudiad glân didostur.

Pan maen nhw'n cyrraedd y man, y llofruddfan fel mae Tom Tom wedi dechrau galw'r fath lefydd, sy'n syndod o farddonol o ystyried taw Tom Tom sydd wedi ei fathu, mae Emma'n nodi'r teimlad arferol sy'n dod o weld plismyn yn sefyll o gwmpas am oriau, yn gochel y tâp glas a gwyn gyda golwg o ddifaterwch hollol. Mae Emma'n deall i'r dim. Wedi'r cwbl does dim byd i'w ddwyn, dim ond corff marw sydd ar fin gael ei gludo ymaith a chliwiau ynghylch y sawl sydd wedi ei ladd. Ond bydd rhaid iddynt sefyll yma, boed law neu hindda, am ddeuddydd eto, falle mwy ac mae'n fusnes digalon, a'r oriau'n ymestyn.

*

Unwaith maen nhw'n cyrraedd y babell wen blastig mae Maurice yn mynd ar ei gwrcwd yn ei siwt wen blastig. Mae e'n gyfarwydd â'r drefn, ac yn gwybod bod angen mynd o gwmpas ei waith heb ymyrryd ar y lle na chyflwyno unrhyw beth allai ddrysu'r broses o gasglu tystiolaeth, er ei fod yn tybio bod y tîm fforensics wedi cwpla ac y bydd y corff yn mynd draw at Rawson yn dilyn yr ymweliad hwn.

Dilyna Emma ef, gan gribo'r fan gyda'i llygaid craff rhag ofn bod rhywbeth wedi ei golli, neu bod gwerth i rywbeth sydd yn ymddangos yn ddiwerth.

Mae Maurice yn crwbanu o gwmpas y corff er mwyn edrych ar y man lle torrodd y cleddyf y cnawd, ac yna'r pen sy'n gorwedd sawl llathen i ffwrdd ac yn edrych bron yn artiffisial yn y ffordd mae marwolaeth yn medru rhewi cnawd. Does dim dwywaith bod y cleddyf yn siarp, ac yn edrych fel petai rhywun wedi swingio'i fraich a thorri'n lân oherwydd mae'r pen wedi ei ryddhau o'r gwddf mewn un symudiad chwim a disymwth. Mae Maurice yn dueddol o astudio'r wyneb yn fanwl, gan gredu ei fod yn bosib deall a ddaeth yr ergyd farwol heb rybudd, bod sioc, neu absenoldeb sioc yn rhewi'n rhan o fasg marwolaeth, yn enwedig os yw'r gelain yn ffres. Edrych am ddelwedd o'r llofrudd wedi rhewi yn llygaid y person marw, angau fel marwolaeth yn bwrw botwm camera ymwybyddiaeth. Mae Emma, fel ditectif da, yn credu mewn pethau y tu hwnt i wyddoniaeth. Megis greddf, sydd iddi hi mor ddibynadwy ag analysis sampl gwaed, neu ddilyn trywydd mewn ffordd na fyddai cyfrifiadur yn ei wneud, gan wybod bod ambell *cul de sac* yn arwain at oleuni, a'r ffordd ymlaen.

Mae Maurice yn ei chael hi'n anodd disodli'r syniad fod y cleddyf yma'n un Siapaneaidd ac yn ceisio gwneud yn siŵr nad yw'n meddwl hyn am ei fod newydd fod yn trafod cleddyfau samwrai gydag Emma Freeman. Ond roedd y llafn yn denau ac yn gul, heb sôn am y ffaith ei fod yn siarp fel meicrotom – y llafn arbennig mae gwyddonwyr a meddygon yn ei ddefnyddio ar gyfer torri sampl o disw. O fesur y toriad mae'n gallu amcangyfrif dimensiynau'r arf, rhag ofn iddo ddod i'r amlwg wrth i'r deifars gribo drwy berfeddion y llyn cyfagos, lle mae penhwyaid yn pesgu ymhlith yr hen drolis siopa. Ond mae'n amau a fyddant yn dod o hyd i unrhyw beth. Dyw rhywun sy'n giamstar ar ddefnyddio cleddyf drudfawr, mwy na thebyg cleddyf hanesyddol, ddim yn mynd i'w daflu i waelod y dŵr. Ta p'un, mae'n llawer rhy agos i'r corff a dim ond rhywun mewn gwewyr o banig, neu amatur rhonc fyddai'n taflu tystiolaeth o'r fath yn agos at fan y llofruddio. Noda'i gasgliadau a'i fesuriadau yn ei lyfr bach du cyn camu y tu allan. Mae'n ddiolchgar nad yw'r archwiliad yn digwydd yng nghanol gaeaf oherwydd byddai bod yn y babell yn brofiad mwy cyfoglyd o lawer. O fewn munud mae Emma yn sefyll wrth ei ymyl, ond nid yw hi'n waglaw. Mae'n dangos amlen dryloyw iddo: tu fewn mae pluen ddu sylweddol.

'Y gwynt wedi ei chwythu i fewn?' gofynna Maurice. 'Prin bod rhywun wedi methu rhywbeth fel'na...'

'Dwi ddim yn credu eu bod nhw wedi meddwl gallai hyn

fod yn dystiolaeth. Ond mae 'na blu bach eraill ar hyd y lle. Ond y peth pwysig yw...'

Mae Emma yn codi'r amlen fwyaf a'i dal o flaen Maurice.

'Nid brân,' mae e'n dweud, 'mae'n rhy fawr i hynny.'

'Cytuno,' meddai Emma, yn hoff o feddwl chwim Maurice, sydd yn siarp fel rasel, yn briodol ddigon.

'Alarch du,' mae Maurice yn cynnig. 'Dyna fyddai f'awgrym i, ta p'un.'

'Ond edrychwch yn ofalus...'

Sylla Maurice ar y bluen, gan weld yn syth at beth mae Emma yn cyfeirio.

'Mae rhywun wedi peintio'r bluen yma, ei pheintio'n ddu. Felly gallai hon berthyn i alarch dof.'

'Yn union. Nawr 'te, Maurice, pam fyddai rhywun yn peintio plu alarch yn ddu, ond yn fwy ddiddorol na hynny, ai'r llofrudd wnaeth adael y plu yma?'

'Arwydd o ryw fath, fel y blodau o'ch chi'n dweud o'dd wedi eu gadael wrth y ddau gorff arall.'

'Neu... rhywbeth adawyd yma'n ddamweiniol. Ei fod e'n cario'r plu yma? Neu, oherwydd bod y byd yn od, a llofruddion yn ganolbwynt i'r odrwydd hynny yn amlach na pheidio, efallai ei fod yn eu gwisgo nhw.'

Edrycha'r ddau ar yr amlen, ar yr haen denau o baent sy'n gwneud i'r bluen sgleinio yng ngoleuni'r heulwen egwan.

'Bant â hwn i'r lab, felly. Gallwch ddweud beth yw'ch casgliadau ar y ffordd yno, os y'ch chi moyn.'

'Does dim lot gen i ar eich cyfer, ond gobeitho bydd o iws rywbryd yn y dyfodol.'

'Pan mae cyn lleied gyda ni i fynd arno, mae pob sgrapyn yn werthfawr. Nawr 'te, beth sydd gyda chi i fi?' gofynnodd Emma wrth iddi agor drws y car, ei meddwl yn prosesu arwyddocâd y bluen ddu. Os oedd pluen wen yn dynodi llwfrdra, oedd pluen ddu yn dynodi dewrder? Oedd hwn yn drywydd iawn i'w ddilyn? Oedd. Pob sgrapyn o wybodaeth, pob damcaniaeth, ta p'un mor ffôl. Taniodd yr injan wrth i Maurice strapio'i hunan i fewn.

Pan mae'n cyrraedd prif ystafell yr ymchwiliad mae'n galw gymaint o bobl ag sydd yno ynghyd er mwyn dosbarthu tasgau yn ôl y drefn mae Maurice wedi awgrymu.

Olwyn o fewn olwyn o fewn olwyn

Mae'r traffig yn dechrau mynd yn drwm ar ôl Chiswick ond mae'r gyrrwr wrth ei fodd yn nadreddu ei ffordd i mewn i Lundain. Gallai'r Prif Gwnstabl Lawrence Martin fod wedi dod ar y trên ond gwyddai fod Tom Marley, Pennaeth yr Adran Draffig, wrth ei fodd yn gyrru rownd y lle, oherwydd ei fod yn honni nabod y ddinas cystal ag unrhyw yrrwr tacsi ac y gallai basio prawf 'The Knowledge' fel mae pob un ohonyn nhw yn gorfod gwneud er mwyn ennill trwydded. Beth sy'n rhyfedd yw'r ffaith nad yw Marley wedi byw yn Llundain ond mae wedi dysgu'r holl beth o ddarllen mapiau a defnyddio Google Earth i ffeindio'i ffordd o gwmpas. Hobi hurt, esboniodd unwaith wrth y Chief, oedd yn rhyfeddu ynghylch dycnwch y dyn. Felly roedd hi'n braf cael y cyfle i yrru o gwmpas strydoedd go iawn Y Smôc. Mae'r Prif Gwnstabl am harneisio holl bŵer y system i wneud yn siŵr bod Thomas a Freeman yn cadw'n ddiogel. Nid yw'n deg nac yn deilwng bod dau aelod o Heddlu Cymru – efallai y disgleiriaf ohonynt i gyd – yn gorfod byw mewn ofn, tra'u bod yn parhau â'u gwaith da, eu hymchwil godidog o effeithiol.

Felly penderfynodd y Prif Gwnstabl wneud cais i gwrdd â'r Gweinidog yn y Swyddfa Gartref oedd yn gyfrifol am bethau fel Witness Protection ac yn y blaen er mwyn dechrau'r broses o'u diogelu. O beth allai weld, yr unig ffordd o wneud hyn oedd bwrw'r Maffia, a'u bwrw'n galed, ac wrth gwrs allai ei heddlu yntau ddim gwneud hynny ar ben eu hunain. Ond efallai bod cynlluniau ar waith yn barod. Siŵr Dduw bod Europol ac Interpol yn gwneud eu gorau glas i roi stop ar y rhwydwaith dieflig o effeithiol yma. Anodd deall sut oedd y rhain yn wahanol i'r Maffia Eidalaidd oedd yn cael eu herlid a'u hanfon i'r carchar, a bob hyn a hyn y bòs mwyaf pwerus yn dod o flaen ei well, gan amlaf oherwydd ymdrechion y twrneiod yn y Southern District of New York, oedd yn giamstars ar ddelio â gangsters fel petai. Ond roedd Maffia Albania yn wahanol, yn cadw allan o gyrraedd y gyfraith.

'Hyfryd i gwrdd â chi,' meddai William Pierson, y Gweinidog, gan sychu ei law gyda hances boced i gael gwared ar y darn o jam o'r brecwast hwyr roedd yn ei fwynhau wrth ei ddesg. Jam mefus traddodiadol gyda darnau mawr o ffrwythau ynddo. Da oedd bod yn berson â dylanwad.

'Mae'n ddrwg 'da fi ein bod yn cwrdd yn y cantîn.' Pwyntiodd at y platiau a'r pot coffi oedd ar y ddesg gan roi cyfle i'w westai chwerthin.

'Mr Pierson, dwi wedi bod yn ystyried cael gwared ar y car gweinidogol oherwydd man a man i mi fyw 'ma a byth mynd adref. Dyw'r gwaith byth ar ben, Brif Gwnstabl, ond dwi'n siŵr eich bod yn gwybod hynny. Nawr 'te, dyna ddigon o falu awyr. Dwi'n gwybod pam y'ch chi yma ond beth yn union y'ch chi am i mi wneud i'ch helpu?'

'Mae gen i ddau heddwas sydd mewn perygl yma, ac yn wir unrhyw le yn y byd, ac os y'n ni'n gadael i'r sefyllfa honno barhau bydd hi'n edrych fel petai'r bobl ddrwg wedi ennill. Felly o'n i am wybod oes 'na fwriad i ddelio â'r criw yma, hynny yw, dwi yma i hel gwybodaeth. Ond hefyd, a hyn sy'n bwysicach, dwi yma i wneud cynnig ar ran fy swyddogion dewr. Maen nhw'n cynnig eu hunain...'

Mae'r Gweinidog yn stopio bwyta, darn o croissant wedi rhewi yn ei law o flaen ei geg.

'Fel abwyd ar gyfer trap.'

'Anghonfensiynol o syniad, rhaid dweud. Ond un sy'n haeddu gwrandawiad llawn. Plis...'

'Dwi'n deall bod trywydd o decstiau a hyd yn oed sgyrsiau am yr ymgais i ladd yr Arolygydd Thomas Thomas yng Nghaerdydd gan asasin proffesiynol, a nawr rhai ychwanegol i'r hyn ddigwyddodd yn Antigua. Dwi hefyd ar ddeall bod dau ddyn wedi mynd ar goll ond taw nhw'n fwy na thebyg oedd y rhai oedd yn mynd i geisio lladd ein dau ni. Mae'r dyn ofynnodd iddyn nhw ladd Freeman a Thomas yn y ddalfa, ac mae'n cyfeillion yn Antigua wedi gwneud yn siŵr y bydd yn ddiogel drwy ei symud i rywle cyfrinachol yn y Caribî.'

'Synhwyrol iawn. Dwi'n tybio'ch bod wedi datblygu perthynas gyda'r heddlu mas 'na.'

'Mae'r pennaeth yn ddyn clên ac rydym wedi bod yn defnyddio un o sianeli arbennig GCHQ i gyfathrebu oherwydd pwy ry'n ni'n delio â nhw. Ma digon o dystiolaeth 'da ni ond yn yr achos diwethaf, ddigwyddodd dim byd, chafodd neb ei ladd. Felly beth os y'n ni'n trefnu rhywbeth fydd yn denu lot fawr o sylw er mwyn ceisio gwahodd un ymgais arall ar fywydau Freeman a Thomas?'

'Dyw hwn ddim yn y Police Manual, Brif Gwnstabl.'

'Ddim yn yr un ry'n ni'n gyfarwydd ag e.'

'Bydd rhaid i mi ymgynghori. Ond mae gen i ychydig bach

o wybodaeth fydd yn eich plesio chi'n fawr ac efallai'n bwydo i'r syniad mewn ffordd fydd yn gwneud i bawb deimlo'n hapusach. Cyfrinachedd nawr. Ma gen i rywbeth mawr i rannu. Ma lot fawr o bobl wedi bod yn teimlo fel chi, wedi hen flino ar glywed sŵn chwerthin yn dod o fynyddoedd Albania. Felly ma 'na gyrch wedi ei drefnu... un sy'n swnio fel beth ddigwyddodd i Bin Laden. Special Ops o sawl gwlad, pawb yn hapus i gyfrannu adnoddau dynol, rhannu bob math o *intel* er mwyn gwaredu'r byd o'r bobl 'ma, eu sgubo nhw bant fel cael gwared ar we pry cop. Nawr 'te...'

Arllwysodd baned o goffi oer i'r ddau ohonynt er mwyn cael ychydig bach o amser i bendroni cyn siarad drachefn.

'... Beth os y'n ni'n cyfuno'r ddau syniad ac yn cynnig eich bod chi'n ymuno yn hyn oll ond yn defnyddio eich heddweision chi i dynnu eu sylw mewn rhyw ffordd? I wneud pethau'n haws i'r bois fynd i'r mynyddoedd i'w rhwydo. Cyfuniad da, dybia i.'

Sipiodd y Prif Gwnstabl ei hylif sur, oer yn synfyfyriol.

'Ga' i ofyn pryd mae hyn fod i ddigwydd?'

'Mewn tair wythnos. Mae'r Prif Weinidog a minnau wedi trefnu i gael llif byw o'r holl beth, fel Barack Obama yn edrych ar luniau'r Special Forces yn hel pennaeth al-Qaeda. Wna i ofyn i Rory McLeod gysylltu â chi. Fe sy'n trefnu'r sioe. Cyn-bennaeth yr SAS. Dim nonsens. "Get in, get out, bring back the dead", fel mae e'n dweud.'

*

Ar y ffordd 'nôl i Gaerdydd awgrymodd y Prif Gwnstabl wrth y gyrrwr y dylai fynd y ffordd hir, mynd dros yr hen Bont Hafren, i roi ychydig mwy o amser tawel iddo feddwl am beth oedd yn mynd ymlaen. Ar bapur byddai hyn oll yn swnio'n wych, er, wrth gwrs, fyddai'r cofnod o'r cyfarfod yma byth yn mynd ar bapur oherwydd roedd rhai o'r digwyddiadau mor gyfrin nes bod y bobl oedd yn cymryd rhan hyd yn oed ond yn gwybod hanner y stori.

Os oedd cynnig Freeman a Thomas fel rhyw fath o abwyd er mwyn tynnu sylw yn syniad da, beth oedd y broblem? Bod y pysgodyn yn llwyddo i fachu'r abwyd, oherwydd ei fod yn gyflym ac yn bwerus, neu oherwydd bod neb yn gwybod bod y pysgodyn yno yn y lle cyntaf? Wrth groesi'r bont a gweld yr arwyddion yn ei groesawu'n ôl i Gymru teimlai fel petai ar drothwy dilema mawr ei fywyd. Roedd y ddau yn fodlon cymryd y risg, ond y gwir oedd, a oedd e? Roedd ymyrryd â chynlluniau Maffia Albania wedi tynnu nyth cacwn ar ei ben, ar eu pennau nhw oll, ond nawr fe boenai am beth fyddai effaith gosod trap pan oedd trap arall yn cael ei baratoi. Roedd y risg yn anhygoel. Beth fyddai'n digwydd petai'r amseru'n mynd o chwith?

Yna daeth y syniad fel fflach. Gallent wobrwyo Thomas a Freeman am eu dewrder. Byddai datganiad i'r wasg yn gwneud y tro i anfon neges i'r Albaniaid – sôn am seremoni i'w hanrhydeddu. Fyddai ddim angen trefnu'r fath beth – y pwynt oedd dweud wrth y Maffia yn y mynyddoedd bod seremoni'n cael ei chynnal a gwneud yn siŵr bod un peth ffug yn tynnu sylw o'r realiti oedd yn mynd i ddod drwy'r ffenestri yn eu pencadlys yn gwisgo balaclafas ac yn dangos pa mor effeithiol oedd hyfforddiant yr SAS.

Roedd y gyrrwr yn chwibanu. Sŵn dyn yn mwynhau ei waith oedd wedi cael diwrnod i'r brenin yn gyrru o gwmpas Llundain. Casnewydd. Deng milltir. Caerdydd yn agosáu. Caeodd y Chief ei lygaid am bum munud a setlodd blanced o flinder drosto gan ei dynnu i drwmgwsg yn ystod ugain munud olaf y daith. Breuddwydiodd am fynyddoedd pell yn llawn dynion gwyllt a *scimitars* sgleiniog yn fflachio yn eu dwylo a chriw go lew yn dawnsio ar ei fedd. Gweddïai y byddai'r cyrch yn llwyddiannus. Neu byddai mewn trwbwl.

Nid angel gwarchodol mohono

MAE'R DYN YN codi'n araf o'r gwely ac yn cerdded yn llafurus i'r ystafell molchi. Mae ganddo boen yn ei ben fel petai tryc wedi taro mewn i'w benglog, y metal yn darnio'r asgwrn fel llwy yn torri wy. Does ganddo ddim cof o beth yn union yfodd y noson gynt ond mae'n gwybod bod Jägermeister yn y mics, a siots o *tequila* a'i fod wedi bod yn crwydro'n unig yn yr un bariau ag arfer. Hynny yw, oni bai ei fod am hela prae. Mae Wythnos y Glas yn wych am hynny, y myfyrwyr bant o gartre ddim yn siŵr o ddaearyddiaeth y ddinas, pwy i drystio a phwy ddim, yn ystod y cyfnod hwnnw pan maen nhw'n gwneud ffrindiau neu ddim. Ond os nad yw e eisiau siarad mae'r dyn yn gwybod sut i ddefnyddio'i bŵer i gadw pobl draw, yr olwg oer yn ei lygaid sy'n dweud cadwch y ffwc bant neu bydd rhywbeth annymunol iawn yn digwydd i chi.

Edrycha yn y drych ond nid yw'n gweld dyn. Mae'n gweld angel yn sefyll yno, angel marwolaeth, sydd wedi dod i'r ddinas i sgubo eneidiau, i glirio'r llanast, i gymoni'r niferoedd, i sicrhau bod ambell un yn tynnu ei anadl olaf yn ei gwmni. Ni all weld yr adenydd duon ar y foment – gan amlaf maen nhw wedi eu plygu'n dwt y tu ôl iddo. Ond maen nhw yno, cyn sicred â bod y bedd yn aros, neu bod rhywun ar ei bengliniau yn disgwyl i'r angel ei waredu rhag byrdwn bywyd llyffethair y dwthwn hwn, yn gweiddi 'Mam'. Dyna ddigwyddodd gyda'r un a fu farw ychydig ddyddiau yn ôl. Gwingo. Ymbil. Mewn pwll mor ddwfn o ofn fel nad yw'n clywed yr angel yn cyfri i lawr o ddeg, yr eiliadau a'r anadliadau olaf. Pedwar. Tri. Dau. Un. Bei-bei, bebi, bei-bei.

Ar ôl gorffen brecwast mae'r angel yn cerdded i'r ffenest yn y lownj, yn ei hagor led y pen ac yn dringo allan i'r sil cyn agor yr adenydd sy'n edrych fel petaen nhw wedi eu creu o ledr du, ac yn taflu ei hun allan. Mae'n codi dros y stribedi o dai yng Nglanrafon ac mae'r rheini'n mynd yn llai, fel teganau neu ryw fath o fodel pensaernïol wrth i'r gwynt ei godi a'i yrru draw dros Barc Biwt lle mae'n troi er mwyn glanio ar Neuadd y Ddinas. Gwena wrth weld y Ddraig Goch yn addurno'r lle, creadur chwedlonol, fel y bydd yntau, pan fyddan nhw, y bobl bitw, y pryfed bach sy'n morgruga eu ffordd o Heol y Frenhines gyda'u bagiau'n drymlwythog gan jync o'r archfarchnadoedd a dillad sydd wedi costio'r nesaf peth i ddim wedi'u cynhyrchu gan blant mewn ffatri dywyll.

Fe sy'n berchen y ddinas. Dyma yw ei deyrnas gyda'r afon yn nadreddu drwyddi, y ganolfan siopa, Stadiwm y Mileniwm, y maestrefi prysur, y castell. Fe sy'n dewis pryd a lle i ladd. Fe yw'r Angel Du sy'n hedfan dros y lle fel gwennol ddu, ac er nad oes ganddo gri sy'n sgathru'r nos mi fydd yna sŵn gyda'i ymddangosiadau, sef sŵn pobl yn llefain ac yn udo mewn galar. Synau o'r fath yw ei symffoni, yn fiwsig iddo fel crawcian y frân, neu waed yn gyrglo o dwll yn y gwddf. Ond ni all aros yn hir i edrych ar ei diriogaeth, gan fwynhau'r pleser sy'n dod yn sgil y ffaith nad yw'r trigolion, ei ysglyfaeth, yn gwybod ei fod e yno, na hyd yn oed wedi dechrau breuddwydio fod y fath greadur yn rhannu eu prifddinas fach. Cofiai sut roedd un o'r shrincs wedi pardduo'i syniadau, ei alw'n rhwysgfawr, yn ei gyhuddo o gael 'God complex'. Ac yn sgrifennu hynny mewn adroddiad swyddogol. Roedd yn ddyn, yn angel ac yn dduw. Tri pheth mewn un. Ond, iddo ef, bod yn angel oedd y peth pwysig.

Un noson, a'r lleuad yn llawn fel balŵn o hufen, hedfanodd yr angel draw i dŷ'r seiciatrydd ar ôl sbel hir o ymchwil trwyadl i ddarganfod ble roedd yn byw. Nid oedd duw yn gwybod popeth, a dim ond angel oedd e... Cnociodd ar y drws fel dyn yn delifro parsel, yn ddi-hid, heb boeni iot os oedd y dyn stiwpid yn ei adnabod oherwydd doedd ganddo ddim amser hyd yn oed i weld y gyllell siarp yn fflachio cyn torri'n ddwfn i'w wddf. Un trywaniad yn unig a cherdded i ffwrdd i gornel stryd, ac yna hedfan, fel dyn newydd gael y profiad rhywiol gorau yn ei fywyd. Orgasm a hanner. Lladd. Rhyw. Pŵer. Dyna'r triawd. Dyna'r cymhlethdod. Dealla hynny, o shrinc, sy'n gwaedu i farwolaeth ar y stepen drws wrth i'r angel droi am adref, fel ystlum yn y nos. Nos da, Doctor. Ta-ta, dy ddamcaniaethau gwag a ffôl.

Fflapiodd i ganol y düwch, y ddau fath ohono: yr un tu allan iddo oedd yn brwydro yn erbyn goleuadau neon y ddinas, a'r un arall, yr un duach fyth, a feddiannai ei du fewn.

Dal i ddial

Dechreuodd Skelly baratoi ar gyfer y sioe fawr, fel yr oedd e'n meddwl am yr hyn oedd yn mynd i ddigwydd. Byddai cipio nai Thomas fel agor drws i feddiannu'r cop ei hun. Roedd cipio rhywun annwyl i Thomas yn syniad ysbrydoledig. Gwyddai y byddai mynd yn agos at Emma Freeman yn anodd ond byddai cael gafael ar ei nai, yr un oedd gydag e mewn nifer o'i luniau Facebook yn dipyn haws. Ac roedd ganddo gyfeiriad iddo yn barod, drwy wyrth y rhyngrwyd, a'r ffaith bod pobl yn medru bod yn llac iawn o ran diogelwch data a phreifatrwydd.

Dihunodd un noson yn unswydd i roi cic i Andrews oedd yn ceisio cysgu yn ei gwrcwd mewn cornel oer. Ond ymhyfrydai Skelly mewn dihuno'r dyn, ambell waith ar yr awr, ambell waith bob hanner awr ac yna, er mwyn sicrhau ei fod wedi drysu'n lân, byddai'n gadael i oriau fynd heibio cyn gwthio nodwydd i'w ben ôl, neu wneud sŵn mawr sydyn.

Yn hyn o beth roedd ganddo lond stôr o syniadau oherwydd roedd wedi bod yn casglu enghreifftiau o dechnegau mwyaf effeithiol y CIA, a thechnegau *psy-ops*, y bois oedd yn defnyddio dulliau seicolegol o fynd i'r gad, heb sôn am y math o bethau roedd Amnest Rhyngwladol yn brwydro yn eu herbyn. Gydag eironi ymaelododd â'r elusen yma er mwyn derbyn ei chylchlythyron oedd yn llawn dop o ddulliau newydd, ynghyd â rhai ffefrynnau megis dŵr-fyrddio a chwarae miwsig pop drwy'r amser fel roedden nhw'n ei wneud gyda charcharorion Guantanamo. A nawr roedd gan Skelly ei garcharor ei hunan, a fe oedd y Governor, yn dewis oriau hamdden Andrews, sef dim, a beth oedd yn ei gael i fwyta – gyda mwgwd dros ei lygaid weithiau – ac a oedd e'n mynd i roi rhywbeth ofnadwy iddo i'w fwyta neu rywbeth blasus.

Un bore cafodd Andrews Meal Deal o Tesco, wedi i Skelly fynd allan am awr, ac roedd wedi mynegi ei werthfawrogiad drwy fwyta bob sgrap a hyd yn oed ddiolch i Skelly yn gwbl ddiymhongar, oedd yn swnio fel gonestrwydd pur. Ond wedyn, i de yr un diwrnod cafodd frechdan ham a phicalili gydag un peth ychwanegol, sef cynffon llygoden fawr wedi ei thorri'n stribedi bach ac ar ôl i'r barnwr lowcio'r bwyd yn awchus dyma Skelly yn cael *big reveal*, gan ddangos corff yr anifail minws y gynffon ac yna fwynhau gweld Mr Roland ffycin Andrews yn hyrddio'i berfeddion ar hyd y lle. Wrth gwrs bu'n rhaid iddo lanhau'r llanast yn syth wedyn, felly roedd y tric yn dric dwbl. I Skelly roedd dial yn waith pleserus ar y naw.

Mae Skelly wedi bod yn ymchwilio'n drwyadl, ac mae'n gwybod taw'r amser gorau i gyrraedd y lle bwyta lle mae'r nai yn gweithio yw saith yn y bore, oherwydd dyna pryd mae'r faniau'n delifro bwyd, gyda lot fawr o fynd a dod gyda chig a physgod, llysiau a gwin. Gan amlaf dim ond dau aelod o staff sydd yno i dderbyn y stwff a'u symud i'r silffoedd neu i'r rhewgelloedd oherwydd nid yw'r *chef* a'i griw dethol yn cyrraedd tan naw. Mae eu diwrnodau'n hir iawn, yn aml yn ymestyn hyd at yr oriau mân. Mae Skelly yn hoff o'r lle gan ei fod yn newydd ac yn denu lot fawr o grachach, felly os yw am gymryd gwystlon, wel dyma groestoriad o bobl ariannog a dylanwadol fydd yn siŵr o achosi bargeinio da. Ond mae'n gwybod na fydd Freeman yn fodlon cyfnewid yr hyn y bydd yn gofyn amdano am fywydau'r bobl yn Scarlatti's, er bydd rhan ohoni fydd am ddweud 'ie.' Ond roedd lot i'w wneud cyn cyrraedd y pwynt hwnnw. Roedd angen delio gydag Andrews yn gyntaf. Fe oedd ei *chip* bargeinio cyntaf, ac yna byddai'n dechrau tyfu mantais. Danfonodd nifer o negeseuon yn dweud bod amser yn rhedeg mas a bod y barnwr yn mynd i farw.

'Beth y'ch chi moyn?' gofynnodd Andrews i Skelly y noson honno, efallai am y pum canfed tro. Swniai fel hen ddafad yn gwneud yr un hen synau drosodd a throsodd a throsodd. O, byddai'n braf i ddod â'i fywyd bach pitw i ben. A nawr ei fod ar fin cael gafael yn nai Thomas fydd dim eisiau'r barnwr arno bellach. Byddai'r naill yn dipyn mwy gwerthfawr na'r llall oherwydd ei fod yn perthyn i Tom Tom. Er nad oedd heddwas i fod i ddangos ffafriaeth byddai'r abwyd yma'n drech nag unrhyw egwyddor.

*

Rhyfeddai Tom Tom nad oedd neb wedi llwyddo i ddod o hyd i'r mymryn lleiaf o wybodaeth am leoliad Skelly a'r barnwr, er cribo drwy'r dystiolaeth camera a mynd o ddrws i ddrws, nid bod cymaint â hynny o ddrysau yn y rhan honno o Fro Morgannwg – tai crand yn sefyll mewn erwau o dir a fawr neb yn talu sylw i'w hynt a helynt, na hyd yn oed i fodolaeth eu cymdogion – felly daeth y bois aeth i holi yn ôl yn waglaw. Ni chollwyd yr eironi bod Tom Tom yn ceisio dal rhywun oedd â'i fryd ar ddifetha ei fywyd yntau. Roedd hynny'n ddigon clir o'r negeseuon diweddar. Ond roedd y boi yn gyfrwys, yn slic, yn chwerthin ar eu hymdrechion i'w ddal. Ac oherwydd bod yr adnoddau yn brin, oherwydd y llofruddiaethau roedd

Emma yn archwilio iddyn nhw, nid oedd diflaniad y barnwr yn flaenoriaeth o ran staffio. Efallai taw dyna oedd gwir gwerth barnwr yn y pen draw.

Ystafell Gynhadledd D1

MAE'R MURMUR TAWEL yn yr ystafell yn distewi wrth i Freeman gerdded i mewn, y mân siarad i gyd yn dod i stop oherwydd mae pawb ar y tîm am wybod beth yw beth a'i chlywed hi'n rhannu'r hyn mae'n ei wybod am y ddwy lofruddiaeth. Mae un llofruddiaeth ar y patsh yn ddigon ond mae dwy, gydag arwyddion bod y ddwy yn gysylltiedig mewn rhyw ffordd, yn anarferol ac yn esbonio'r fflyd o faniau lloeren sydd y tu allan. Ond roedd llai o'r rheini nag arfer oherwydd bod mwy a mwy o newyddiadurwyr yn adrodd eu hanesion dros ffôn a gliniadur, heb angen y dysglau gwynion, a'r peirianwyr, a'r llinell syth o'r fan i un o loerennau Elon Musk sy'n gwneud i'r gofod ymdebygu i iard sgrap yn gynyddol.

'Bore da,' meddai Emma. 'Fel ry'ch chi'n gwybod ma 'da ni ddau gorff ac anghysondebau ynglŷn â phryd lladdwyd y ddau. Mae un yn fwy diweddar ond mae'r llall wedi bod yn farw ers misoedd, felly mae Sgwad A yn mynd drwy bob person sydd wedi diflannu yn y flwyddyn ac er ein bod yn mynd drwy'r manylion ar gyfer y Deyrnas Unedig i gyd dwi wedi gofyn iddyn nhw ganolbwyntio ar Dde Cymru. Mae llofrudd gan amla'n aros yn agos at gatre, neu o leia dyna'r tueddiad. Dwi hefyd am i ni ymchwilio i gefndir warden yr ynys, dyn o'r enw

Pierce, oherwydd mae gen i amheuaeth nad dyma'r tro cyntaf mae e wedi cwrdd â'r heddlu: yn sicr roedd 'na rywbeth shiffti iawn amdano.'

Dangosodd yr ychydig gliwiau oedd wedi dod i law – y blodau, yr anafiadau oedd yn awgrymu defnydd arf siarp eithriadol, a'r arwyddion bod pethau wedi eu trefnu'r ddefodol a phenderfynodd rannu'r sgrapyn papur gyda'r llythyren. Ac er nad oedd yn gwybod beth oedd ei arwyddocâd. Hefyd rhannodd y syniad bod y corff ar yr ynys wedi bod mewn wetsiwt tyn cyn iddo farw. Cliw? Damcaniaeth wag? Ond wrth gwrs, dyna un pwrpas i'r math yma o briefing, wrth iddynt ddechrau sefydlu'r Murder Ops Room, sef gadael i bobl eraill herio neu gwestiynu ei damcaniaethau, cael criw o bobl yn byw a bod ar y ces er mwyn gwneud yn siŵr bod o leiaf un person wedi meddwl am bob ongl posib.

Yna mae'n taflunio'r lluniau o'r ddau safle ond mae'n rhyfeddu bod y delweddau mor rhyfedd iddi. A hithau wedi bod i'r ddau le. Er bod penglogau wedi eu hollti'n ddau yn perthyn i fyd ffilmiau arswyd yn hytrach na chyffiniau Chaerdydd, anodd oedd iddi ddisodli delweddau o'i gŵr ac yntau wedi ei ddienyddio gan gleddyf. Doedd hi ddim hyd yn oed yn siŵr os dylai hi gario mlaen â'r achos yma oherwydd roedd bron popeth yn tanio atgofion a delweddau brawychus.

Unwaith roedd hi wedi rhannu'r lluniau a rhannau allweddol o adroddiad y patholegydd dyma hi'n gwahodd cwestiynau neu sylwadau a saethodd breichiau lan yn syth. Dyna un o'r pethau da ynglŷn â Heddlu Cymru dan y gyfundrefn newydd sef y cwrteisi mewn sefyllfaoedd fel hyn. Yn yr hen ddyddiau byddai pawb yn gweiddi dros ei gilydd, a'r diwylliant *macho* yn peri i'r lleisiau hynny gystadlu'n groch, ond dan y Prif Gwnstabl presennol roedd proffesiynoldeb newydd. Roedd ei wir angen, wrth gwrs, oherwydd roedd y toriadau cyson yn golygu bod rhaid i bopeth fod yn fwy effeithiol, torri lawr ar wastraff, targedu adnoddau yn y ffordd fwyaf penodol.

Cododd un recriwt newydd ei law a bu'n rhaid i Freeman ymddiheuro nad oedd yn gwybod ei enw.

'Davies,' meddai. 'D. C. Dyfrig Davies.'

'A, ie,' dywedodd Freeman. 'Newydd ddod draw o'r West Midlands. Wedi clywed pethau da amdanoch chi, D. C. Davies. Beth sydd ar eich meddwl?'

'Dwi wedi darllen am yr ynys, oherwydd dwi'n ymddiddori mewn byd natur.'

Hyffodd ambell hen giard, y rhai oedd yn methu addasu i'r byd newydd, a'r cwrteisi newydd, ond llwyddodd Freeman i roi stop ar eu hymddygiad drwy roi un o'r edrychiadau hynny oedd yn enwog drwy'r ffors, yr un oedd yn dweud yn glir nad oedd Freeman yn cymryd unrhyw nonsens.

'Darllenais erthygl mewn cylchgrawn oedd yn disgrifio'r bar ar yr ynys fel y dafarn fwya deheuol yng Nghaerdydd, ac felly yng Nghymru mwy na thebyg.'

Doedd Freeman ddim yn deall i ble roedd trywydd hyn yn mynd, nes i Davies esbonio ymhellach bod yr ail gorff wedi ei ddarganfod ar ffin ogleddol y sir ac yna teimlai Freeman yn dwp, ei bod hi wedi methu rhywbeth mor amlwg.

'Pwyntiau'r cwmpawd,' adroddodd mewn llais fflat wrth i'r geiniog gwympo'n dwt. 'Mae'r llofrudd yn dewis pwyntiau'r cwmpawd fel lleoliadau efallai, dyna yw'ch damcaniaeth?'

'Ie, madam.'

Hynod ddiddorol. Roedd hyn yn help i ddeall y defodau ynglŷn â threfnu'r corff hefyd, oherwydd roedd y naill yn gorwedd ar echel o'r gogledd i'r de, a'r llall o'r dwyrain i'r gorllewin. Amlwg! Neu o leiaf roedd hynny'n amlwg nawr, ond allai hi ddim fod wedi gwneud y cysylltiad heb i'r D. C. ifanc hwn gynnig dadansoddiad mor effeithiol. Oedd hi'n slipio? Oedd y fath beth amlwg wedi bod yn gudd iddi oherwydd ei bod hi nawr yn rhannu tŷ, wedi priodi, yn dod i fwynhau rhythmau domestig, er nad oedden nhw'n medru dychwelyd adref eto, dim nes wedi'r cyrch yn erbyn calon y Maffia. Ond mae'n ddadansoddiad pwysig, mae'n teimlo. Bydd y boi ifanc yma'n mynd yn bell. Dyw Freeman ddim yn gwybod y bydd y syniad yma'n plannu'n ddwfn yn isymwybod pobl, yn enwedig pan fydd y papurau dyddiol yn bedyddio'r llofrudd ac yn dechrau ei alw fe 'The Compass Killer' ac yn rhoi tudalennau cyfan iddo fel y gwnaethpwyd gyda Peter Sutcliffe, the Yorkshire Ripper neu Fred a Rose West. Hir yw bob aros.

Diolchodd Freeman i'w chyd-weithwyr ar yr union foment pan oedd y criw yn yr ystafell drws nesaf yn gorffen trafod y cwest i ddod i hyd i'r Barnwr Andrews, oedd wedi diflannu fel gwlith y bore: Tom Tom wrth y llyw, ill dau mewn sync, felly. Dau gorff. Un herwgipiad heb sôn am ymgais yr Albaniaid i ddial. Pwy ddywedodd bod bywyd yn Heddlu De Cymru yn sidêt?

Ond nid oedd yn sidêt am yn hir yn yr ystafell oedd wedi ei neilltuo i'r dasg o chwilio am Andrews, oherwydd tasgodd Rogers, dirprwy i Tom Tom yn yr achos yma, i'r ystafell gyda'i wynt yn ei ddwrn.

'Ry'n ni wedi cael ffics ar ffôn Andrews. Rhyfedd, fel petai rhywun newydd ei droi e mlaen.'

'Falle bod rhywun newydd droi e mlaen,' meddai Tom Tom gyda dos annisgwyl o hiwmor sych. 'Well i ni fynd 'te?'

'Dwi wedi nôl y car yn barod.'

Martsiodd y ddau i faes parcio Heol Westgate lle roedd y

llawr gwaelod wedi ei neilltuo i geir yr heddlu er bod y lle'n eitha gwag ers y penderfyniad y dylai pawb fynd â char heddlu adre gyda nhw os yn bosib er mwyn plannu ceir ar draws y ddinas. Roedd hynny'n creu'r argraff bod mwy ohonyn nhw nag oedd mewn gwirionedd, a hefyd fel dull rhatach o atal troseddu, neu o leia cael pobl i feddwl ddwywaith cyn gwneud rhywbeth ffôl.

'Odych chi am yrru, syr? gofynnodd D. C. Rogers, oedd yn gweddïo taw'r ateb fyddai 'Nac odw' oherwydd roedd e wrth ei fodd yn gyrru'n gyflym. Y diwrnod gorau o hyfforddiant yn yr academi oedd mynd ar ras ar y sgid pans lle perfformiodd yn arbennig o dda, i'r fath raddau iddo gael cynnig i arbenigo mewn sgiliau gyrru. Ond roedd ei fryd ar fod yn dditectif. Wastad wedi bod, ond yn sicr ers iddo ddarganfod fod ei hen wncwl wedi bod yn dditectif ac wedi clywed rhai o'i hanesion yntau. Darganfuodd Tom Tom hyn wrth iddynt fynd ar wib tuag at ddwyrain y ddinas ac allan i stadau tai enfawr Llaneirwg lle roedd y bymps ar yr hewl wedi gorfodi Rogers i arafu, diolch byth, oherwydd roedd Tom Tom wedi bod yn poeni am ei frecwast wrth i Rogers fynd ffwl pelt i lawr Eastern Avenue. Yn swyddogol roeddynt yn torri'r gyfraith drwy fynd mor gyflym, ond byddai esbonio eu bod yn rhuthro i ddilyn *lead* ar ddiflaniad barnwr amlwg yn ddigon o reswm i fynd cyn gyflymed â Porsche yn y Volvo deg mlwydd oed.

Cop shop

ROEDD PENCADLYS HEDDLU Cymru yn llawn bwrlwm oherwydd bod cynifer o bethau yn digwydd ar yr un pryd. Roedd un o'r rheini wedi ei gynllunio ers misoedd maith, sef ymarferiad y gwasanaethau brys i gyd ynglŷn â sut i ddelio ag argyfwng cyhoeddus mawr – yn yr achos yma damwain trên ddychrynllyd oedd yn cael ei hail-greu yn Canton Goods Yard. Roedd yr holl gyrff marw yn y ddinas yn fwy na digon i ddodi'r byd mewn sbin, oherwydd bod y ffors yn dal i ddod dros effaith COVID-19. Dwy lofruddiaeth ac un herwgipiad, ac oherwydd bod cynifer o bobl i ffwrdd ar eu gwyliau haf roedd prinder ditectifs yn achosi pryder.

I ddwysáu'r broblem roedd natur y ddwy lofruddiaeth wedi denu sylw'r cyfryngau, nid yn unig oherwydd prinder newyddion, fel oedd yn arferol ym mis Awst, ond oherwydd bod rhywbeth rhyfedd yn eu cylch. Dau ddyn wedi cael eu lladd gydag arf debyg i gyllell fawr, un ar Ynys Echni a'r llall ger Tongwynlais a thusw mawr o lilis wedi eu gadael gyda'r ddau gorff, rhai mor fawr yn wir nes bod criw o blismyn wedi mynd i bob siop flodau yn y sir i wneud ymholiadau oherwydd nid ar chwarae bach roedd cael gafael yn y fath flodau.

Awgrymwyd taw rhywun a weithiai mewn crematoriwm oedd wedi eu casglu ynghyd, ond roedd rhywbeth ynglŷn â'r trefniant, y maint a'r siâp, oedd yn awgrymu ffordd arall, fel yr esboniodd Alun Rawson wrth Ned Barnes, pennaeth newydd

C. I. D. oedd wedi gofyn am gael ymweld â Thongwynlais. Roedd pawb ar ei gefn. Y Prif Gwnstabl. Y Comisiynydd. Y Maer newydd. Cyn hir byddai'n wargrwm o gario'r holl bwysau. Doedd neb wedi cael cyfle i esbonio wrth Barnes fod hiwmor Rawson cyn dued ag anthraséit.

Roedd Barnes yn casglu ei bethau cyn cael lifft i ymweld â Thongwynlais gyda'r patholegydd o gomedïwr, neu'r comedïwr o batholegydd, gan ddibynnu ar eich persbectif. Edrychodd Rawson ar Barnes yn fflapio o gwmpas yr ystafell yn edrych am liniadur ac yna beiro ac yna cot law nad oedd, a dweud y lleiaf, yn angenrheidiol ar ddiwrnod braf fel heddiw. Nid oedd yn fachan cŵl, roedd hynny'n amlwg. Dyn a allai dorri'n deilchion dan bwysau. Gwelodd ddelwedd o ddol borslen yn cwympo ar lawr. Ie, roedd damaid yn fregus, nid cweit y boi i redeg sgwad mor bwerus o ran ei gymeriadau cryf. O'r diwedd llwyddodd Barnes i gasglu popeth roedd ei angen arno yn un bwndel i'w gario i'r car fel petai'n cario babi. O diar, meddyliodd Rawson. Dyw hyn ddim yn mynd i bara.

Roedd y car wedi ei barcio yn y lle dan siop John Lewis oedd wedi ei neilltuo ar gyfer tri deg aelod o staff nes bod y lle newydd yn barod, ond gallai hynny gymryd amser hir oherwydd y syniad oedd cloddio dan hen siop James Howells, a dyw creu twll mawr dan hen adeilad ddim mor hawdd ag adeiladu maes parcio'n unswydd dan adeilad newydd. Ac ar ôl y difrod ddaeth yn sgil y tân roedd yr arian roedd yr heddlu wedi arbed drwy werthu safle'r hen bencadlys ym Mhen-y-bont yn siŵr o ddiflannu'n sydyn i'r twll newydd lle byddai'r ceir yn mynd. Wrth iddynt adael y ddinas ar hyd Ffordd y Gogledd gwrandawodd y ddau ar y bwletin newyddion ac wrth gwrs y llofruddiaethau oedd yn arwain, a'r gohebydd trosedd yn awgrymu bod yr heddlu'n chwilio am batrwm, oedd yn hurt o ystyried bod digon o batrwm i'w weld yn barod.

'Phil Mann, y gohebydd trosedd. Any good?' gofynnodd Barnes.

'Mae'n gwbod ei stwff, rhaid dweud hynny. Ychydig bach yn *old school*, y math o newyddiadurwr sy'n yfed 'da'r *crims* ac yn yfed 'da ni y diwrnod wedyn i geisio cael y stori'n llawn.'

'Ody e'n mynd yn y ffordd? Ody e'n gwneud ein gwaith ni'n anoddach neu'n haws?'

'Mae ganddo reddf dda am stori. Ac ambell waith mae'n dyfalu stwff fel petai ganddo fe belen grisial.'

'Iawn, 'te. Defnyddiol iawn. Rwy'n croesawu'ch mewnbwn tra 'mod i'n setlo mewn. Mae pawb wedi bod yn groesawgar iawn, rhaid dweud.'

'Chi'n fy synnu i. Mae rhai o'r hen fois ar y ffors, rhai ohonon nhw yn eich hadran, yn hen stejyrs sydd yn casáu unrhyw newid.'

'Oes enwau 'da chi mewn golwg?'

'Oes, ond aros yn y meddwl byddan nhw. Dewch chi i'w nabod yn ddigon sydyn.'

'Siŵr wna i. Beth am y cyrff 'ma? Dechreuwch gyda'r blodau, oherwydd maen nhw yn wahanol, yn annodweddiadol...'

Erbyn hyn roedd y car yn mynd rownd cylchdro mawr Coryton, yr un mor fawr nes bod gwarchodfa natur gyfan yn ei ganol, yn llawn tegeiriannau prin. Hoffai Rawson seiclo drwy'r lle ar ei ddiwrnodau i ffwrdd, a mynd am y gogledd i lefydd fel Senghennydd a Hengoed.

'Mae'r blodau yn edrych fel y cleddyf sydd ar faner Rwsia neu Twrci ond ychydig yn llai o fwa. Efallai dylech chi fod yn edrych am rywun sy'n gwybod sut i drefnu blodau a swingo darn hir o fetal mor galed nes torri penglog yn ddau fel hollti melon ddŵr.'

'Mor galed â hynny! Dyn cryf felly?'

'Hynod o gryf. Iron Man neu Woman. Codwr pwysau proffesiynol a rhywun sy'n gwbod sut i drin cleddyf gyda'r gorau. Pŵer mawr yn ei freichiau, rhywun sy'n ymarfer yn gyson. Ar y roids efallai?'

'Roids?'

'Sori. Talfyriad. Steroids.'

'Neu efallai rhywun sydd wedi gwneud rhyw fath o *martial art*. Kendo efallai.'

'O'n i'n meddwl taw math o goffi oedd Kendo. Sorri, jôc!'

'Galla i weld eich bod yn lico jôcs, Dr Rawson.'

'Mae angen rhywbeth i helpu i ddelio â'r golygfeydd erchyll dwi'n eu gweld bob dydd. Pa ddydd yw hi heddiw? O ie, dydd Mercher. Diwrnod llawn golygfeydd erchyll. A fory? Dydd Iau. Cyfle i stoco lan ar lot mwy o ddelweddau o'r fath.'

'Job anodd. Dwi'n deall i'r dim. Bûm i'n gwneud tamed bach o waith mewn morg pan o'n i'n fyfyriwr.'

'Rili? Dewis od.'

'O leia roedd Cyngor Peckham yn talu'n dda, ac roedd angen yr arian arna i oherwydd roedd byw yn Llundain yn ddrud.'

Byddai Rawson wedi hoffi clywed mwy ond gallent weld y babell wen yn y pellter a chwpwl o blismyn yn sefyll wrth ymyl y giât a arweiniai at y cae lle gorweddai'r corff â'i ben wedi hollti fel pwmpen.

'Chi eisiau bag?' gofynnodd Rawson, gan gynnig bag plastig tryloyw i bennaeth newydd C. I. D.

'Dim diolch, fel wedes i roedd haf cyfan mewn morg prysur mewn dinas fawr yn llond dop o bethau gwael. Mae dyn yn magu stumog gref, Dr Rawson.'

'Galwch fi'n Alun, yn enw'r tad.'

Gyda hynny cododd y tâp o flaen y babell a chamu mlaen, gyda Barnes yn ei ddilyn. Cwpwl o eiliadau'n ddiweddarach roedd Barnes yn gofyn am y bag, ond roedd hi'n rhy hwyr a bron iddo chwydu yn y babell, a byddai'r hanes wedi hedfan yn gyflym iawn ar hyd y lle. Ni theimlai Rawson yn wael, oherwydd roedd e wedi ei rybuddio, a chynnig bag yn ddiplomyddol fel rhywun yn gweithio ar awyren. Ond ni allai unrhyw beth eich paratoi ar gyfer y profiad o weld penglog mewn dau hanner, gydag un o'r rheini yn gorwedd fetr neu fwy o'r corff.

'Pryd?' gofynnodd Barnes.

'Saith deg awr yn ôl efallai, o edrych ar gyflwr y *rigor mortis*.'

'Ai chi sydd wedi bod yn gofalu am y corff arall hefyd?'

'Rwy'n gwybod beth y'ch chi'n ceisio gofyn. Tua'r un pryd, wedwn i?'

'Yn rhy agos i'r llofrudd fod wedi gwneud y ddau ar ei ben ei hun?'

'Alla i ddim dweud i sicrwydd. Mae ambell brawf alla i'i wneud, fel chi'n gwbod. Ond oherwydd y tymheredd bydd y broses o *rigor mortis* wedi cyflymu braidd.'

'Unrhyw beth arall o werth?'

'Dim eto. Ni wedi mynd â chrib mân drwy ardal sylweddol, neu o leiaf mi fyddwn ni wedi gwneud erbyn bore fory. Does dim lot o heddweision ar gael ar y foment. Mae'n gyfnod prysur i ddelio ag un lofruddiaeth, heb sôn am ddwy.'

'A'r lilis?'

'Ry'n ni wedi mynd â nhw yn barod, oherwydd roedden nhw'n gwywo mor gyflym. Mae Randolph yn y Brifysgol yn mynd i'w rhoi nhw drwy'r spectrometr newydd. Allwch chi ddim cael gwell na rhywun sydd wedi ei enwebu am wobr Nobel yn defnyddio tegan newydd.'

'Ar wahân i rywun sydd wedi ennill gwobr Nobel?'

'*Touché*. Da iawn chi. *Fifteen love*, dwi'n credu…'

'Mae'n bwysig bod neb yn sôn am yr union fanylion yn gyhoeddus oherwydd mae'r cyfryngau yn llawn cyffro yn barod, yn bwydo fel piranas ar y sgraps bach o wybodaeth maen nhw wedi llwyddo i'w cael yn barod. Pwy sy'n gweithio ar yr achos?'

'Mae gen i'r tîm gorau.'

'Freeman? Rwy wedi clywed ei bod hi'n dda, yn dda iawn, a dwi'n edrych ymlaen at gwrdd â hi a'i gŵr.'

'O, maen nhw'n dybl act, heb os. Freeman yn glyfar, wastad yn fforensig wrth ei gwaith, a Tom Tom…'

'Ie, sut fyddech chi'n disgrifio Thomas Thomas?'

'Maverick. One-off. Dyn sydd wedi ei niweidio ond sydd yn dodi ei waith yn gyntaf, o hyd.'

'Ond mae e'n briod nawr. Fydd y gwaith yn symud i'r sedd gefn felly?'

'Dim 'da Tom Tom. Trylwyr yw ei enw canol a Cydwybodol yw ei ail enw canol.'

'Iawn, wela i.'

*

Mae'r cyrch yn Albania wedi ei drefnu'n drylwyr, gyda'r negeseuon wedi mynd ar hyd y sianelau diplomyddol cywir o'r naill lysgenhadaeth i'r llall, gyda naw gwlad yn cymryd rhan. Edi Rama, Prif Weinidog Albania, sy'n rhoi'r gorchymyn i danio'r cyrch, gyda milwyr Special Ops o'r Unol Daleithiau, Prydain a Canada i gyd dan arweinyddiaeth y Batalioni i

Operacion Speciale sydd ag arbenigedd o weithio ac ymladd mewn mynydd-diroedd. Mae'r gorchmynion yn glir, i ddal y pen bandits ond, os oes rhaid, eu lladd, oherwydd prif fantra'r cyrch yw 'Pawb 'nôl yn ddiogel.'

Nid gwaith hawdd oedd asesu'r gwrthwynebiad oherwydd roedd y lle'n rhy bell o gyrraedd y drôns arferol, felly bu'n rhaid defnyddio *intel* o bell, gan harnesu lloerennau ac awyrennau'n hedfan mor uchel fel na fyddai'r dynion yn yr adeiladau yn eu gweld.

Cyn dechrau trodd pawb eu camerâu personol ymlaen, gyda ffîd yn mynd nid yn unig i'r brif ystafell ops ond hefyd i'r gwleidyddion yn y gwahanol wledydd oedd yn aros yn eiddgar i ddatgelu bod un bygythiad arall i fywyd gwaraidd wedi diflannu, diolch i waith da a dewr y milwyr. Yn Tirana eisteddai'r Prif Weinidog wrth ei ddesg, yn mwynhau'r sylw a'r ffaith bod y gwledydd mwy pwerus wedi cydnabod ei wlad yn llawn ac yn gyfartal. Ar y tir roedd pedair uned yn eu lle, a'r un agosaf at y targed wedi niwtraleiddio rhai o'r gwarchodwyr oedd ar y cyrion, a doedd y PM ddim am wybod sut y gwnaethpwyd hynny, neu byddai'n colli cwsg. 'Byddwn yn barod mewn deg, syr,' dywedodd y llais yn glir wrtho, a dechreuodd gyfri i lawr yn ei ben. *Dhjetë. Nëntë. Tetë. Shtatë. Gjashtë. Pesë. Katër. Tre. Dy. Një.* 'Go!'

Aeth popeth fel watsh – y tîm cyntaf yn dallu ac yn drysu gyda bomiau fflash a *stun grenades* tra bod yr ail dîm wedi eu hyfforddi'n drwyadl ar sut i adnabod pwy yw pwy a gwneud hynny gyda mwy o sicrwydd na meddalwedd adnabod wynebau. Ond mae'r Albaniaid yn llwythog o arfau ac o fewn eiliadau mae'r lle yn dasgfa o fwledi, a rhai o'r Mafiosi ddim hyd yn oed yn edrych ble maen nhw'n anelu eu Kalashnikovs ac yn saethu rhai o'u dynion eu hunain. Yn y mwg mae'n anodd gweld pwy yw pwy a beth yw beth ond maen nhw'n gwybod bod angen amddiffyn penaethiaid y teulu ar bob cyfrif.

Maen nhw'n disgyn drwy'r drws trap sy'n arwain at y twneli. Ond dyw'r rhain ddim yn ddirgel bellach oherwydd mae'r CIA wedi creu cynllun da o'r holl safle ac mae aelodau o'r SAS a Navy Seals yno'n aros. Mae'r saethu sy'n dilyn yn fyr ac yn ffyrnig, a phan mae'r dryllau'n tawelu mae tri phennaeth Maffia Albania yn farw. Mae'r neges yn mynd ar led, a lluniau yn dilyn y geiriau. Bron y gallech glywed ochenaid o ryddhad ar draws y byd.

Y sgŵp

MAE SWYDDFEYDD Y *Welsh Gazette* fel nyth cacwn sydd newydd fynd ar dân, yn llawn drama a chyffro er bod Walter Conran, yr is-olygydd yn nodi, unwaith yn rhagor, fod braidd neb yn symud nac yn siarad, oherwydd bod pawb yn ymchwilio ar-lein ac yn cynnal cyfweliadau drwy e-bost. Cofia Conran y dyddiau pan oedd yr ystafell newyddion yn llawn mwg a sgyrsiau mewn lleisiau'n mynd yn groch wrth gystadlu ond yn fwy na hynny roedd pobl yn mynd allan i chwilio am stori, yn cwrdd â phobl ac yn gwneud y rownds er mwyn dod o hyd i stori dda, un oedd yn mynd i lenwi'r dudalen flaen a chwpwl o dudalennau yng nghanol y papur hefyd.

Ond gyda'r stori hon am y llofruddiaethau roedd angen rhywun oedd yn medru gweithio'r stryd a dod o hyd i ffordd i mewn i feddwl ac i stôr gwybodaeth cops ac roedd hyn wedi mynd yn anodd ers i'r heddlu gadw draw o newyddiadurwyr, a dewis rhyddhau eu straeon eu hunain ar y rhyngrwyd a thrwy'r cyfryngau cymdeithasol. Un peth oedd wedi tyfu'n aruthrol o gyflym, meddyliodd Conran, oedd y twf mewn cysylltiadau cyhoeddus a swyddogion y wasg, a'r rhan fwyaf o'r rheini yn gwarchod gwybodaeth ac yn gwneud pethau'n anoddach i hacs fel fe.

Teimlai Conran yn hynod ddiolchgar ei fod yn nesáu at ymddeol, oherwydd gwyddai ei fod yn mynd yn fwy sinigaidd bob dydd ac yn teimlo fwyfwy nad oedd yn perthyn i'r oes newydd hon o newyddiaduraeth, pawb yn byw ar y sgrin neu ar y ffôn, yn ailgylchu datganiadau i'r wasg – gan gynnwys y gwallau a'r ffeithiau anghywir. Ond roedd ganddo'r teimlad bod y llofruddiaethau yma'n mynd i fod yn ffordd dda o ddiweddu ei yrfa, felly byddai angen help arno wrth iddo droedio'r strydoedd eto, a gweld os oedd yr hen ffordd o wneud pethau yn dal yn gweithio. O edrych ar bwy oedd ar gael, dim ond un enw oedd yn agos at fod yn briodol, sef Padraig O'Donovan, cyn-ohebydd trosedd y papur, oedd wedi gorfod camu'n ôl ar ôl cael harten, oedd ddim yn syndod i neb o ystyried ei ddeiet. Gallai arllwys pump neu chwech peint o lager lawr ei wddf dros ginio o bei a tships neu tships a pei. Gallech ei weld yn tewhau o flaen eich llygaid.

Yn y caban gwenodd Skelly wrth wrando ar y negeseuon oedd yn cael eu cyfleu ar donfeddi'r cops a chael boddhad o'r ffaith bod Thomas yn dawnsio i'w diwn, neu fel cwningen yn cael ei mesmereiddio gan wenci. Roedd y ffŵl wedi profi pa mor hawdd y gallai gael ei dwyllo. Penderfynodd weld a allai fwydo ambell neges ei hun i mewn i'r system, i weld yr ymateb a chael boddhad hyd yn oed yn ddyfnach na'r hyn roedd yn ei deimlo ar y foment. Yna mae'n anfon neges at newyddiadurwr yn y *Welsh Gazette*, yn cynnig stori ar blât aur iddo. Stori a hanner. Hoffai'r syniad fod y papurau yn gwybod pethau cyn yr heddlu. Pan mae Padraig O'Donovan yn agor ei e-byst, bron nad yw'n medru credu ei lwc. Gyda'r sgŵp yma – y fwyaf yn ei fywyd – byddai'n siŵr o gael cacen neu ddwy i ddathlu.

*

Ar yr ynys ffarweliodd y warden, Pierce, â'r cops o'r diwedd, gan geisio cuddio'r rhyddhad ar ei wyneb. Gwyddai y gallai'r ymweliad yma fod wedi arwain at drwbl, ond roedd e wedi llwyddo i gadw ei gyfrinach fawr, ac er mwyn gwneud yn siŵr ei fod yn llwyddo i wneud hynny i'r dyfodol bu mor hy â gofyn i'r plisman olaf oedd yn camu ar y cwch oedd unrhyw fwriad ganddynt i ddychwelyd. Doedd y dyn boliog ddim yn meddwl y byddai angen gwneud hynny oherwydd roedd y corff wedi gadael yn y cwch beth amser yn ôl a'u gwaith nhw o gribo'r lle yn ofalus wedi dod i ben, heb ddod o hyd i unrhyw gliw nac unrhyw dystiolaeth. O gwbl. Bron iddo ychwanegu bod hyn yn anarferol ond doedd e ddim am i'r dyn yma boeni mwy ynglŷn â'r peth oherwydd roedd y ffordd roedd e'n chwysu, a'r cryndod yn ei lygaid yn arwydd clir ei fod yn becso am gael ei adael ar ynys lle roedd llofrudd dieflig wedi troedio. Ond nid hynny oedd ar feddwl Pierce. Daeth yn agos at golli'r plot pan ofynnodd un o'r plismyn beth oedd yn y sied y tu ôl i'r goleudy, gan bwyntio gyda'i fys i gyfeiriad y padloc mawr ar y drws bach gwyrdd. Penderfynodd Pierce taw gwell fyddai smalio bod yr allwedd ar goll.

'Dwi'n credu bod ceidwad y goleudy yn cadw'r disel fan hyn ond alla i ddim bod yn siŵr. Ro'n i wedi bwriadu torri'r clo rhyw ddydd ond rhywsut dwi heb wneud hyd yn hyn.'

Diolch byth nad oedd y plisman wedi gweld angen edrych yn y sied, neu'n waeth na hynny. Mynnu eu bod nhw'n agor y drws yn y fan a'r lle. Doedd Pierce ddim yn cofio chwysu cymaint yn ei fyw ac roedd y teimlad o ryddhad wrth weld y pedwar dyn olaf yn mynd tua Chaerdydd yn ddigon i wneud iddo grynu fel deilen. Mor agos â hynny! Diolch byth nad oedd criw'r fforensics yn cario torrwr clo ymhlith eu tŵls neu mi fyddai ar ben arno. Cododd ei finociwlars, nid er mwyn cadw golwg ar y cwch bach yn mynd yn llai ac yn llai ond i wneud yn hollol siŵr eu bod wedi gadael. Yna gallai ei galon arafu.

Rhythmau bywyd domestig

'BETH MA CYPLAU cyffredin yn trafod yn y gwely, tybed?'
gofynnodd Tom Tom i Emma wrth i'w wraig ddiffodd
y gliniadur roedd hi wedi bod yn ei ddefnyddio i ddarllen
nodiadau am yr achos. Penderfynodd hithau osgoi trafod y
stori ymddangosodd yn y *Welsh Gazette* ac am Skelly, rhag ofn y
byddai'n ypsetio'i gŵr. Byddai Skelly yn llongyfarch ei hun am
wneud rhywbeth fyddai'n rhoi loes i Tom Tom. O, na fyddai
ganddi amser i ddod o hyd i'r dyn dieflig, i helpu Tom Tom ei
ddal. Daeth yr ateb i'w chwestiwn o wefusau cysglyd…

'Wel, dy'n nhw ddim yn trafod sut i ddathlu'r cyrch mawr
ar bencadlys yr Albaniaid, ma hynny'n siŵr.'

'Pryd mae e fod i ddigwydd?'

'Tua nawr, ond dwi ddim yn siŵr. Roedd awgrym taw ni
oedd y rheswm am y cyrch. I'n diogelu ni. Would you believe
it? Maen nhw am dorri tentaclau'r Maffia i ffwrdd ac yn
gobeithio bydd hynny'n helpu i wneud ein bywydau ni yn fwy
diogel.'

Roedd edrychiad Emma yn adrodd yn huawdl nad oedd
ganddi'r hawl i wybod yr holl fanylion am y cyrch, er aeth
hi'n syth yn ei blaen i ddweud ei bod hi'n meddwl ei fod ar fin
digwydd oherwydd bod y bòs ar bigau'r drain, ac wedi bod yn
cadw i'w swyddfa fel mochyn daear yn cadw i'w wâl.

'Ond maen nhw'n rhy fawr i un cyrch effeithio'n sylweddol arnyn nhw,' awgrymodd Emma.

Am ennyd anghofiodd Tom Tom bod ei wraig yn dipyn o arbenigwraig ar yr Albaniaid ond pan ddechreuodd gynnig llith iddo ar bwysigrwydd teulu, a phenteulu'n arbennig, gallai dderbyn y gyffelybiaeth fwyaf a gynigiodd iddo, sef y byddai symud yn erbyn y Maffia yng nghanol eu pencadlys mynyddig yn debyg iawn i Hercwl yn torri pennau'r Hydra i ffwrdd. Os gallai'r timau ddal y tri brawd byddai ar ben oherwydd nhw, a dim ond y nhw, oedd yn penderfynu beth oedd beth, a feiddiai'r trŵps ar strydoedd dinasoedd y byd ddim gwneud unrhyw beth heb eu sêl bendith. Cynigiai'r dadansoddiad ddigon o obaith i Tom Tom nes ei fod yn hapus i newid y testun i rywbeth mwy cyfforddus, sef y llofruddiaethau roedd Emma yn meddwl amdanynt ddydd a nos, rownd a rownd, gyda'r cylch yn tynhau nes bron â'i mygu hi. Prin fod Tom Tom wedi ei gweld dan y fath bwysau, a hynny'n tarddu o'r ffaith nad oedd ganddi lot o wybodaeth o ystyried bod y cyrff wedi dod i'r amlwg bron wythnos yn ôl bellach.

'Cer i weld Rawson yn y bore, dyna beth dwi'n awgrymu. Bydd 'da fe syniad ynglŷn â beth ddefnyddiodd y llofrudd i hollti'r penglogau, ac efallai syniad o'r math o berson fyddai'n gwneud hynny.'

'Hollti penglogau. Rhamantydd wyt ti, Tom Tom! Oedd dy gariadon eraill yn cael cipolwg ar dy fyd tywyll yn dripian â gwaed a phob math o staeniau?'

'Na, dim ond ti sy'n cael y math yma o sgyrsiau intimet 'da fi, Emma Freeman.'

'Unrhyw sôn am Andrews – gan ein bod ni'n cyfnewid titbits am ein gwaith bob dydd?'

'Dim byd o gwbl. Mae fel petai'r ddaear wedi ei lyncu. *Dead ends* i bob cyfeiriad.'

'A beth am y ffôn? Oedd gan y bois tec unrhyw beth i'w ddweud am hynny?'

'Wel, od o beth. Roedd y ddau'n meddwl yr un peth. Taw jôc oedd hyn, a dy'n nhw ddim y math o ddynion sy'n ddigon hy i fentro barn gan amlaf, oni bai wrth drafod meddalwedd neu hacio neu destun sydd o fewn eu cwmpawd arferol.'

'Mae'r ddau ohonon ni mewn picil, felly. Pethau wedi dod i stop.'

'Dere 'ma,' meddai Tom Tom, gan estyn amdani a'i thynnu tuag ato nes ei bod yn glynu'n dynn i'w gorff.

*

Lai na phedair milltir i ffwrdd roedd yr angel yn esgyn, yn araf bach i ddechrau, gan godi'n uwch na'r toeau yn Nhreganna, ac erbyn iddo gyrraedd caeau Pontcanna a throi tuag at Stad Gabalfa roedd yn saff uwchben pob adeilad a choeden ac yn teimlo'r gwynt yn ei gario, fel corc mewn nant, ac yn symud yn gyflymach wrth fynd yn ei flaen yn bwrpasol ac urddasol. Gallai deimlo'r wefr o agosáu at yr anffodusyn oedd yn sicr o farw heno. Ymlaen ag e, ei adenydd yn symud i rythm metronom ei galon, oedd yn gryf ac yn iach oherwydd roedd wedi bod yn ymarfer yn galed, oherwydd all angel ddim cymryd pethau'n hawdd, yn ganiataol.

O weld yr hen hewl i Gasnewydd dechreuodd golli uchder oherwydd roedd yn gwybod yn union i ble roedd e'n mynd, tŷ gwerth miliwn yn Llaneirwg lle byddai'n cwrdd â'i hen shrinc ar ei noson olaf yn y dwthwn hwn. Y dyn oedd yn mynnu taw ffantasi oedd bod yn angel, ac yn meddwl y gallai cyffuriau a therapi ei ymwahanu rhag yr hyn roedd yn credu ynddo. Ond nid ffantasi oedd hyn, y disgyn yn raddol gan osgoi canopi o goed llwyfen a glanio mor araf fel ei fod wedi dechrau cerdded yn syth wedi i'w draed gyrraedd y ddaear. Roedd e rownd y gornel i'r cyfeiriad cywir, a gallai deimlo presenoldeb y dyn oherwydd roedd ei waed yn dechrau berwi. Credai'r bastard ei bod hi'n bosib trin ei gyflwr trwy ddefnyddio cyfuniad o sioc drydanol wrth edrych ar ddelweddau o angylion a hypnosis, ond doedd Dr Cleaver ddim yn ddigon clyfar i sylweddoli taw gwyn oedd yr angylion yn y paentiadau yma i gyd, oherwydd angylion da oedden nhw, yn wahanol iddo fe. Prin oedd yr angylion duon, y rhai oedd yn mynd yma a thraw yn dial, yn dod ag ychydig o gydbwysedd i foesoldeb y byd drwy gael gwared ar barchusrwydd ac yn ymladd cariad a'r holl emosiynau gwanllyd tebyg. Dyma ni. Tŷ Dr Cleaver ac roedd golau ymlaen. Doedd e ddim yn siŵr a oedd yn byw ar ei ben ei hun neu beidio ond wedyn nid oedd angel angau yn gwybod popeth. Plygodd ei adenydd yn dwt y tu ôl i'w gefn, allan o'r ffordd. Doedd dim angen dod â nhw i sylw'r dyn, oherwydd byddai hwnnw'n teimlo mor dwp o sylweddoli bod angylion yn troedio'r ddaear, yn byw yn ein plith, wedi'r cyfan. Yr angylion hynny oedd wedi eu taflu allan o'r nefoedd fel Moloch, Chemosh, Dagon, Belial, Beelzebub a Satan y bòs. A fe, yr Angel Du, Harut brawd Marut, ceidwad Pandemoniwm. A Harut oedd yn mynd i greu Pandemoniwm yma yng Nghaerdydd, taenu hadau ofn a drwgdybiaeth, rhyddhau'r nadredd sinistr yn lle cysgodion y goleuadau lamp. Roedd ei drydydd aberth yn dod i lawr y grisiau yn ei *dressing gown* o John Lewis, gan regi dan ei anadl fod rhywun yn troi lan mor hwyr, er doedd hi ddim yn bell wedi deg o'r gloch ac yntau a'i wraig ond newydd fynd i'r cae sgwâr.

Synnodd Dr Cleaver i weld un o'i gyn-gleientiaid yn sefyll ar y trothwy, oherwydd roedd systemau mewn lle i gadw'r math yma o wybodaeth sensitif yn ddiogel rhag y fath berson.

'Beth ar y ddaear?'

'Mae'n ddrwg 'da fi darfu ar eich noson... doctor.'

Teimlodd yr angel bwysau'r gwn rhybed yn drwm yn ei law, bron fel petai'n darganfod y twlsyn diwydiannol am y tro cyntaf. Wedi ei gludo yno mewn bag ar ei gefn. A'r adenydd? Doedd ganddo ddim amser i feddwl am y trawsnewidiadau yma nawr.

Camodd y doctor i ffwrdd, gan gadw ei lygaid ar y dyn, yn ceisio cofio os oedd e wedi mynd â'i ffôn symudol lan llofft neu os oedd e ar gownter y gegin yn tsiarjo.

'Ry'ch chi'n edrych braidd yn bryderus, doc. Sdim angen bod ag ofn ohona i. Wel, dim ond tamed bach...'

Erbyn hyn roedd llaw chwith Dr Cleaver yn gorwedd ar fwlyn y banister ac er ei fod yn dal i wneud yn siŵr bod eu llygaid yn cwrdd roedd am hefyd ddechrau dringo'r staer. Ond symudodd yr angel yn gyflym, codi'r gwn ac anfon dwy hoelen drwy gefn y llaw gan beri i'r dyn weiddi ar dop ei lais, felly dyma'r angel yn tynnu trigar y gwn drosodd a throsodd – tair hoelen yn y gwddf ac un arall yn yr ysgwydd ac am ei fod yn methu cwympo oherwydd yr hoelion yn ei law dawnsiai fel pyped seicotig.

Yn yr ystafell lan llofft damniai ei wraig y ffaith fod ei ffôn hi lawr llawr yn cadw cwmni i un ei gŵr a doedd dim ffordd iddi nôl help. Allai hi ddim dychmygu beth oedd yn mynd ymlaen yn y cyntedd a fiw iddi fentro i ben y grisiau oherwydd roedd ei gŵr wastad wedi dweud y dylai ffonio'r heddlu yn syth os oedd unrhyw beth drwgdybus yn digwydd. Bron bob nos o'u bywyd priodasol, yn enwedig os oedd ei gŵr i ffwrdd mewn rhyw gynhadledd neu'i gilydd, roedd hi wedi cysgu gyda'r ffôn wrth ei hymyl. Ond dim heno! Dim heno o bob noson!

Roedd yr angel yn cael hwyl, yn cofio'r cerfluniau welodd e unwaith o dduwiau'r *cargo cults* yn yr Affrig wedi eu haddurno â llwyth o hoelion wedi eu taro i mewn i ddarn o bren. O, am ysbrydoliaeth benigamp! Gallai greu ei ddelw byw ei hunan, er nad oedd y gair 'byw' yn mynd i fod yn briodol am yn hir iawn, teimlai, wrth weld y gwaed yn cronni ar y llawr *parquet* pren ac yn gwlychu'r *dressing gown* nes ei bod wedi newid lliw ac yn sops diferu.

Daeth yr anadl olaf fel y rhyddhad clasurol hwnnw roedd yr angel wedi dod i'w drysori, fel adlais perffaith o'r ddau anadl olaf roedd e wedi'u clywed yn ystod y flwyddyn ddiwethaf, sef y flwyddyn y darganfu ei fod yn angel a bod ganddo'r hawl a'r pŵer i sgubo meidrolion ymaith. A hwn oedd yr un yn y Dwyrain, ar erchwyn y ddinas, yr un yr oedd yn mynd i ladd yn gyntaf. Ond byddai hynny'n gwneud pethau'n rhy hawdd i'w ddilynwyr, y cwlt hwnnw oedd yn sicr o ffurfio i'w addoli. Y plismyn fyddai'n ciwio i'w ddilyn. Y patholegwyr. Y cyfryngau. Pawb am wybod. Pawb am adnabod. Pawb am ganfod.

Yn yr ystafell wely trawodd y fenyw gloc larwm oddi ar y silff nesaf i'w gwely, ac wrth i'r plastig fwrw'r llawr roedd y sŵn fel clychau eglwys gadeiriol, neu sgrechian seiren ambiwlans yn ei dychymyg. Curai ei chalon fel tympanau a phrin ei bod hi'n medru gwrando ar y distawrwydd oherwydd roedd ei meddwl yn llawn senarios ofnus i rewi'r gwaed ynglŷn â beth oedd wedi digwydd i Justin. Gwyddai fod rhywbeth mwy ofnadwy nag ofnadwy wedi digwydd iddo gan ofni bod un o'r nutcases 'na roedd e'n delio gyda nhw yn y gwaith wedi dod o hyd iddo. Ofnai'r diwrnod yma oherwydd fe ddeuai gyda sicrwydd ac roedd y ffaith nad oedd Justin yn medru hyd yn oed dweud cymaint â gair am yr hyn roedd e'n delio gydag e yn ei waith yn awgrymu'r horror show ddyddiol, agor bocs i ddarganfod rhywbeth hyll yn cuddio yno, ddydd ar ôl dydd, wythnos ar ôl wythnos. Tawelwch. Diogelwch. Efallai nad oedd e wedi clywed y sŵn...

I lawr yn y cyntedd roedd y dyn yn trefnu'r corff yn ddefodol, ac yn chwareus roedd yn cerfio'r gair Benin i mewn i'r pren wrth ymyl y benglog a chan nad oedd e wedi ei hollti y tro hwn tynnodd Magic Marker o'i boced a chreu llinell fawr ddu ar draws y wyneb, ac er mwyn gwneud hynny roedd yn rhaid iddo sychu'r gwaed i ffwrdd. Meddyliodd am dynnu'r hoelion oedd yn dal y doctor yn yr awyr ond roedd e'n edrych yn rhy bert, yn ddramatig o bert, a'r hoelion, wel, fel rhywbeth wedi eu goleuo'n dawel mewn cas yn yr Amgueddfa Brydeinig. Ie, dyna ble roedd e wedi eu gweld nhw. Y cerfluniau o Benin a Togo. A'r doctor nawr mor debyg iddyn nhw. Byddai gwaith y cerflunydd dipyn mwy anodd heb y McPherson Jigger Supreme Nail Gun Mark III oedd yn cymryd 300 hoelen mewn cetrisen ac yn eu saethu nhw allan 70 y funud. Twlsyn da ac roedd hi'n reit annhebyg bod neb wedi ei ddefnyddio o'r blaen i ladd rhywun. Torri tir newydd felly. Arloesi. Gyda'r shrinc ddiawl fel mochyn cwta iddo.

Gwiriodd i weld faint o heolion oedd ar ôl, gan benderfynu newid y getrisen am un lawn. Yn llafurus, gyda phwysau'r byd ar ei ysgwyddau, dechreuodd gerdded lan y grisiau, gan gofio'r cyfeiriad o ble ddaeth y sŵn. Reit 'te, Mrs Doctor sy'n cuddio lan lofft. Amser cwrdd â'r McPherson Jigger Supreme.

Morgue-a-go-go

RHAID BOD RAWSON yn wahanol i'r rhelyw o batholegwyr gan ei fod yn dewis chwarae miwsig yn uchel wrth weithio, meddyliodd Freeman wrth gerdded i lawr y coridor lle gallai glywed y sŵn wedi ei fygu gan y welydd trwchus. Allai hi ddim adnabod y tiwn ond roedd Rawson yn hoffi'r un math o fiwsig â Tom Tom, er bod gwahaniaeth oedran o leiaf ugain mlynedd rhyngddynt, tybiai. Curodd y drws a cherdded i mewn i fiwsig pop o Ffrainc a theimlai'n reit hip i fedru adnabod y band Stereolab oherwydd roedd Tom Tom yn eu chwarae nhw'n ddefodol bob dydd Sul ac roedd hi wedi dod i ddeall pam. Cerddoriaeth optimistig, yn llawn lliwiau – melyn yr haul neu flodau haul, oren a thanjerîn a mandarin a lleisiau'r fenyw'n canu yn dathlu bywyd o gariad a gobaith er nad oedd yn medru deall gair o'r Ffrangeg.

'Bore da. Bore braf, neu o leiaf dwi'n teimlo ei bod hi'n dal yn fore braf mas 'na. Oedd hi'n ffein pan ddes i mewn, ta p'un...'

'Roeddech chi yma'n blygeiniol iawn felly, Alun.' Cododd Freeman ei llais i gystadlu gyda Laetitia Sadier oedd yn llenwi'r lle â lliwiau ei llais yn gymysg â phalet cerddorol gweddill y band.

'Ody hwn yn rhy uchel i chi?' holodd Rawson heb wneud symudiad o gwbl i newid y lefel. 'Ges i gŵyn swyddogol unwaith gan un o'ch lot chi, yn awgrymu 'mod i'n amharchu'r meirwon oherwydd 'mod i'n chwarae, beth o'dd e nawr, rhywbeth o'r Almaen os gofia i. Rhywbeth tawel electronig fel Cluster. Chi'n hoffi miwsig, Emma?'

Esboniodd Emma ei bod hi wedi clywed lot o fiwsig ers iddi ddechrau perthynas gyda Tom Tom a'i bod hi'n tybio byddai lot mwy nawr eu bod nhw'n briod ac yn byw gyda'i gilydd. Yn y cyfamser roedd Rawson yn nôl corff o un o'r ffrijys mawr, er mwyn rhannu popeth roedd e'n gwybod am y dyn ddarganfuwyd ar Ynys Echni. Treuliodd ddwywaith, tair gwaith yr amser arferol i fynd drwy awtopsi oherwydd gwyddai faint o bwysau oedd ar Freeman a hithau newydd orfod ffoi o'i mis mêl yn dilyn ymgais i'w lladd hi a Thomas.

Rhyfeddai Rawson ei bod hi'n ôl yn y gwaith a dweud y gwir, ond eto roedd hi'n fenyw sbesial, gyda'r cryfaf a'r clyfraf o holl aelodau Heddlu Cymru. Roedd yn bleser cael cipolwg ar y ffordd roedd ei meddwl yn gweithio, y dull carcus, y pwyso a'r mesur gofalus wrth iddi ystyried y dystiolaeth, damcanu, dechrau'r helfa ddynol. Roedd hi'n enwog yn y ffors am ddatrys pob achos ddaeth i'w rhan, ac roedd hi'n amlwg nad oedd hi'n mynd i fethu yn yr achos hwn, er bod naratif y corff yn llawn tyllau lle byddai'n rhaid dyfalu a dychmygu yn hytrach na gosod darnau'r jig-so yn dwt ac yn daclus i'w lle.

'Reit 'te, barod?' gofynnodd Rawson, gan symud draw at y troli a gwneud i Emma feddwl ei fod yn chwilio am y baton roedd yn ei ddefnyddio i ddangos pethau i'r myfyrwyr fyddai'n dod yma ond roedd y dyn yn newid y gerddoriaeth i rywbeth ychydig llai jacôs.

'Max Richter. Miwsig cefndir perffaith,' esboniodd Rawson wrth godi'r flanced oddi ar y corff. Llenwodd yr ystafell gyda melodïau syml ar y piano a llinynnau'n asio'n berffaith.

'Nawr, y tric, fel ni'n gwybod, yw asesu mor agos ag sy'n bosib at yr amser i'r person farw ond os ydyn nhw wedi rhewi mae'r jobyn yn anoddach braidd. Yn ffodus mae 'na dipyn o waith wedi ei neud ynglŷn â hyn, yn enwedig achos enwog ym Michigan lle darganfuwyd dau gorff mewn *chest freezers*, wedi eu cuddio yno am hydoedd. A gwaith yr archwiliwr meddygol yn yr achos hwnnw oedd gweithio mas beth yn union oedd 'hydoedd' yn ei feddwl. Misoedd? Blynyddoedd? Oedd ffordd i amcangyfrif gydag unrhyw bendantrwydd? Doedd ganddo ddim llygaid-dystion na llofrudd yn cyffesu pryd yn union y lladdwyd y ddau.

'Nawr, fel y'ch chi'n gwybod yn iawn, beth y'n ni'n gorfod defnyddio yn absenoldeb yr un o'r rheini yw dull o fesur y ffordd mae'r corff wedi bod yn dadelfennu, pethau ffisiogemegol neu bethau fel lliw croen. Mae e fel palet artist...'

Gwyddai Emma y byddai Rawson yn hapus iawn i ymhelaethu ar y testun gan ddod ag enw pob math o artist i'r sgwrs ond teimlai fwy o angen dod i ddeall y technegau roedd Rawson wedi bod yn ymchwilio iddyn nhw a'u defnyddio i helpu yn yr achos yma. Taflodd gwestiwn ato er mwyn newid trywydd y sgwrs.

'Dwi'n tybio nad yw entomoleg neu fotaneg yn helpu llawer yn yr achos yma?'

'Cywir, fel arfer. Mae'r PMI, neu'r Post Mortem Interval yn anoddach i'w sefydlu os ydy'r corff wedi bod yn y ffrij. Mae'n sialens a hanner, fel gwnaeth ein cyfaill yn America ddarganfod. Ffoniais i fe i gael gair. Boi ffein. Wedi bod i Gymru ar ei wyliau rai blynyddoedd yn ôl. Wnaeth e gadarnhau rhai pethau ro'n i wedi darllen amdanyn nhw mewn adroddiad gan un o'i gyd-weithwyr, stwff technegol iawn ond handi ar y naw.'

Newidiodd y trac a llenwodd yr ystafell gyda miwsig fyddai'n gweddu ar gyfer ffilm, i gyd-fynd â thirluniau mewn du a gwyn, mynyddoedd yng Nghaliffornia neu'r Iwrals efallai.

'Mae'r *biome* dynol yn help mawr, sef dadansoddi'r gymuned o ficrobau sy'n bresennol. Nawr ro'n i wedi gadael i'r corff yma ddadmer yn naturiol, os yw'r gair yn briodol yn yr achos hwn am 48 awr, dan y ffan. Wrth i hyn ddigwydd roedd Bert – chi'n nabod Bert sy'n helpu 'ma o bryd i'w gilydd? – wedi lapio'r corff mewn shîten wlyb i wneud yn siŵr nad oedd y corff yn sychu mas yn rhy gyflym. Cymerodd Bert gyfres o swabs oedd yn hollol lân o DNA deirgwaith yn ystod y broses ddadmer, hynny yw pan oedd y corff yn eitha solet – o'n i'n rhyfeddu pa mor solet oedd y corff oedd yn awgrymu nad oedd wedi bod mewn un lle am yn hir iawn, neu efallai roedd e wedi cael ei rewi ar yr ynys, ac wedyn 24 awr yn ddiweddarach, ac yna pan oedd y corff wedi dadmer yn llawn, hynny yw 48 awr wedi iddo gyrraedd fan hyn.'

'Ble'n union gafodd y samplau eu cymryd?'

Dyma pam roedd Rawson yn hoffi cynnal awtopsi yng nghwmni Emma Freeman. Roedd hi wastad yn gofyn y cwestiynau iawn, yn eu trefn, ac yn dystiolaeth gadarn ei bod hi am ddysgu mwy. Roedd D. I. Thomas yn ddyn lwcus. Daeth y Beach Boys ymlaen ac roedd Rawson wedi anghofio bod y traciau ar shyffl. Teimlodd y dylai ymddiheuro am y newid naws ond o brofiad roedd unrhyw beth oedd yn helpu pobl i ymlacio yn yr ystafell glinigol oer yma o help mawr. Ystyriodd symud y peiriant coffi i'r ystafell ar un adeg ond fel dywedodd Bert, 'It's a morgue, not Starbucks' ac roedd Bert yn llygad ei le. Roedd 'na'r fath beth â bod yn rhy ddi-hid ynglŷn â rheolau bod yn batholegydd da.

Eto, wrth i'r ystafell lenwi gyda harmonïau hafaidd y brodyr Wilson, dechreuodd traed Rawson shyfflo ac erbyn cyrraedd y gytgan roedd e bron yn dawnsio, ei feddwl wedi symud i stribedi hir o draeth arian ym Malibu. Yna ffrwynodd ei hun oherwydd gallai weld ei fod wedi mynd ychydig bach yn rhy bell i Freeman, ac roedd ar fin dechrau esbonio pethau doedd hi ddim wedi'u clywed o'r blaen, felly trodd y miwsig i ffwrdd a dechrau ateb ei chwestiwn am y samplau bron yn yr un anadl rhag ofn bod unrhyw embaras, gyda rhythmau Brian Wilson yn dal yn ei feddwl.

'Chwech sampl, fel o'n i'n dweud. Canal y glust, llygaid, *nares*, llygaid, *umbilicus* a rectwm,' rhestrodd Rawson.

'*Nares?*'

'Sori. Y ffroenau. Ta p'un, mae rhewi'r corff yn newid y patrymau yn y tisw, felly mae'r galon a'r ymennydd sydd wedi eu rhewi'n edrych yn wahanol hyd yn oed heb ddefnyddio chwyddwydr. Gewch chi gadwynau o swigod bach ffals yn yr ymennydd, fel y rhain....'

Defnyddiodd bensil i ddangos y rhain iddi cyn estyn am y galon oedd mewn tre ar ei phen ei hun gerllaw.

'Ac mae patrymau'r galon yn edrych fel hyn wedi rhewi...'

Taniodd sgrin ei ffôn symudol er mwyn dangos y delweddau priodol iddi.

'... ac fel hyn mewn corff arferol. Chi'n gweld?'

'Dwi'n gweld ond ddim o reidrwydd yn deall.'

'Sdim rhaid deall popeth ond ga i esbonio hyn. Wrth i'r corff ddadmer mae'r nifer o ficrobau yn cynyddu, mae hynny'n naturiol, felly gewch chi mwy o *actinobacteria, fusobacteria* a *gammaproteobacteria*, tra bod rhai yn lleihau, megis y *firmicutes*. With me so far?'

'Dwi'n gwneud ymdrech go lew. *Firmicutes* yw'r rhai yn y gut, y stumog ac yn y blaen?'

'Penigamp. Top of the blinking class. Ie, wir. Nawr mae'r

gwahaniaethau 'ma yn help i amcangyfrif pryd yn union y lladdwyd ac wedyn y rhewyd y corff. Petaen ni wedi dod o hyd i'r corff yn gynharach byddai 'na grisialau o iâ yn dal yn y tisw ond erbyn i'r corff ddod yma roedden nhw wedi diflannu, er bod olion ohonyn nhw. Ma wastad olion. Dyna yw'r job. Chwilio amdanyn nhw...'

Mae meddwl Emma ar ras wrth iddi geisio prosesu hyn oll wrth edrych ar yr adroddiad mae Rawson yn rhoi yn ei dwylo. Byddai deall y peth heb y ddarlith wedi bod yn anodd mae'n credu, ac mae hi wedi dysgu llawer, heb sôn am glywed tamaid bach o fiwsig neis. Roedd hi ar fin awgrymu paned iddi gael gofyn ambell gwestiwn arall pan ganodd eu ffonau ill dau yn union yr un pryd, a bron iddynt ddweud yr un peth wrth orffen ei sgyrsiau bach byr, siarp.

'Maen nhw wedi dod o hyd i gorff arall...' meddai Freeman.

'Dwi newydd glywed. Gallwn ni fynd yn fy nghar i. Mae'r cit i gyd yn barod.'

'Oeddech chi'n disgwyl un arall? Corff, hynny yw.'

'Better safe than sorry.'

*

Wrth i Freeman yrru i mewn i Allensbank Road roedd ei meddwl yn troi'n gyflym. Gofynnodd i Rawson edrych ar y map i weld os oedd y cyfeiriad yn agos at derfyn dwyreiniol y ddinas gan wybod yr ateb bron cyn ei fod yn edrych. Hon fyddai'r llofruddiaeth i'r dwyrain, wrth gwrs, a da o beth ei bod hi'n digwydd bod gyda Rawson pan ddaeth yr alwad oherwydd roedd amgylchiadau'r marwolaethau yma'n swnio'n wahanol. Efallai nad yr un llofrudd? Ond wedi meddwl mwy, roedd y lleoliad yn awgrymu'r un un yn sicr.

Roedd y plisman oedd wedi ateb yr alwad gan un o'r cymdogion yn dal yn ei gwrcwd tu allan wedi bod yn chwydu a chwydu a chwydu nes bron iddo gredu na fyddai'n medru stopio byth. Cafodd Freeman sgwrs fach gyflym ag e cyn ei anfon adre ond nododd taw plisman profiadol oedd hwn, wedi bod ar y ffors am flynyddoedd ac yn tybio ei fod wedi gweld lot fawr o bethau gwael, felly roedd yr hyn oedd yn ei disgwyl efallai'n waeth na'r arfer. Yn sicr roedd y ffaith fod y dyn mawr yma oedd yn wyn ei wyneb ac yn crynu drwyddo yn arwydd o hynny. Clywodd Rawson yn rhegi bron yn syth ar ôl iddo gerdded drwy'r drws yn y siwt wen blastig roedd newydd ei gwisgo. Eiliadau'n unig yn ddiweddarach dyma fe'n ailymddangos i lyncu aer. Os oedd hyn bron yn ormod i Rawson paratôdd ei hun am ychydig o siglad. Wrth iddi gerdded mewn ceisiodd Rawson helpu gydag ychydig bach o hiwmor.

'Prepare to meet the human pin cushion,' dywedodd, gan ofni na fyddai'r jôc fach wan yn helpu fawr ddim, ac yn sicr wrth i Freeman gerdded i mewn ni chlywodd sŵn chwerthin, dim ond un ochenaid ddofn wrth iddi weld y corff, y tableau rhewedig yma o boen sydyn yn sefyll fel cerflun dieflig ar waelod y staer. Camodd Rawson i mewn y tu ôl iddi a'r tro hwn wnaeth e ddim byd ond cyfleu gwybodaeth.

'Mae'r fenyw, efallai'r wraig, lan llofft. A ie, cyn i ti ddweud gair, dyma yw'r pethe gwaethaf i ni weld yn ein bywydau proffesiynol.'

Er nad oedd Emma Freeman yn hen roedd ganddi ambell ffordd hen ffasiwn o wneud pethau ac un o'r rheini oedd ei defnydd o lyfr nodiadau.

10.48 11.6.22.

Rawson. Awgrymu rivet gun neu nail gun. Proffesiynol. Y dyn wedi ei hoelio drwy ei law. Gair Benin wedi ei gerfio. Enw gwlad.

Mwy o hoelion o gwmpas y llygaid a'r genitalia na gweddill y corff. Addurno. Cefndir celf. Anthropoleg.

Y fenyw yn styc i'r llawr. Cannoedd o hoelion. Dim angen cymaint. Saethu hoelion = pleser?

2 wedi marw dros nos. Deg awr efallai? Time of death 22.48 approx.

Drws ar agor. Pwrpasol?

Dim golwg o'r corff wedi ei drefnu. Dim ond y gair Benin.

Caeodd Emma ei llyfr nodiadau ac aeth i siarad â'r fenyw o'r tŷ drws nesaf oedd wedi gweld y drws ffrynt ar agor. Roedd y plisman cyntaf yn dal yn ei gwrcwd fel petai ei bengliniau wedi rhewi, felly cafodd Freeman air gydag un o'r plismyn eraill gan ddweud bod angen mynd â'r dyn adref ac efallai bod angen rhywun o Liaison i ymweld ag e. Roedd mewn stad wael oherwydd yr hyn a welodd.

Nododd yr amser roedd Mrs Bishop wedi gweld y drws ffrynt ar agor a gweiddi ar draws y lawnt. Nododd hefyd fod rhywbeth wedi dweud wrthi am gadw'n glir o'r tŷ ei hunan. Absenoldeb y ci yn un peth. Pa gi? Doedd dim arwydd ohono yn y tŷ. Byddai'n gofyn i bobl gadw llygad. Diolchodd i Mrs Bishop gan weld ei bod hi yn desbret i wybod beth oedd wedi digwydd gan ei bod hi'n amlwg yn *curtain twitcher* hanner proffesiynol, oherwydd roedd hi wedi dweud cymaint am fynd a dod y cwpwl drws nesaf nes bod Emma wedi ei chael hi'n anodd prosesu popeth. Pan glywodd eu henwau canodd cloch yn uchel yn ei phen oherwydd roedd Freeman wedi darllen llyfr gan y dyn, seiciatrydd diddorol a phryfoclyd oedd wedi gwneud lot o waith llawrydd i'r ffors, ac yn enw cyfarwydd ar gylchdaith y llysoedd gan ei fod yn aml yn ymddangos fel llygad-dyst arbenigol. Rhyfeddai Emma nad oedd y ddau wedi cwrdd yn y gorffennol ond roedd hi'n rhy hwyr nawr. Roedd ei ddyddiau gorau fel shrinc yn perthyn i ddoe. Hyd yn oed wrth i Freeman feddwl y pethau yma roedd Mrs Bishop yn dal i raffu ffeithiau. Bob dydd Sul byddai e'n mynd i chwarae golff, gadael y tŷ am ddeg ac wedyn ei wraig yn ei ddilyn i ymuno ag e am ginio. Fyddai e ddim yn dweud llawer am ei waith ond yn ffisiotherapydd neu seiciatrydd, ie seiciatrydd. Gwneud lot o waith ym Mryste ac yn mynd i'r llys yn aml. Awdur hefyd, tra'i bod hi, y wraig, yn darllen lot, wastad ar ei ffordd 'nôl o'r llyfrgell neu ar ei ffordd i'r llyfrgell. Efallai dylai Emma fod wedi cynnig job fel ditectif cynorthwyol i Mrs Bishop oherwydd roedd petai ganddi o leiaf dri llygad barcud yn ei phen wedi eu cyplysu â chof perffaith, un ffotograffig heb os.

Yn y pellter gallai weld un o newyddiadurwyr y *Gazette* yn prowlan yn araf tua'r tŷ, felly rhoddodd orchymyn pendant i'r ddau blisman oedd yn sefyll wrth y giât i'w gadw draw. Gwyddai nad oedd y rhain ond yn gwneud eu job ond roedd angen cadw'r holl wybodaeth, y llanast yma a'r boen a'r gwaed yn gyfrinach am ychydig. Roedd angen rhyw fath o fantais dros y llofrudd oherwydd ar y foment allai hi ond clywed chwerthiniadau cosmig wrth iddo'i gwawdio hi. Neu o leiaf dyna roedd hi'n ei deimlo wrth ddiosg ei gwisg wen a gofyn am lifft yn ôl i'r dre gan rywun, a gadael Rawson wrth ei waith, ac yntau'n cyfrif hoelion ac yn dechrau ar y pos o sut ar y ddaear i symud y cyrff i'r morg. Bu bron iddo ffonio B&Q i ofyn sut i'w tynnu nhw mas.

Llofrudd seico

'MAE'R LLOFRUDDIAETH DDIWEDDAR yn cadarnhau'r ddamcaniaeth fod y llofrudd yma'n gweithio ei ffordd o gwmpas y cwmpawd.'

Mae Emma'n edrych ar D. C. Dyfrig Davies, y dyn wnaeth ddod â'r ddamcaniaeth yn y lle cyntaf ac mae'n wên o glust i glust, ei wyneb yn falŵn o falchder.

'Nawr dwi'n siŵr eich bod yn cytuno gyda fy asesiad bur amatur ein bod yn delio â seico go iawn, efallai'r seico mwyaf seico yn y wlad. Dwi wedi gofyn i McTaggart fwrw golwg dros y proffil seicolegol sydd gyda ni yn barod er mwyn ychwanegu o'i wybodaeth yntau, ac fel mae rhai ohonoch yn gwybod mae Mr Hamish McTaggart yn un o arbenigwyr y byd ar seicoleg annormal. Mae'n addo *briefing* i ni erbyn diwedd yr wythnos ond os oes angen unrhyw wybodaeth arno, plis helpwch e gymaint ag y medrwch. Mewn achos o'r fath gall ei fewnbwn fod yn werthfawr iawn, iawn, iawn. Ond mae 'na bethau newydd sydd yn siŵr o fod o gymorth i ni yn yr achos yma sy'n od o od. Yn gyntaf cafodd seiciatrydd ei ladd, ac, wrth gwrs mae'n ddigon bosib taw un o'i gleientiaid sydd wedi gwneud hyn. Felly D. C. Davies, dwi am i chi fynd drwy'r rhestr ohonynt i edrych am unrhyw un fyddai â rheswm digon da i'w ladd a chyda hynny ei wraig. Mae ei ysgrifenyddes yn mynd i ddanfon rhestr draw o fewn yr awr ac ry'n ni'n gofyn am warant i fynd drwy'r ffeiliau sy'n gysylltiedig â nhw. Gwaith caib a rhaw, dwi'n gwybod, ond gwaith pwysig dwi'n tybio. Adroddwch 'nôl peth cyntaf yn y bore os wnewch chi...

'Ond mae angen mwy o help arnon ni ynglŷn â'r busnes hoelion yma. Ry'ch chi wedi gweld y lluniau, bob un ohonoch chi. Ond mae angen i ni wybod os oes cysylltiad gyda'r enw yma gafodd ei gerfio ar y llawr, sef Benin, enw gwlad yn Affrica. Unrhyw un?'

Cododd llaw D. C. Davies, oedd yn dechrau troi'n rhyw fath o *wunderkind*. Byddai angen iddo fod yn ofalus neu byddai'n cael ei hun yn ddyn amhoblogaidd. Nid oedd aelodau'r sgwad heb genfigen.

'Dwi wedi gweld rhywbeth fel hyn yn yr Amgueddfa yn Llundain, yn y British Museum. Os wnewch chi aros funud...'

Aeth i whilmentan ar ei ffôn ac unwaith roedd e wedi dod o hyd i'r ddelwedd iawn, tafluniodd y llun ar y sgrin wen, gan fod ffôn pob aelod o'r uned wedi ei gysylltu â'r system.

Gwelodd bawb gerflun, dyn pren, gyda hoelion yn drwch mewn rhai rhannau. I Freeman roedd y tebygrwydd i'r hyn a welodd yn Llaneirwg yn hynod. Darllenodd y disgrifiad, yn chwilio am cliwiau, yn ceisio deall...

'This Nail Figure served as doctor, judge, and priest. It was carved to capture the power of spirits (minkisi, singular nkisi), which was necessary for healing and adjudicating disputes. The figure was filled with powerful magical substances (bilongo) by priests (naganga) who tended it in a shrine and made its spirit powers available to individuals. The large cowrie shell held strong medicines that gave the sculpture its power. This nkisi n'kondi would have originally worn a large beard and a straw skirt. When an agreement was reached, both sides would swear an oath before the nkisi n'kondi and drive iron blades or nails into it to seal the oath. In this way the figure's supernatural powers could be called upon to punish those who broke their oaths.'

Diolchodd Emma i Davies ac yna cododd ar ei thraed i awgrymu bod hwn yn drywydd da arall i'w archwilio, gan ddweud y byddai'n dilyn hwn ei hunan os nad oedd rhywun eisiau gwirfoddoli i helpu. Cynigiodd D. I. Blades, yn rhannol oherwydd ei fod wedi gwneud gradd mewn anthropoleg ac yn ail oherwydd roedd e wastad wedi bod eisiau gweithio mewn partneriaeth gyda Freeman. Roedd yn awyddus i ddysgu ac er fod ganddi enw fel un oedd yn hoff o weithio ar ei phen ei hun teimlai fod ganddi lot i'w ddysgu iddo.

Wedi i'r sgwad adael yr ystafell syllodd Freeman yn hir ar ddelwedd y cerflun gan ddod â map o'r wlad lan ar y sgrin yn ogystal. Nododd y geiriau rhyfedd oedd yn gysylltiedig â'r math yma o gerflun. Minkisi. Bilongo. Nkisi. Nkisi n'kondi. Byddai angen iddi ddod o hyd i arbenigwr ac efallai, drwy lwc, byddai'n troi mas taw yr arbenigwr hwnnw oedd y llofrudd. Roedd pethau mwy nyts yn digwydd ac roedd cyd-ddigwyddiadau yn dod i'w rhan yn gyson. Ac roedd hwn yn achos nyts. Roedd hi wedi gweithio ar nifer o gesys anarferol ac wedi darllen am lawer mwy. Ond roedd hwn y tu hwnt i unrhyw ddirnad, dirgelwch dwfn fel y byddai ei hen hyfforddwr yn yr Academi yn ei ddweud. Ie, dirgelwch dwfn iawn. Un oedd yn ymestyn i waelod y dyfnderoedd. Ond doedd ganddi mo'r amser i blymio i'r rheini. Er bod un peth yn dechrau ei phoeni'n ddirfawr. Beth os oedd y lladd yma, y dienyddio gyda chleddyf, wedi ei gynllunio'n unswydd ar ei chyfer hi, a hithau wedi colli ei gŵr i weithred debyg? Neu, yn waeth na hynny, yn ffordd o roi loes i Tom Tom drwyddi hi? Plannwyd hedyn o ddrwgdybiaeth yn ei phen, o do.

O ddrws i ddrws

FEL BRON POB pâr o gops mae D. C. Huw 'Havoc' Evans a D. C. James Thomas yn blethiad rhyfedd, y naill yn hoff o waith caib a rhaw, a'r llall, James, neu Jimmy i'w holl gyfeillion lawr y pyb, yn casáu mynd o ddrws i ddrws ac yn casáu unrhyw waith plismona sy'n meddwl ei fod yn gorfod cymryd nodiadau neu deipio wrth y ddesg. Ond maen nhw'n hoffi ei gilydd, gyda pherthynas rwydd gan fod Huw yn tynnu coes a James yn tynnu coes yn hirach. Wrth iddyn nhw logio car C48 allan cytuna'r ddau nad yw bore 'ma yn adeg am jôcs gwag na ffwlbri, oherwydd roedd Freeman yn credu bod llofruddiaeth arall ar y ffordd, ond drwy ddycnwch a sbid roedd ganddynt siawns o gael gafael ar y llofrudd mewn pryd. Fel yr esboniodd D. I. Freeman wrthynt roedd ganddynt restr o bum person oedd wedi prynu cleddyf fel yr un roedd yr arbenigwr yn tybio a ddefnyddiwyd yn Llaneirwg ac ar yr ynys.

Roedd y tîm ymchwilio dan Freeman bellach wedi cysylltu â'r cwmnïau ocsiyna a'r cymdeithasau hynafion arbenigol, ynghyd â'r grwpiau oedd yn arddel ymladd gyda chleddyfau. Roedd un ohonynt, *kulurypauyat*, yn enw anghyfarwydd i bawb, ond wnaeth Freeman esbonio taw math o ymladd yn Kerala, de India, oedd hwn, ac efallai bod y cleddyfau'n rhy fawr, ond gan fod un dyn yn y ddinas yn ymddiddori yn y maes, ac yn casglu cleddyfau roedd yn werth picio i mewn i gael gweld.

Tro James oedd hi i yrru ac roedd ei droed yn drwm ar y sbardun unwaith roedden nhw wedi cyrraedd y ffordd ddeuol i adael y ddinas i gyfeiriad y gorllewin. Gwyddai'r ddau o'r cyfeiriad yn unig eu bod ar y ffordd i rywle swanc, ac erbyn iddyn nhw droi i'r de o'r draffordd roedd prisiau'r tai yn newid i'r miliynau'n hytrach na'r miloedd ac ambell le yn edrych fel rhywbeth wedi ei drawsblannu o Sain Ffagan – to gwellt, gardd fel clawr cylchgrawn steil a Porsche wedi ei barcio y tu allan, nesa i'r BMW, sef y car bach ar gyfer picio i'r siop.

Mae'r dyn sy'n ateb y drws yn foi dymunol iawn a phan mae'n clywed fod gan y ddau ddiddordeb yn ei gleddyfau mae'n gwenu'n braf.

'Mae fy ngwraig yn credu 'mod i'n damed bach o nytar oherwydd 'mod i'n casglu'r stwff 'ma ond mae cael dau ddyn proffesiynol fel chi yn dangos diddordeb yn ddigon i godi 'nghalon. Dyw casgliad ddim yn werth ei gael os nad oes cyfle i arddangos eich trysorau.'

Mae James ar fin dweud nad oes ganddynt lawer o amser ond mae llygaid Huw yn danfon neges semaffor i'w atgoffa bod angen rhoi'r hyn o amser sydd ei angen er mwyn gweld beth yw beth. Yn reddfol mae'r ddau yn teimlo nad oes gan Mr Graham Roberts unrhyw beth i'w guddio ond maen nhw wedi dysgu bod y fath beth â seicopaths yn y byd, y math o bobl sydd ddim yn cuddio dim byd oherwydd dydyn nhw ddim yn gweld gweithred ddrwg fel rhywbeth i boeni amdano.

Erbyn hyn mae Roberts yn estyn am allwedd i agor clo ei gabinet sylweddol, wedi ei wneud o bren collen Ffrengig, a dau gleddyf wedi eu gosod yn dwt ar wely o felfed. Mae Roberts yn codi un ohonynt a'i droi er mwyn cynnig yr handlen i Huw.

'Byddwch yn rhyfeddu pa mor ysgafn y gall arf o fetel fod. Dyna yw un o sgiliau'r gwneuthurwr, colli pwysau heb golli cryfder.'

'Odi'r cleddyfau yma wastad dan glo?'

'Wastad. A dwi'n cuddio'r allwedd. Maen nhw'n bethau gwerthfawr iawn. Dwi'n eu gweld nhw fel tipyn o bensiwn a dweud y gwir, er na alla i freuddwydio am werthu'r un ohonynt.'

'A dyma'r unig rai sydd 'da chi yn eich meddiant?'

'Nage, mae 'na un arall, yr un mwyaf sbesial ohonyn nhw i gyd.'

Mae Roberts yn cymryd cam neu ddau i gyfeiriad llen sy'n hongian ar y wal a phan mae'n sgubo hwnnw o'r neilltu gall y ddau weld ei fod yn cuddio sêff sylweddol, un fyddai ddim yn edrych allan o'i le mewn banc, yn y dyddiau pan oedd 'na fanc mewn tref a phentref. Ie, sêff chwe throedfedd o uchder. Mae Huw a James yn troi i ffwrdd yn reddfol wrth i Roberts droi'r deial i un cyfeiriad, yna'r cyfeiriad arall, yn ofalus a di-ffws.

Saif yno yn browd, yn dadorchuddio'r arf sgleiniog o ganol rholyn o silc.

'Ac mae hwn heb fod allan o'r sêff. Neb ond chi'n gwybod beth yw'r *combination*?'

'Yn union. Nawr 'te, ga i ofyn cwestiwn i chi? Oes a wnelo hyn unrhyw beth â'r llofruddiaethau?'

Edrychodd y ddau ar ei gilydd, yn ansicr ynglŷn â beth i'w ddweud a beth i beidio dweud, mewn picil a dilema oherwydd un cwestiwn bach syml.

'Dwi ddim yn siŵr os allwn ni ddweud rhyw lawer am hynny, mae arna i ofn.'

'Peidiwch â phoeni. Efallai galla i'ch helpu. Dwi'n nabod casglwr arall, boi rhyfedd ar y naw. A dwi'n gwybod o siarad gydag un o'r *dealers* mawr ei fod wedi prynu cwpwl o eitemau yn ddiweddar. Nawr roedd e ychydig yn anghonfensiynol gan ei fod e wedi talu gydag arian parod.'

'Y'ch chi'n nabod y gwerthwr yma'n dda felly? Gan ei fod yn trafod pethau mor, wel...'

'Preifat? Mae'r dyn yn gefnder i mi. Dyfon ni lan gyda'n gilydd.'

'Wela i,' meddai Huw, yn nodi pob cymal bellach. Doedd e erioed wedi datrys ces go iawn, ac roedd rhywbeth ynglŷn â'r sgwrs yma oedd yn teimlo fel y gallai wneud hynny. Rhywbeth yn y gwynt. Cliwiau'n dod fel anrhegion.

'Oes 'na fwy?'

'Roedd y prynwr wedi'i wisgo mewn du, o'i gorun i'w sawdl.'

'Dyw hynny ddim yn erbyn y gyfraith, neu byddai pob Goth yn y carchar.'

'Digon teg. Ond roedd e hefyd wedi cyfeirio ato'i hun fel angel.'

'Angel?'

'Angel marwolaeth, a bod yn fanwl gywir.'

Rhewodd y ddau gop yn yr unfan, y ddau yn cofio bod Freeman wedi sôn am bluen ddu.

'Beth yw enw'r cwsmer?'

'Josh Truman.'

Syfrdan. Y ddau blisman yn rhewi fel cerfluniau marmor. Roedd yr enw ar eu rhestr, ynghyd â chyfeiriad.

'Beth yw enw'ch cefnder? Er mwyn i ni ddeall mwy am y Josh Truman yma?'

Aeth i chwilio am gerdyn busnes ei gefnder, oedd ar y sil ffenest yn rhywle. Cerddodd yn ôl ac estyn y garden i D. C. Evans, a dynnodd lun ohono gyda'r camera ar ei ffôn. Diolchodd y ddau am y wybodaeth a'r te a'i heglu hi am y car. Taniodd Huw'r injan a sgrialu i lawr y dreif gan dasgu graean, fel y byddech yn disgwyl i rywun gyda'r llysenw Havoc ei wneud.

'Steady on,' dywedodd ei gyfaill, oedd ddim yn hollol siŵr pam eu bod nhw'n tasgu lan yr hewl: troed y gyrrwr yn fflat i'r llawr wrth iddo adael lôn gul cefn gwlad a sbarduno'r car i wyth deg milltir yr awr ar y ffordd ddeuol. Doedd e ddim yn defnyddio golau glas ond roedd yn gyrru fel petai'n defnyddio un.

'Pam yr hast?'

'Mae angen i ni fynd i weld y boi 'ma nawr...'

'Ond ddylen ni gael gair 'da HQ? Siarad â Freeman?'

'A cholli'r cyfle gorau erioed i ddal llofrudd. Os gawn ni hyn yn iawn alla i'n gweld ni'n cael dyrchafiad. Ac mae Freeman wastad yn dweud y dylen ni ddilyn ein greddf.'

Teimlai Thomas taw'r unig beth roedd e'n mynd i ddilyn oedd trywydd ei frecwast drwy'r awyr os oedd y car yn mynd yn gyflymach. Roedd y perthi a'r caeau a'r ceir eraill yn gwibio heibio'n un rhuban gwyllt wrth i Havoc nyrsio'r car i gan milltir yr awr, cant a phump, yr hewl yn igam-ogamu fel reid wallgo yn y ffair. Doedd dim angen hyn, meddyliodd Thomas, wrth gofio bod rhywbeth gwyllt iawn am ei bartner ar adegau. Ond roedd e hefyd yn gwybod y byddai'n rhaid iddo arafu cyn hir, oherwydd roedd yr hewl yn troi'n un lôn, a'r traffig yn dechrau lluosi wrth nesáu at y ddinas. Pan welodd y stadiwm pêl-droed yn y pellter tynnodd anadl ddofn wrth weld y cyflymdra'n disgyn, gan roi ennyd iddo hefyd feddwl am yr hyn roedd Havoc yn awgrymu gwneud. Roedd y dyn ar eu rhestr wreiddiol o bobl i holi, felly doedd dim byd o'i le mewn galw heibio.

Ond roedd ganddyn nhw wybodaeth newydd, gwybodaeth hollbwysig efallai, ac allai Thomas ddim negyddu'r teimlad pendant y dylent fod yn tsiecio i mewn cyn galw ar y Truman 'ma. Ond roedd Havoc yn foi ystyfnig fel mul ar adegau, a hynny'n cyfuno gyda'i sgil ddiamheuol i achosi helynt a llanast llwyr o bethau. Fel y tro aeth y ddau i ymchwilio i fyrgleriaeth yn Llys-faen lle roedd rhywun wedi torri'r drws ffrynt yn deilchion, reit yng nghanol dydd a dwyn beic drudfawr o'r estyniad, heb sôn am ysbail gwerthfawr o emwaith ac arian papur. Synnodd y ddau fod pobl yn cadw wyth neu naw mil o bunnoedd fel arian sbâr yn y tŷ. Roedd y ffaith nad oeddent yn gwybod sawl mil yn union oedd ganddyn nhw yn adrodd cyfrolau.

Ar y ffordd 'nôl i'r gwaith ar y diwrnod hwnnw gwelodd Havoc ddyn ar gefn beic oedd yn debyg iawn, iawn i'r disgrifiad o'r beic oedd wedi cael ei ddwyn. Corff coch gyda streipiau gwynion a *drop handlebars*. Ac roedd e'n edrych yn feic fflashi, drudfawr a chyn meddwl ddwywaith dyma Havoc yn mynd i lawr y tyle fel yr olyfga gychwynnol yn *The Streets of San Francisco* lle mae'r ceir yn hedfan drwy'r awyr, gyda Thomas yn pledio arno i arafu. Ond roedd y boi ar y beic yn mwynhau mynd ar ras, ac ar goll yn gwrando ar fiwsig System of a Down, felly ni arafodd na hyd yn oed sylweddoli bod car heddlu ar ei ôl, a chafodd sioc a hanner pan dynnodd car o'i flaen yn ddisymwth gan achosi iddo hedfan drwy'r awyr a glanio'n galed ar ei gefn.

'Ffyc, Havoc. Ti wedi'i neud hi nawr. Ffonia am ambiwlans tra 'mod i'n mynd i weld beth alla i neud i helpu.'

Yn lwcus roedd y boi neb gael gormod o niwed, er dyfarnodd achos llys yn erbyn Heddlu Cymru, ac ennill swm sylweddol iddo, oedd yn un rheswm pam na chafodd y ddau eu dyrchafu'r un pryd â chriw sylweddol o'u cyfoeswyr, neu o leiaf dyna oedd Thomas ac Evans yn ei feddwl. Ambell waith mae Thomas yn cwestiynu ei bartneriaeth gydag Evans oherwydd er mor ddoniol yw e, ac er yr oriau diddan maen nhw wedi'u treulio gyda'i gilydd ers partnera am y tro cyntaf bron i flwyddyn yn ôl, mae bod ar ddyletswydd yn ei gwmni yn medru bod ychydig bach fel dawnsio ar wyau neidr. Ond wrth iddo feddwl hynny mae'n cofio am gymaint o amseroedd da, fel y tro wnaeth e ddod ag anrhegion i'r plant jyst cyn Nadolig a phob un o'r presantau yn berffaith.

*

Mae fflat Truman yn agos at bont sy'n croesi afon Taf ac o'r balconi gellir gweld Castell Caerdydd yn glir, ac efallai hyd yn oed gweld gemau ar yr hen Barc yr Arfau, lle mae tîm Caerdydd yn chwarae rygbi'r dyddiau hyn. Mae Evans yn canu'r gloch wrth i Thomas dwtio'r *taser* sydd gydag e, ei gadw allan o'r golwg ond o fewn cyrraedd ar yr un pryd. Does dim ateb am amser hir, felly mae Evans yn trio eto. Y tro hwn mae ateb, wrth i ddyn gwyllt iawn yr olwg agor cil y drws.

'Whadda you want?'

'Ai chi yw Mr Josh Truman? Are you Mr Josh Truman?'

'Chi'n gwybod beth yw'n enw i'n barod on'd y'ch chi? Ond ry'ch chi yma i wybod mwy. Dyna yw natur y gêm ontife?'

Mae'r plisman yn anwybyddu'r cwestiwn yn bwrpasol.

'Felly, gawn ni ddod i fewn?'

'Ie, dewch i fewn. Dewch i fewn.'

Er gwaethaf ei eiriau ymosodol ac oer agorodd y dyn y drws led y pen ac yn eu gwahodd i fewn. Llifai golau cochlyd, gwan i lawr y grisiau o'r fflat lan staer ynghyd ag aroglau melys, egsotig. Teimlai'r angel ei blu yn caledu o dan ei grys, ac ambell un yn dechrau tyfu'n barod. Byddai'n rhaid iddo reoli hyn, ond roedd yr adenydd yn ffordd o amddiffyn ei hun, ac roedd y ffaith bod dau gop wedi dod i'w dŷ, i'r fangre sanctaidd, yn ddigon i beri i'w waed ferwi. Mudferwai yn barod, wrth iddo glywed bŵts brwnt y ddau ddyn yn sgathru'n dawel ar draws ei garped glân.

Cynigiodd de iddynt, ac oherwydd bod y ddau am gael y cyfle gorau posib i weld beth oedd beth a dysgu mwy am y dyn rhyfedd yma dyma nhw'n derbyn y gwahoddiad. Diflannodd Truman i'r gegin fach gan adael i'r ddau blisman edrych o gwmpas yr ystafell fyw. Hoeliwyd sylw'r ddau gan waith celf sylweddol ar fwrdd yn un gornel o'r ystafell, os gwaith celf oedd e mewn gwirionedd. Rhyw fath o wisg pen oedd hi, wedi ei threfnu fel ffan fawr maint cynffon paun ond bod y plu yn ddu bitsh, ac ynghanol y plu, bron fel sgerbwd metal cuddiai nifer o gyllyll hir, rhai'n edrych fel creiriau o amgueddfa er ei bod hi'n anodd meddwl bod dyn oedd yn byw mewn fflat digon llwm yr olwg yn medru fforddio prynu'r fath eitemau.

Wrth aros i'r tegell ferwi roedd yr angel yn teimlo'i gryfder yn chwyddo, ei chwant yn tyfu. Mae rhan ohono sy'n defnyddio rhesymeg yn argymell oedi, i chwarae'r gêm gyda'r ddau ddyn yma a gadael iddyn nhw fynd mas gyda'u hamheuon a'u nodiadau bach pitw tra bod llais yr angel yn gofyn iddo ymestyn ei adenydd a'u corlannu oddi fewn, eu gwasgu'n dynn i'w fynwes a chario mlaen i wasgu nes bod pob anadl wedi gadael eu hysgyfaint, a'u heneidiau – eneidiau, ha! – wedi eu diffodd fel canhwyllau.

Mae'r ddau yn brysur yn nodi pethau gan wybod bod angen asesu a chwilio am unrhyw beth a allai fod o help. Dyma ddyn sydd wedi prynu cleddyf sy'n debyg i'r un ddefnyddiwyd i ladd, ac mae angen cadarnhad o hynny – gweld y peth hyd yn oed. Ond prin fyddai yna olion gwaed ar y llafn.

Daw Truman yn ôl gyda dau fŵg o de, a phlatied o fisgedi. Mae awgrym o wên fach yn dawnsio ar ei wefusau, ac mae petai wedi'i atgyfnerthu rywsut yn y gegin, neu fod bod ynghanol ei bethau yn help iddo setlo, hyd yn oed ym mhresenoldeb dau blisman oedd wedi troi lan yn annisgwyl.

'Nawr 'te, foneddigion. Mae'n flin 'da fi 'mod i wedi bod mor swrth, ac efallai'n ymosodol hyd yn oed. Ges i brofiad gwael 'da Heddlu De Cymru, 'nôl yn yr hen ddyddiau pan ges i fy nghyhuddo o wneud rhywbeth heb sail na thystiolaeth – oedd yn dipyn o batrwm, fel ry'ch chi'ch dau yn gwybod efallai – a ches i fyth air personol o ymddiheuriad, dim ond gweld swyddog ar y teledu yn dweud eu bod nhw'n sori. Ond dim gair i fi, drwy lythyr nac ymweliad. Sdim rhyfedd 'mod i'n teimlo'n grac. Byddech chi'n teimlo'n grac petai rywbeth fel 'na wedi digwydd i chi, fyddech chi?'

Nodiodd Thomas wrth iddo godi'i baned, cyn sipian a dechrau'r cwestiynu.

'Ry'n ni'n deall eich bod chi wedi prynu cleddyf yn ddiweddar.'

'Cleddyf, chi'n dweud...'

Mae Truman yn codi'n ddisymwth, ac wrth iddo wneud mae golau'r bwlb uwch ei ben yn fflicran.

'Dodgy electrics. Mae'n wir am bob un o'r fflats yn y bloc 'ma. Ry'n ni wedi gofyn a gofyn ond mae'r landlord yn ormod o Rachman i wario ar y lle. Dy'ch chi byth yn gwybod os fydd y trydan yn para'n ddigon hir i wneud darn o dost. Mae'n rhaid i ni gymryd tro i ddelio â'r bocs ffiwsys. Nawr 'te, ble o'n i? O, ie. Y cleddyf. Chi eisiau gweld fy nghleddyf newydd.'

Diflanna drwy ddrws ystafell arall, yr ystafell wely fwy na thebyg, ac mae'r ddau'n edrych ar ei gilydd mewn syndod ynglŷn â'r ffordd mae'r dyn wedi newid ei ymddygiad a'i iaith o fewn munudau'n unig.

Daw'n ôl yn cario cleddyf prydferth, sy'n sgleinio hyd yn

oed yng ngolau'r bwlb egwan sy'n dal i fflicro'n styfnig ac yn anwadal.

'Ga i weld?' gofynnodd Havoc, gan anghofio y dylai fod yn gwisgo menig, rhag ofn taw tystiolaeth oedd hwn.

Tra bod ei bartner yn dal y cleddyf, yn ceisio, mewn gwirionedd i weld oedd dafnau o waed arno, mae Thomas yn gofyn a oes problem â llygod neu lygod mawr yn y fflats, gan gyfeirio at sawl bocs gwenwyn cryf sydd wedi eu pentyrru ar y llawr.

'Na, dim felly,' yw'r ateb, sy'n rhyfedd gan ystyried y nifer o focsys. Mae Thomas yn gwneud nodyn bach meddyliol am hyn.

'Ga i ofyn a yw'r cleddyf yma wedi bod allan o'ch meddiant yn ddiweddar?'

'Na, dwi'n cadw'r babi yma'n agos i'm mynwes.'

'Ble oeddech chi ar Fawrth y 13eg?' mae'n gofyn, gydag ychydig o gryndod yn ei lais. Dyw e ddim yn teimlo'n dda o gwbl.

Nid oes ganddo'n hir i fyw: na'i gyfaill chwaith, gan fod y stricnin mae'r angel wedi cymysgu yn y te yn gweithio'n hynod o gyflym. Dyna beth mae'n hoffi am y gwenwyn yma. Di-flas. Di-liw. Ac mor chwim â gwiber. Clywa Havoc yn adrodd ei eiriau olaf, sydd, yn eironig ddigon, yn profi ei fod yn blisman da, gan ei fod e wedi deall beth sydd wedi digwydd...

'Does dim llygod mawr...'

Mae Havoc yn dal ei stumog fel petai'n medru rhoi stop ar y poen gwyn rhag lledaenu yn ei berfeddion.

Mae'r angel yn gwybod yr amserlen farwol, a'r peth pwysig yw sicrhau nad yw'r un o'r ddau'n cael cyfle i ddefnyddio'r radio i ymbil am help. Os bydd un yn ceisio, bydd yn derbyn wad. Ond annhebyg y bydd hynny'n digwydd oherwydd mae'r stricnin mor hynod o effeithiol. Pymtheg munud, hanner awr cyn marwolaeth, ac mae'r ddau'n cael trafferthion mawr i anadlu'n barod, y ddau ar lawr ac yn stryglo am ocsigen, yng nghanol yr ofn terfynol, ac angau yn gwasgu ar yr asennau.

Mae'r powdwr gwyn yn rhwystro'r cemegyn sy'n rheoli signalau'r nerfau i fynd i'r cyhyrau, sydd i'w weld yn y ffordd mae cyrff y ddau gop yn mynd i *spasms* hynod o boenus. O, mae'r angel yn caru'r powdwr gwyn, ei effeithiolrwydd bendigedig! Bydd y cyhyrau'n blino ar yr holl waith cyn hir, ond nid dyma'r peth sy'n lladd. Nage wir. Marwolaeth yr ymennydd sy'n dod â'r parti i ben. Ac yn achos y plisman sydd ar lawr ger y soffa mae e bron â chyrraedd y pwynt hwnnw'n barod. Mae'n help bod y ddau yn cymryd siwgr yn eu te, oedd yn rheswm i roi mwy o stricnin na'r tro diwethaf, yr arbrawf hwnnw ddangosodd iddo fod y stwff yma'n stwff da.

Mae'n mwynhau sefyll drostyn nhw, er mwyn sicrhau taw fe yw'r peth olaf mae'r ddau yn ei weld ar dir y byw, ac erbyn hyn mae wedi gwisgo'i helmed o blu, codi'r adenydd lliw cigfran, ac wedi cynnau canhwyllau cyn diffodd y golau. Oherwydd dyw'r gwaith ond megis dechrau. Ni fydd yn medru llusgo'r ddau allan drwy'r drws ffrynt cyn taflu'r cyrff dros y wal i mewn i'r afon ar lif ym mherfeddion nos fel y gwnaeth gyda'r hen foi, y mochyn cwta yn ei arbrawf stricnin. Mae'r rhain yn llawer rhy drwm, felly bydd yn rhaid iddo fwtsiera, a gwneud hynny cyn bod y pydru'n dechrau.

Fe fydd Dennis Nielsen Glanrafon, oherwydd roedd y llofrudd hwnnw wedi lladd a darnio llwyth o bobl yn ei fflat yn Cricklewood, er ei fod e wedi llwyddo i flocio'r draen gyda'r holl stwff wnaeth e olchi i ffwrdd. Ond mae'r angel wedi dysgu o hynny, a bydd yn mynd â darnau bach ar y tro i gael gwared arnyn nhw, rhai yn yr afon, ie, ond bydd mwynhad o adael ambell sgrap o gig fel gwledd ganol nos i'r llygod mawr. Hebddyn nhw fyddai B&Q ddim yn gwerthu'r gwenwyn a byddai'n dal mewn picil. Mae'n dibynnu oedd y ddau glown wedi dweud i ble roedden nhw'n mynd, oherwydd mae'r car wedi ei barcio'n ddigon pell i ffwrdd. O, fe ddôn nhw rownd, holi o ddrws i ddrws, ond erbyn hynny bydd e wedi gorffen ei waith, wedi troi'r ddau yma yn fins, hollti'r esgyrn nes eu bod fel *chopsticks*, a dosbarthu'r bali lot ar hyd y lle. Bydd yn rhaid iddo fod yn hynod wyliadwrus, wrth gwrs, ond mae e hefyd yn gwybod ei fod yn hollol saff. Oherwydd fe yw angel marwolaeth.

Ac i brofi hynny mae'n camu allan i'r balconi lle mae'n ymestyn ei adenydd fel condor yr Andes cyn codi ei hun i erchwyn y parapet o frics. Mae'n teimlo'r gwynt yn anwesu blaen ei blu ac yn ticlo'r rhai llai wrth iddo deimlo'r lifft mae'n cynnig, y pŵer digamsyniol sy'n help iddo godi un goes ac mae'r gwynt yn ei gipio, a'i godi'n uwch, wrth i'r plu mawr blaen chwilio fel bysedd duon am afael y cerrynt anweladwy sy'n llifo dros y toeau fel y Taf a'r Elái'n un, ac yn codi'n uwch nawr, y meidrolion bach pitw'n ymdebygu i forgrug lawr wrth yr Holiday Inn.

Mae'n mynd i'r dwyrain, dros ben y siopwyr yn pryfeta ar hyd Stryd y Frenhines gan weld patrwm y strydoedd mawrion wrth iddo deimlo'i bŵer yn tyfu. Mae hyn oll yn teimlo'n real iddo, y llen rhwng rhith a realiti wedi ei rwygo'n ddarnau, ei gorff, nage, ei fodolaeth, yn troi tua'r M4 tra bod y gweddill ohono'n edrych ar y cyrff yn y fflat ac yn dechrau'r broses o'u dadwisgo. Wrth golli'r iwnifform mae'r ddau yn colli awdurdod ac wrth iddynt golli pob pilyn o ddillad maen nhw'n colli urddas. Mae'r angel wedi gosod haen drwchus o blastig du ar draws y llawr, ac wedi staplo'r corneli i wneud y siŵr nad oes gwaed nac unrhyw hylif yn cyffwrdd â'r pren. Gofal yw'r unig arwyddair nawr, oherwydd bydd angen cael y lle yn barod o fewn tridiau pan fydd ei les yn dod i ben ac yntau'n symud ymlaen. Dyna'r ffordd i fod yn ofalus, cadw ymlaen i symud, delio gyda digwyddiadau annisgwyl, fel y ddau yma'n troi lan. Erbyn i'r heddlu alw draw efallai bydd e wedi symud mas yn barod, ond mae'n rhaid rhaid rhaid gwneud yn siŵr nad yw e'n gadael tystiolaeth hyd yn oed ar lefel folecwlar, ac mae e'n barod i wneud y gwaith, torri a naddu a phrosesu'r ddau gorff, a gosod y darnau'n dwt mewn bagiau plastig a'u symud yn llechwraidd rhag iddo ddwyn unrhyw sylw. Ie, gofal pia hi wrth iddo ddechrau chwistrellu'r gwaed i mewn i jariau, a pharatoi am y gwaith caled. Mae ganddo lif a chasgliad o declynnau y byddai llawfeddyg yn eu defnyddio ac mae'n hoffi'r eironi o ddechrau gyda'r dwylo. Mae'n dechrau gyda rhywbeth sy'n debyg i haclif, yn dal gafael yn yr arddwrn bron gyda thynerwch. Mae'n dechrau torri wrth i'r angel du gylchu'r nen fel fwltur, yn arolygu ei diriogaeth, oherwydd fe sy'n penderfynu pryd ddaw'r ennyd olaf i ambell un, yn ddisymwth, gyda chleddyf neu drwy ddogn da o wenwyn. Angel effeithiol, hollalluog ydyw.

Mae'r angel yn llifio a thorri'n ddiwyd drwy gydol y nos ac mae wedi llwyddo i fynd allan dair gwaith i ddosbarthu gweddillion. Bob tro mae'n mynd allan drwy'r drws ffrynt mae'n gweld car yr heddlu ar ben y stryd ac mae'n gofyn iddo'i hun faint o amser sydd ganddo'n weddill. Neu a ddylai ffoi nawr? Mae'n gwybod bod system dracio ar bob car ac y bydd rhywun rhywle yn gwybod rhywbeth amdano a pham roedden nhw wedi dod draw. Ond mae e am adael pethau'n daclus, dangos bod angau yn geidwad gofalus, sy'n becso am glirio lan. Ond hefyd dyw e ddim am i'r cops hyrddio i mewn pan mae e wrth ei waith.

Pan ddechreuodd fwtsiera clywodd rywun tu allan i'r drws ac aeth i ychydig o banig, gan feddwl sut yn y byd y gallai esbonio dau gorff ar y llawr – un heb fraich a'r llall wedi colli troed – heb sôn am y gwaed ym mhobman a'r ddwy sach blastig oedd yn dal lifrai'r ddau ddyn? Roedd e wedi cael gwared ar eu cardiau warant, a'u waledi a phob dim personol wrth iddo gychwyn oherwydd doedd e ddim am wybod eu henwau, yn union fel nad yw aderyn ysglyfaethus am wybod pa rywogaeth o ysglyfaeth sydd yn ei grafangau. Y cig sy'n bwysig. Maeth twym ei waed.

Erbyn chwech y bore mae e wedi gwneud gwaith da, llafurio fel Trojan ac yn bles iawn nad oes fawr ddim llanast ar ei oferôls. Bydd pos a hanner i'r heddlu pan lwyddant i ddod rownd, oherwydd mae'n anodd datrys dirgelwch, i wybod pwy sy'n gyfrifol am lofruddiaeth os nad oes corff. Ac mae e ar y blaen iddyn nhw mewn sawl ffordd arall. Mae'n defnyddio enw ffug, a thalu am rentu fflat gydag arian parod, a newid steil gwallt a dillad bob tro mae'n gadael y tŷ. Felly fe fyddan nhw'n edrych am Truman, tra bydd e'n crwydro'n rhydd, ac yn aros i'w adenydd ei gludo i'r llofruddiaeth nesaf. Bydd y ddinas yma'n byw mewn ofn, yn byw dan gysgod angau, o, bydd!

Mae'n edrych o gwmpas y fflat am y tro olaf. Ocê, bydd y bobl fforensics yn medru darganfod olion, ond fydd dim lot mwy na hynny. Mae ganddo'r twls i gyd yn ei fag ac mae hwnnw'n mynd i'w focs yn Big Yellow Storage am y tro, cyn bod ganddo gyfle i'w gwaredu'n derfynol. Trip i lan y môr efallai. Mae'n nabod y lle wrth yr Heliport lle mae'r system garthffosiaeth yn arllwys budreddi amrwd i mewn i'r sianel.

Mae wedi cael gwared ar sawl peth yno, gan wybod bod y llanw'n sgubo popeth ymaith yr un diwrnod. Lot gwell nag afon neu lyn i waredu tystiolaeth. Ond dyw e byth yn cael gwared â'i gleddyf. Mae hwnnw'n mynd gydag e ble bynnag mae'n mynd, wastad wrth ei ochr, neu yn ei bresenoldeb, fel petai'n farchog yn yr hen ddyddiau. Neu'n samwrai cyfoes.

*

Yn aml mae Freeman yn grac gyda hi ei hunan am gysgu, am iddi orfod cysgu pan mae rhywbeth mawr yn digwydd. Ond mae hi'n gwybod hefyd nad oes gwerth ceisio mynd a mynd a mynd, gan fyw ar goffi ac ar ei nerfau oherwydd yn y pen draw fydd hi ddim yn medru gweld yn glir, bydd niwl blinder yn peri iddi fod yn ddall i bethau pwysig.

Mae hi'n camu i mewn i Ystafell y Tîm am naw o'r gloch ar ei ben, ac mae'r criw yno'n barod, pob un â'i goffi boreol. Ar yr wyneb mae'n edrych fel petai diwrnod arall o broses a dyfalbarhad yn lledaenu o'u blaenau wrth iddi fynd drwy'r rhestr o dasgau oedd wedi eu cyflawni gan y lleill, a phob un ei dro yn rhoi ypdet clir a phendant, sy'n gwneud iddi gofio bod y rhain yn gweithio'n dda gyda'i gilydd. Mae hi wastad yn gwahodd cyfraniadau'r lleill yn gyntaf, rhywbeth i wneud â chyfartaledd, gyda pharchu pawb, yn enwedig y rheini sydd newydd ddechrau yn C. I. D. oherwydd mae'n gam anodd i adael y stryd ambell waith. Mae hi'n nodi unrhyw beth diddorol ar y bwrdd mawr gwyn, sy'n dechrau llenwi â gwybodaeth ond heb fawr o batrwm, dim byd allech chi weld oedd yn dangos llwybr clir i ddatrysiad. Yna mae'n amser iddi esbonio am Maurice a bod D. C. Evans a Thomas wedi mynd i'w weld prynhawn ddoe.

Gofynnodd a oedd unrhyw un wedi eu gweld nhw, gydag ambell un yn siglo'i ben. Roedd Havoc yn enwog am fod yn hwyr, i'r fath raddau ei fod wedi cael ei ddisgyblu unwaith, a'r peth gwael ynglŷn â gweithio mewn pâr yw bod y naill yn llusgo'r llall i drwbl ac mae Freeman yn gwybod hyn. Ond mae hi wedi ei siomi bod y ddau yn hwyr, oherwydd ei bod yn tybio y gallai'r wybodaeth yma fod o help mawr. Mae'n meddwl ffonio Evans ond mae'n penderfynu aros tan hanner awr wedi naw. Oherwydd beth allai ddigwydd mewn deng munud?

Ar adenydd fry

MAE'R ANGEL WEDI penderfynu rhoi sioc a braw i drigolion y ddinas. Mae'r siopau newydd agor ac mae e'n cerdded yn gyflym o le i le, ei hwdi dros ei ben yn dosbarthu bysedd, bysedd dwylo, bysedd traed mewn gwahanol lefydd. Mae'n gosod un yn dwt y tu ôl i bentwr o quiches yn Marks & Spencer cyn gadael i ambell un gwympo wrth iddo frasgamu allan o Ganolfan Siopa Dewi Sant. Mae ganddo ddillad i newid iddynt pan fydd wedi gorffen chwarae rôl y postman dieflig, gan adael bys fan hyn a bys fan 'co, ac yn posto un mewn blwch post wrth iddo fynd heibio. Mae'n hoffi'r syniad yma'n fawr, oherwydd mae fel cynhyrchu carden fusnes, un sy'n dweud yn blwmp ac yn blaen ei fod e'n meddwl busnes. Erbyn hanner awr wedi naw mae e wedi cwpla'r job, ac mae'n cerdded bant oddi wrth unrhyw gamera i gornel ddiarffordd yn agos i Park Place.

Bydd Mr Goronwy Rees o 13 Thornhill Street, Treganna yn darganfod y bys cyntaf pan mae'n cymryd hoe fach y tu allan i siop Lush, ac yn gorfod edrych nid unwaith, ddwywaith, teirgwaith cyn bod yn hollol bendant nad bys plastig o ryw *joke shop* sydd ar y llawr. Mae'n cerdded i'r cownter gwybodaeth ac yn adrodd brawddeg y bydd y fenyw y tu ôl i'w chownter yn dal i adrodd i'w ffrindiau am flynyddoedd i ddod: 'Excuse me, but I think there's a human finger near that bench by there.'

Mae dyn diogelwch yn cerdded draw ling-di-long ond yn cerdded yn ôl dipyn yn gyflymach.

'I think the gentleman's right,' meddai. 'You'd better phone for the police. I'll block off the area.'

*

Dyw Freeman ddim yn cael ateb o'r un ffôn ac mae'n gadael neges ar y ddau i'w ffonio hi cyn gynted â phosib. Pan mae'n cyrraedd ei desg all hi ddim setlo oherwydd y peth gwaethaf yn ei bywyd yw *loose end* o unrhyw fath.

Ond dyw hi ddim yn cael cyfle i ddilyn trywydd y galwadau. Mae Tom Tom yn ei ffonio ac mae'n medru clywed o dôn ei lais fod rhywbeth o'i le.

'Haia Emma. Newyddion drwg. Ma fy chwaer wedi derbyn galwad ffôn ynglŷn â fy nai lan yn yr Alban. Mae hi'n poeni'n ddirfawr. Sneb wedi ei weld ers achau a dyw e ddim yn bihafio fel hyn fel arfer.'

Cyn ei bod hi'n ymateb mae'n yngan gair sy'n ddigon i rewi'r gwaed yn y cyd-destun.

'Skelly.'

'Ti'n meddwl taw fe sy'n gyfrifol?'

'Mae e wedi dweud hynny'n barod. Yn blwmp ac yn blaen. Anfonodd neges. Gyda llun ohono. Fy nai druan, mewn rhyw barti, gyda chylch mawr du o gwmpas ei ben a tharged ar ei frest.'

'Trap yw hyn, mae'n amlwg.'

'Ond bydd yn rhaid i fi fynd.'

'Ti eisiau i fi ddod?'

'Mae gen ti fwy na digon ar dy blât yn barod. Shwt mae'r llofruddiaethau'n dod mla'n? *Sticky wicket* o hyd?'

'Sneb arall wedi marw, os taw dyna rwyt ti'n gofyn, cariad. Ond dy'n ni ddim pellach mla'n 'da'n hymchwiliadau. Ti'n mynd lan 'na... i'r Alban?'

'Dwi'n galw draw i'r tŷ mewn munud a wedyn bydda i ar y ffordd. Dwi'n mynd i yrru lan fel bod gen i gar drwy'r amser.'

'Mae gen ti ganiatâd i fynd?'

'Mae'r dyddiau 'na tu ôl i mi. Dwi'n ufudd. Dwi'n cael caniatâd am bopeth dyddiau 'ma. Dyna pam dwi'n dy ffonio di.'

'Bydda'n ofalus iawn. Mae'r dyn wedi llwyddo i'n hosgoi ni er ein holl ymdrechion, bron fel rhith yn hytrach na rhywun o gig a gwaed.'

'Wna i ffindo'n nai, fydd yn meddwl 'mod i'n ffindo Skelly yr un pryd.' Crynodd gobaith yn ei lais ond heb rhyw fawr o sicrwydd.

'Ond bydda'n hynod, hynod ofalus. Mae'n foi dansierus ar y naw.'

Mae Emma'n gorffen yr alwad ac yn deialu'r ddau blisman eto yn syth bìn ond heb gael ateb unwaith 'to, felly mae'n cysylltu â'r Adran Draffig i tsiecio ble mae eu car. Mae'r boi ben arall y ffôn yn dweud y daw e'n ôl ati mewn chwinc, ac yn y chwinc hwnnw mae'n cysylltu â Maurice sy'n cadarnhau fod y ddau blisman wedi galw heibio prynhawn ddoe ac roedd e wedi rhoi enwau iddyn nhw. Mae Freeman yn gofyn iddo eu hailadrodd iddi. Cyn gorffen yr alwad mae Maurice yn dweud eu bod nhw wedi eu cynhyrfu braidd o glywed am Truman a'i fod e'n cael y teimlad eu bod nhw'n eu heglu hi draw i'w weld yn syth wedi ei adael e. Diolcha Freeman iddo ac ar amrant mae'r Adran Draffig wedi anfon neges ati gyda *screenshot* o leoliad y car. Mae hi'n gweiddi ar bawb sydd yn yr ystafell i ddod gyda hi gan ddweud y bydd hi'n esbonio ar y ffordd.

Mae pump ohonynt yn tasgu allan tuag at eu ceir, gan ddiolch i'r Iôr eu bod nhw wedi cael caniatâd i barcio tu allan i'r adeilad neu byddai'n cymryd ugain munud iddyn nhw gyrraedd y maes parcio swyddogol. Dim goleuadau yw'r gorchymyn, felly maen nhw'n gyrru'n gyflym ond yn ofalus. Mae'r lle mor agos. Byddai wedi bod yn bosib iddynt redeg yno, bron, ac mae'r syniad bod y llofrudd wedi bod mor agos at HQ, bron fel petai'n swatio yno fel llyffant, yn ddryswch i rai ac yn cythruddo aelodau eraill o'r criw sy'n derbyn y cyfeiriad gan D. I. Ratgas yn ôl yn y swyddfa, gan taw fe fydd yn llywio'r cyrch o'i ddesg tra bydd Freeman yn gofalu am bethau allan yn y maes.

Maen nhw'n parcio ger y car heddlu sydd wedi bod yn eistedd yno'n segur ers ddoe ac mae Freeman yn anfon tri dyn rownd i gefn y fflat, tra'i bod hi a Davies yn mynd i'r blaen. Dyw hi ddim am ganu'r gloch, mae hynny'n sicr, felly mae hi'n canu cloch arall a phan mae dyn blinedig yr olwg yn ateb y drws mae'n dangos ei cherdyn warant iddo ag un llaw ac yn rhoi ei bys ar ei gwefusau er mwyn iddo gadw'n dawel. Mae'r ddau blisman yn sleifio i mewn ac yn camu lan y grisiau i fflat Truman. Yno mae Freeman yn tynnu ei dryll mas ac yn awgrymu bod Davies yn gwneud yr un peth. Mae gan y boi 'ma gleddyf o leiaf, ac mae'n gwybod sut i'w ddefnyddio.

Mae'n cnocio'n galed ar y drws ac yn gweiddi'r gair 'Heddlu' ond does dim sŵn o gwbl yn dod oddi fewn. Mae Freeman yn cyfrif i dri ac yn rhoi arwydd i'w phartner eu bod yn mynd i dorri'r drws i lawr gyda'u hysgwyddau ac mae'r ddau yn ddiolchgar i'r landlord yn y nyth llygod 'ma o fflatiau ei fod yn defnyddio *plywood* i drwsio'r drysau. Daw'r ddau at eu coed yn gyflym iawn. Mae'r llawr wedi ei orchuddio â phlastig trwchus fel petai Truman wedi bod yn gwneud rhywbeth gwael yma.

Ac am y tro cyntaf yn ei gyrfa fel plisman mae Freeman yn teimlo pryder yn gymysg ag ofn.

'Rho *stand down* i'r lleill,' mae'n dweud wrth Davies tra'i bod hi'n deialu rhif Rawson. Mae Emma eisiau iddo gyrraedd cyn hyd yn oed y bois fforensics oherwydd mae hi angen rhywun i gasglu tystiolaeth a gwybodaeth a rhywun sydd yn medru eu dadansoddi, a gwneud sens o hyn. Awgryma ei fod yn dod â help draw hefyd, oherwydd er nad oes unrhyw beth amlwg i'w weld mae'n teimlo bod stori yma, rhywbeth coll, rhywbeth cudd. Yna mae'n cysylltu â'r pencadlys ac yn gofyn i D. I. Ratgas anfon neges allan i bawb gadw llygad am Truman ac yn rhannu'r disgrifiad a roddodd Maurice iddi. Mae'n rhaid iddyn nhw ddal y dyn yma, oherwydd nid yn unig ei fod, o bosib, wedi llofruddio tri pherson ond mae hi'n amau'n ddwfn yng nghrombil ei bodolaeth ei fod hefyd wedi lladd dau blisman. Os felly, bydd archwilio'r achos yn anodd i'w reoli, gan y bydd pob cop, pob aelod o staff Heddlu Cymru ar dân i gael helpu a bydd y peth yn troi'n groesgad os na all hi reoli hynny. Bydd yr achos yn troi'n ddryswch ac yn siop siafins, dyna'r peryg. Mae'n dweud wrth Davies y gall e fynd 'nôl gyda'r lleill neu aros gyda hi nes bod Rawson yn cyrraedd. Dyw hi ddim hyd yn oed wedi cysylltu â fforensics eto oherwydd mae hi eisiau rhoi amser i Rawson gyrraedd gyntaf, sydd wedi addo bod yma o fewn yr hanner awr.

Wrth ddisgwyl iddo gyrraedd mae hi'n taenu dau bâr o fenig dros ei dwylo ac yn dechrau mynd drwy'r cypyrddau, edrych yn y llefydd arferol am gliwiau ynglŷn â bywyd personol, y dystiolaeth ddomestig sydd i'w gweld mewn pethau fel brws dannedd neu bast dannedd ond does dim byd felly i'w weld. Mae'r lle fel cell mynach, neu, sy'n fwy tebyg, mae Truman wedi clirio pob sgrap o'r lle yn barod. Ond mewn drôr yn y gegin mae darn o fap wedi ei sgrwnsio'n belen dynn ac mae hi'n ei agor a'i astudio cyn ei osod mewn amlen dryloyw blastig a'i labelu. Y map. Tŷ yn Llanbedr-y-fro gyda chylch o'i gwmpas. Ddim yn bell, mewn gwirionedd, o ble mae Maurice yn byw. Mae hyn yn od, yn od iawn. Pam fyddai rhywun sydd mor hynod, hynod ofalus, yn gosod haen o blastig reit lan i'r corneli, ac yn cael gwared ar bob sgrapyn o'r fflat gan gynnwys unrhyw fwyd oedd yn y ffrij a hyd yn oed y gobenyddion ar y gwely, yn gadael map? Dyma ddyn sy'n trefnu ac yn cynllunio'n fanwl, felly rheswm clir i amau'r sgrapyn yma o fap. Cliw ffug os buodd un erioed, tybiai.

Llosgi trash

NID EI HOFF jobyn. Ymddangosodd Emma Freeman ar y teledu, yn ateb cwestiynau am y llofruddiaethau roedd hi'n ymchwilio iddyn nhw a hoeliodd un peth ei sylw, sef cwestiwn stilgar gan un o'r newyddiadurwyr teledu a ofynnodd oedd unrhyw arwyddocâd i'r ffaith fod y cyrff wedi eu darganfod ble roedden nhw? Yn benodol, oedd yr heddlu'n credu bod unrhyw sail i'r syniad bod y cyrff wedi eu gadael gan ddilyn pwyntiau'r cwmpawd, yn enwedig oherwydd bod y trydydd corff bron ar linell ffin dinas Caerdydd, ac roedd yr un peth yn wir am y ddau arall? Ac os oedd hyn yn wir, efallai y byddai'r corff nesaf – os bydd 'na gorff arall, cywirodd ei hun – yn dod i'r amlwg yng ngorllewin y ddinas? Ac os hynny, oedd yr heddlu yn ychwanegu at eu patrolau yn y rhan honno o'r ddinas?

'Am lond ceg o gwestiynau yn yr un anadl,' dywedodd Sandler, dirprwy swyddog y wasg, cyn cynnig y meic i Freeman.

'Alla i ddim dweud mwy na chadarnhau ble darganfuwyd y cyrff. Alla i ddim sbeciwleiddio ymhellach oherwydd ry'n ni'n gweithio ar sawl damcaniaeth. Ond diolch am eich cwestiynau ac i chi gyd am ddod. Y peth pwysig yw tanlinellu ein bod yn dal i edrych am dystion ac unrhyw ddeunydd dashcam o'r tri lleoliad, felly os gallwch chi ledaenu'r neges honno byddwn yn hynod ddiolchgar. Diolch eto am ddod.'

Heb os, dyna'r gynhadledd anoddaf i Emma orfod ei gwneud yn ei byw. Dylai'r ffaith ei bod hi'n sôn am ddau gyd-weithiwr ddim gwneud gwahaniaeth ond ar y llaw arall sut na fedrai fod yn anodd. Fe wnaeth y llofrudd ddosbarthu rhannau o'u cyrff, heb sôn am fod dau fys yn dal ar goll a neb yn gwybod a oedd pob un wedi ei wasgaru a bod rhai eraill yn aros i rywun arall ddod o hyd iddynt, efallai plentyn. O'r hyn roedd Emma'n ei ddeall am y llofrudd roedd y ffaith bod wyth bys yn unig yn y ganolfan siopa yn rhan o'i fwriad.

Wrth i Sandler gerdded i lawr y coridor yng nghwmni Freeman gofynnodd a oedd y boi o ITV gyda'i raffiad o gwestiynau yn agos at rywbeth pwysig neu ddiddorol. Nodiodd Emma, cyn cyffwrdd ei thrwyn gyda blaen ei bys i awgrymu na ddylai holi ymhellach.

*

Mae bywyd yn braf, meddyliodd Skelly ar ôl iddo ladd y barnwr, yn reit ddisymwth wedi'r holl oedi, ac yntau wedi bod yn ceisio pledio am ei fywyd ond ei chael hi'n anodd gwneud hynny oherwydd y tâp tyn o gwmpas ei geg fyddai ond yn cael ei ddatod i roi ambell ddracht o ddŵr iddo, neu damed o borc pei. Roedd Skelly yn hoff o'i borc peis and yn hoffi bargen, pan allai fforddio cynnig un i'r barnwr newynog. Y tro diwethaf iddo roi'r tâp du trwchus yn ei le, roedd wedi dweud hynny wrth y barnwr, yn blwmp ac yn blaen.

'Wel, dyma ni. Diwedd y daith, diwedd ein hamser pleserus yng nghwmni ein gilydd. Ac i chi, wel, mae'ch hamser chi ar y ddaear yma'n dod i ben. Amser i ystyried beth wnaethoch chi gyda'ch bywyd. Ydy'r byd yn lle gwell o'ch cael chi yma? O, wel, cwestiynau mawr a dim digon o amser nawr i'w hateb.'

Edrychodd ar ei oriawr gan wneud ychydig bach o sioe – y symudiad syml yn un dramatig.

'Wyth o'r gloch. Dyna'r amser mae'ch bywyd yn dirwyn i ben. Mae'n swnio mor normal – wyth o'r gloch – fel amser i gwrdd am ginio, neu edrych ar hoff ddrama ar y bocs ond dim y tro hwn. Oherwydd dyma awr olaf y cachgi halodd fi i bydru mewn carchar, i fod mewn cell am ddau ddeg tri awr y dydd. Oes 'da chi syniad sut mae hynny'n teimlo? Efallai bod e nawr, ar ôl i chi fod yn garcharor am ychydig bach? Ond sdim ots am hynny. Tic, toc fel maen nhw'n dweud.'

Stryglodd y barnwr i dorri'n rhydd o'r gadair ond erbyn hyn roedd ei gorff yn rhy wan oherwydd diffyg bwyd, ac efallai oherwydd y pryder diderfyn, i wneud mwy na siglo 'nôl a mlaen yn bathetig fel hen fam-gu mewn cadair siglo.

'Beth am i ni weud naw o'r gloch 'te? Ar ei ben. Mae hynny'n rhoi rhyw 59 munud i chi asesu'ch bywyd, cynnig gweddi fach i'r Iôr, i bendroni os oedd hi'n werth bod yn farnwr yn y lle cyntaf. Ond well i mi ddim llenwi'r amser gyda siarad gwag. Cyn hir bydd hi'n amser dweud y twdlŵ olaf. Dweud nos da am byth.'

Gadawodd y barnwr i stryglo'n wan ac ystyried gwerth ei fywyd yn ei funudau olaf. Cerddodd o gwmpas am ychydig gan fwynhau pob peth, blas y sigarét yn ei geg, sŵn yr aderyn yn canu ar frigyn uwch ei ben, y golau'n llifo'n ffrydiau bach rhwng y dail, yr holl bethau na fyddai'r barnwr yn medru eu sawru na'u mwynhau o hyn ymlaen. Gallai fwynhau pob peth bach am y rheswm syml hynny – na fyddent ar gael i'r Barnwr Andrews cyn hir. Tic, toc, tic, toc, meddyliodd, gan feddwl pa mor frawychus oedd y *countdown* roedd e wedi cychwyn. Byddai'r boi o leiaf yn pisho'i hun. O, diar. 'Na biti. Colli urddas cyn colli popeth.

Tynnodd y mwgwd oddi ar lygaid y barnwr a wnaeth flincio fel rhywun newydd ei eni, newydd stryglo allan i'r byd. Ac efallai bod eironi hynny'n chwarae rhan yn yr olygfa, y ffaith bod y golau yn dallu Andrews ar ddiwedd ei fywyd fel yr oedd ar y dechrau. Ond tra bod bydwraig groesawus wedi ei lapio'n dyner cyn iddo gael ei bwyso chwe deg wyth mlynedd yn ôl doedd dim byd ond oerni gaeafol yn llygaid y dyn maleisus oedd yn sefyll o'i flaen yn agor llafn y gyllell Stanley yn ei law, cyn dangos pa mor siarp oedd hi drwy dorri cwys ar hyd braich crys y barnwr.

'Mae'n amser...'

Mewn un symudiad sydyn, bron yn urddasol, dyma Skelly'n torri gwddf y barnwr ac yn cymryd cam gosgeiddig i ffwrdd o'r gawod waed sgarlad a ffrwydrodd rhwng y ddau fflap arswydus o gnawd. Slympiodd y corff ond ni chafodd Skelly y teimlad o foddhad yr oedd yn disgwyl ei gael. Efallai ei fod wedi adeiladu'r olygfa yn ei ben yn ormodol, edrych ymlaen gormod at y weithred olaf.

Er nad hon fyddai'r weithred olaf. Nawr roedd hi'n amser llosgi'r corff a gwneud hynny mewn ffordd fyddai'n sicrhau na allai neb ei adnabod.

Gwyddai taw'r peth pwysicaf i'w wneud oedd cael gwared ar y dannedd, felly aeth ati fel deintydd amatur i dynnu'r dannedd allan o'r corff. Ond nid oedd yn broses hawdd, nid yn unig oherwydd bod y wyneb a'r ên wedi dechrau rhewi dan effaith *rigor mortis* ond hefyd oherwydd nad oedd ganddo'r offer angenrheidiol i wneud y gwaith. Sylweddolodd wrth geisio tynnu un o'r dannedd blaen gyda phâr o bleiars na fyddai hyn yn gweithio gyda rhai o'r dannedd cefn oherwydd fyddai ddim digon o afael yn y pethau bach dieflig o stwbwrn, yn swatio yng nghefn ogof y geg. Ond cafodd Skelly syniad, ac aeth i chwilio am sgriwdreifer. Doedd dim angen i'r gwaith fod yn gymen, dim ond peri i unrhyw records deintyddol i'w adnabod fod yn ddiwerth. Aeth ati gydag arddeliad, i wneud y gwaith yn sydyn a chan nad oedd yn poeni am y modd yr oedd yn rhwygo'r dannedd o'u gwreiddiau. Ond roedd hi'n awr solet o dynnu a drilio a gorffennodd Skelly y gwaith yn laddar o chwys.

Gan ei fod yn shwps diferu, man a man iddo gario mlaen i adeiladu'r goelcerth. Er y gwyddai y byddai mwg yn denu sylw roedd e hefyd yn teimlo ei fod yn ddigon pell o bobman i fedru cael tân sydyn a ffyrnig heb fod yn ormod o broblem. Gwyddai fod y ffarmwr lleol wedi bod yn dod draw i'r ffens o bryd i'w gilydd i weld pwy oedd y dieithryn oedd wedi symud mewn i'r caban yn y coed ond gwyddai hefyd na fyddai'r hen foi yn dweud unrhyw beth wrth unrhyw un o nawr tan ddydd y farn oherwydd bod Skelly wedi bod draw i'w weld y noson gynt, ac roedd ei gorff yn gorwedd yng ngwaelod y seilo, y corff wedi ei bwyso lawr â cherrig, a phrin y byddai unrhyw un yn meddwl amdano yn fan'na. Hyd yn oed petaen nhw'n edrych byddai Skelly mewn gwlad arall erbyn hynny, ac yn dathlu'r ffaith ei fod e am sgubo Tom Tom o dir y byw. O, am reswm i edrych ymlaen at y dyddiau i ddod. Diwedd arno. Diwedd bywyd y dyn wnaeth ddifetha ei fywyd ef. Fe a'r barnwr. Ac roedd y barnwr wedi mynd. O, oedd.

*

Cerddodd Emma yn syth i'w char er mwyn gyrru draw i'r morg ac wrth wneud dyma hi'n ei chael ei hun yn gwenu oherwydd gallai ddychmygu hiwmor du Alun Rawson ar waith. Pan ddaeth draw i'r fflat yn Glanrafon i gynnal profion ar yr haen blastig ar y llawr, ac ar y welydd, bu'n rhaid iddi ei rybuddio rhag cracio jôc o unrhyw fath. Er ei bod hi wedi hen arfer â'i hiwmor cignoeth doedd yr un peth ddim yn wir am y plismyn oedd ar ddyletswydd wrth ddrws y fflat, na'r tîm fforensig ychwanegol oedd wedi dod draw o Heddlu Avon and Somerset.

'Ga i gyflwyno fy ngyfaill newydd? Ant. Prentis newydd.'

'Peidiwch â dweud eich bod chi'n cael prentisiaethau yn y morg.'

Gwenodd y dyn ifanc yn nerfus wrth i'r ddau drafod eu sefyllfa. Roedd y fenyw yn iawn mewn mwy nag un ystyr. Yr wythnos ddiwethaf roedd yn dysgu sgiliau adeiladu ac wedi bod yn codi wal ar dir unig uwchben Ynys-y-bwl a nawr roedd wedi ei drosglwyddo i weithio gyda Mr Rawson am wyth wythnos. 'Oes 'da chi stumog gref?' gofynnodd y fenyw yn y Ganolfan Waith iddo, heb fanylu nac esbonio'n drylwyr beth oedd ar ei meddwl.

Taenodd Rawson fenig dros ei ddwylo gan awgrymu gyda nòd bod Ant yn gwneud yr un peth. Aeth yn syth ar ei gwrcwd yn y gornel i weld sut roedd y llofrudd wedi gosod y plastig yn ei le, gan dybio taw yno oedd y lle gorau i chwilio am olion blaen bysedd.

'Dyma'r math o foi ddylai arallgyfeirio i lanhau tai pobl. Mae'n drylwyr iawn: prin fod unrhyw dystiolaeth solet, er bod digon o olion gwaed.'

Gyda hynny mae Rawson yn gosod y blwch powdwr i lawr ac yn tanio'i lamp uwchfioled gan ddangos y patshys mawr o waed wedi sychu, bron megis consuriwr yn gwneud tric i ddechrau'i sioe.

'Oops, missed some,' meddai Rawson ac roedd Freeman ar fin chwerthin a bu'n rhaid iddi ffrwyno ei hun wrth gofio bod dau blisman yn sefyll wrth y drws, a'r ddau ohonynt bownd o fod yn adnabod y ddau blisman oedd wedi colli eu bywydau yn y fflat lai na 24 awr yn ôl. Yr un plismyn oedd wedi cael eu darnio, eu torri'n ddarnau mân os oedd tystiolaeth y bysedd ar hyd lle yn y ganolfan siopa yn dweud rhywbeth.

'Bydd y ddau ohonon ni yma am ychydig oriau,' esboniodd Rawson wrth Freeman, 'felly gallwn gario mlaen hebddoch chi yn iawn.'

Oedodd wrth ddangos i Ant sut i weithio'r camera er mwyn tynnu lluniau o'r sbloetsys gwaed oedd yn amlygu'n las ar hyd y *skirting board* fel un o baentiadau Mondrian.

'Ewch chi i ddal y diafol yma,' awgrymodd Rawson, gan synnu Emma braidd gyda'i ieithwedd felodramatig. 'A pheidiwch poeni amdanon ni. Mae 'da ni frechdanau i'n cadw ni fynd. Tiwna a *sweetcorn*.'

Cymeriad oedd hwn, ond eto'n batholegydd gyda'r gorau, yn ddiwyd ac yn drylwyr ac yn deall ei bethau yn ddigon da i wybod pa mor hir y byddai job yn ei gadw yno i fod angen dod â brechdanau. Roedd Ant mewn dwylo diogel, a'r dwylo hynny'n sgleinio yn y golau uwchfioled oedd yn disgleirio ar y bysedd ifanc o fewn y latecs tyn.

Prin ei bod hi wedi cyrraedd y car pan gafodd alwad frys i ddweud bod rhywun wedi dod o hyd i gorff, neu rywbeth oedd yn ymdebygu i gorff ar erchwyn gogleddol pentref Creigiau. Dyn post oedd wedi dod o hyd iddo ac roedd yntau mewn sioc oherwydd roedd rhywun wedi gosod y corff i eistedd lan, ac yn gwisgo mwgwd clown a sgarff liwgar. Tybiodd i ddechrau taw rhyw fath o waith celf rhyfedd oedd e nes iddo sylweddoli ei fod yn edrych ar gorff dynol wedi ei losgi. Prin ei fod yn medru adnabod gwahanol ddarnau o'r corff ond doedd dim amser i ddyfalu.

Ffoniodd 999 ac aeth y neges ar hyd y gadwyn nes cyrraedd Emma a hithau yn ei thro yn ffonio Rawson i ddweud bod angen newid y cynlluniau ac awgrymu ei fod yn dod i gwrdd â hi unwaith roedd e wedi gorffen ei waith yn y fflat er mwyn edrych ar y corff diweddaraf. Esboniodd yn gyflym fod hwn wedi ei losgi, rhag ofn bod hynny'n newid y cit angenrheidiol ond atebodd Rawson yn ei ffordd broffesiynol o ddi-hid, 'Corff yw corff.' Er bod Emma yn gwybod yn iawn fod Rawson yn parchu pob corff fel byddai'n parchu person byw, roedd yn derbyn hefyd ei fod yn gorfod defnyddio hiwmor. Gwelai'r ddau ohonynt bethau gwael ac ochr waethaf dynoliaeth, ambell waith yn ddyddiol, ac roedd hynny ynddo'i hun yn medru troi'n fyrdwn mawr, yn faich anferthol ar ei ysgwyddau ac roedd y gags a'r direidi yn rhan o ddelio â hynny, o godi'r baich a'i gadw rhag mynd yn dwlali bost.

*

Dim ond Skelly sy'n gwybod yn union pam ei fod e wedi dod i'r Alban ac ar y foment dyw e ddim am rannu'r rheswm â neb – cael gafael ar nai Tom Tom ar ôl i'w griw dethol o fois ei herwgipio. Braf oedd gweithio o bell. Ond mae e'n gwenu wrth feddwl am ddiwedd ei gynllun, diweddglo i fywyd Tom Tom, sydd yn siŵr o'i chael hi os yw trylwyredd Skelly yn medru dod â phethau i fwcwl. O, mae'n llongyfarch ei hunan am y llanast mae e wedi gadael ar ei ôl. Roedd angen cael gwared ar gorff y barnwr mewn ffordd allai beri gofid ychwanegol i Tom Tom, oherwydd dyna oedd ei *raison d'être* mewn bywyd, y rheswm roedd e'n codi o'r gwely, y peth cyntaf ar ei feddwl a'r peth olaf cyn iddo gwympo i gysgu, pan fyddai'n breuddwydio am ladd Tom Tom. Obsesiynol? Pwy?

Gwahoddiad
i'r fyrwent

RHAN TRI
CROESO I'R ALBAN

Gwahoddiad i'r fynwent

R HAID IDDO ACHUB ei nai. Dyw Tom Tom ddim yn hoffi'r syniad o fod allan o'i gynefin, yn enwedig pan mae'n gorfod wynebu ei nemesis. Rhyfedd, dyma'r tro cyntaf iddo feddwl am Skelly yn y termau hynny. Ond mae'r ffordd mae e wedi bod yn anfon negeseuon ato, yn pryfocio ac yn gwawdio, wedi mynd dan groen Tom Tom. Ac mae'n gwneud pethau'n waeth ei fod wedi llwyddo i osgoi cael ei ddal – er gwaethaf ymdrechion lu ei gyd-blismyn – a does neb yn gwybod beth sydd wedi digwydd i Andrews. Dim ond bod neges gan Skelly wedi dweud: 'Wanted. New judge to take place of dead one.' Mae'r arbenigwyr ar faterion o'r fath yn credu gyda sicrwydd ei fod e wedi marw erbyn hyn ac roedd un wedi mynd mor bell â dweud ei fod e wedi cadw'r corff fel abwyd. Bod dal y barnwr yn rhan o'i gynllun dieflig.

Deall y dyn oedd y broblem fwyaf. Un noson, heb ddweud wrth neb, aeth Tom Tom i ymweld â'r tŷ lle digwyddodd yr herwgipiad, cerdded o gwmpas i geisio gweld y lle drwy lygaid Skelly, i geisio mesur y casineb fyddai'n gyrru rhywun i fynd mor bell, i geisio deall y math o falais fyddai'n suro dyn hyd at ei berfeddion. Ond roedd y dyn wedi treulio amser hir yn y carchar, ac roedd ffocysu ar ddial am yr holl amser yna fel crynhoi golau'r haul drwy chwyddwydr i lanio ar ddarn o bapur. Dwyster y golau'n troi'n wres, y papur yn crino a newid lliw nes ei fod e'n dechrau llosgi. Gallai Tom Tom ddychmygu'r gwres o ddicter yn casglu oddi fewn i Skelly yn ei gell ac yn ceisio gweithio mas y ffordd orau i ddinistrio bywyd Tom Tom ar ôl iddo gael ei ryddhau. Yn cyfri'r dyddiau wrth i dymheredd ei dymer godi fesul dydd, nes bod ei ymennydd ar fin mudferwi a'i benglog yn cyrraedd y pwynt ble roedd e ar fin ffrwydro fel llosgfynydd

Edrychodd ar y lle wrth grwydro'r ffens o gwmpas y berllan. Fyddai neb yn gwybod yr hyn ddigwyddodd yno, dim nawr bod y tâp heddlu wedi hen fynd, ac arwydd i ddweud bod y lle ar werth. Tosturiai dros yr asiant fyddai'n ceisio'i orau i osgoi esbonio hanes y lle ond oni bai bod y darpar-brynwyr yn dod o'r blaned Mawrth byddai'n anodd credu nad oedden nhw wedi clywed am y barnwr a aeth ar goll ar ganol cinio dathlu. Sut yffarn oedd Skelly wedi diflannu? A sut ar y ddaear oedd e wedi llwyddo i barhau i anfon negeseuon bygythiol at Tom Tom tra bod pobl yn cribo'r wlad ac yn gwneud eu gorau glas i ddod o hyd iddo? 'Does your nephew have a birthmark? I could cut it off and send it to you if you like.' A neges arall syml: 'Croeso i'r Alban/Welcome to Scotland. Where death resides.'

Roedd yr ateb i'r pos ynglŷn â sut roedd Skelly'n medru gwneud hyn i'w gael yn ôl yn y carchar, lle roedd wedi bod yn ddigon cyfrwys i gael gafael ar beth wmbreth o lyfrau ar gyfrifiadureg wedi iddo gofrestru ar wahanol gyrsiau i wella'i siawns o gyflogaeth. Drwy hynny dysgodd sut i ddefnyddio cadwyn o gyfrifiaduron pobl eraill heb i'r rheini wybod dim, a thrwy hynny medrai anfon negeseuon o lefydd cyhoeddus megis llyfrgelloedd. Felly, hyd yn oed petai rhywun yn dod i ddeall beth oedd yn mynd ymlaen a dechrau dilyn trywydd y gadwyn, byddai'n arwain at ddesg wag wedi ei defnyddio gan gannoedd. A phe bydden nhw'n ddigon trylwyr i ddilyn yr hanes o bwy oedd wedi bod yn defnyddio'r cyfrifiadur, fyddai hynny ond yn arwain at enw a chyfeiriad ffug.

Cafodd Skelly hwyl yn twyllo'r sensor, trwy gofrestru am wahanol gyrsiau allanol gan gynnwys hanes, a darllen syniadau Michael Collins am derfysgaeth a Mao Tse Tung a'i athroniaeth am ryfela. Hwn oedd y trobwynt. Mewn un llith fe ddywedodd taw rheol gyntaf rhyfel *guerrilla* yw dealltwriaeth o'r gelyn. Penderfynodd bryd hynny ddod i wybod popeth am Tom Tom a phopeth am y barnwr, gan gribo drwy bapurau dyddiol oedd yn llawn dop o'r stori am ddal gangiau cyffuriau yr Albaniaid, ynghyd â sawl ymddangosiad gan y barnwr mewn adroddiadau o achosion llys dros y blynyddoedd, gyda phatrwm clir o'r drwgweithredwyr yn mynd i lawr am flynyddoedd a dim un achos, hyd y gwelai Skelly, o rywun yn cerdded yn rhydd o'r llys.

*

Aeth Tom Tom adref i bacio ces yn gyflym ar gyfer trip o leiaf wythnos o hyd. Gobeithiai'n ddwfn yn ei galon na fyddai'n cymryd yn hir i ddod o hyd i'w nai ond roedd e hefyd yn cydnabod cyfrwystra Skelly. Roedd y dyn yma'n ei ddenu tuag ato, fel gwyfyn i gannwyll, a gallai hyn oll fod yn un trap mawr, fel roedd Emma wedi dweud. Ond roedd Tom Tom yn wyliadwrus, roedd y gair yn rhedeg drwy ei esgyrn fel enw mewn india roc. A hefyd pan oedd angen bod yn wyliadwrus tu hwnt roedd e'n mynd i alw gyda Marty i weld os oedd y cawr am ddod am sbin i'r Alban. Gwyddai na fyddai Emma yn hapus i glywed hyn, felly'r peth gorau oedd cadw'n dawel.

Oni bai ei bod hi'n gofyn yn blwmp ac yn blaen, ac yna byddai Tom Tom yn cyffesu'n rhydd a rhwydd.

Roedd Skelly'n eofn, doedd dim dwywaith am hynny. Roedd wedi anfon neges at Tom Tom 'for your eyes only' ond gallai ddangos y neges i Marty oherwydd roedd yn gyfaill bore oes ac yn rhywun y byddai'n ei drystio gyda'i fywyd ei hun a gyda bywyd Emma, yr oedd e'n ei charu fwy nag yr oedd e'n caru ei hun. Ond roedd hynny'n ddigon hawdd mewn un ystyr, oherwydd roedd ei hunan-barch yn isel. Doedd dim dwywaith bod cwrdd ag Emma wedi symud y dafol yn sylweddol. Prin y gallai gredu'r peth ambell waith. Sut oedd *loner* fel fe wedi llwyddo i gael perthynas gyda'r fenyw orau posib oherwydd, wedi meddwl, allai e ddim fod wedi cael perthynas ag unrhyw un y tu allan i fyd yr heddlu. Roedd y gwaith yn ei ddiffinio, a gallai anghofio am fwyta a chysgu os oedd achos yn ei feddiannu. Er mwyn deall a pharchu a dyfnhau eu priodas roedd e wedi gorfod addasu ei ffordd o weithio a'i ffordd o fyw, a hithau hefyd wedi gwneud yr un peth. Ond roedd hi wedi bod yn briod o'r blaen, ac wedi deall prydferthwch rhannu, ac roedd e'n dal i weld cysgod galar yn cwympo trosti o bryd i'w gilydd. Cofiai'r diwrnod hwnnw pan oedd hi'n dadbacio yn eu cartref newydd – wedi iddynt benderfynu taw'r peth gorau fyddai dechrau o'r dechrau ar aelwyd newydd. Byddai'n ffordd o ddatgysylltu atgofion Emma am ei diweddar ŵr. Ei gŵr cyntaf, a hithau wedi ei chael yn anodd cael gwared ar ei ddillad, ar unrhyw dystiolaeth amdano oedd ar hyd y lle. Cymerodd amser hir iddi symud ei esgidiau o'r drws ffrynt. Misoedd i ddechrau symud lluniau o'r ddau ohonynt. Ond bu'n rhaid iddi glirio cyn bod Tom Tom yn dod yno i fyw. Nid ei fod wedi gofyn am hyn. Ond roedd yn help. Clirio'r bwganod allan o'r tŷ. Cychwyn newydd ar bethau.

Roedd Marty yn ei ddisgwyl, wedi deall y byddai Tom Tom yn gofyn iddo am help ac amcan y byddai'n gofyn iddo fynd gydag e i chwilio am ei nai. Ambell waith roedd yn anodd osgoi'r syniad bod rhyw fath o delepathi rhyngddyn nhw. Fel yr adeg roedd boi yn sleifio y tu ôl i Marty gyda chyllell ac fel cysgod gwarchodol cyrhaeddodd Tom Tom a tharo'r gyllell allan o law'r ymosodwr a bwrw'r gwynt allan o'i asennau. Erbyn hyn roedd y naill wedi cael y llall allan o drwbl gymaint o weithiau nes eu bod nhw'n medru chwarae gêm o'r enw 'Sawl Gwaith Wnes i Achub dy Fywyd di, *Compadre*' a byddai hynny'n dod yn handi iawn wrth deithio lan i Glasgow.

Y peth cyntaf wnaeth Tom Tom oedd dangos y neges ddiweddaraf a gawsai gan Skelly, fel ystrydeb yn un o ffilmiau Hollywood.

Meet at Glasgow Necropolis. Wednesday night. Midnight. Use Wishart Street entrance where lock broken. Come alone or the scared man dies.

Roedd hi'n ddilema glasurol bellach – mynd ar ei ben ei hun neu fynd gyda Marty? Oedd y risg o gael cwmni ei gyfaill yn llai na cheisio delio â'r seicopath yma ar ei ben ei hun?

Ond eto roedd clyfrwch Skelly, ynghyd â'r ffaith fod Tom Tom wedi gweld Glen yn tyfu i fyny, wedi bod yno ar gyfer sawl pen-blwydd a sawl Nadolig, yn gwneud hyn yn bersonol iawn. Oedd yn golygu bod mwy o risg o bethau'n mynd o le. Felly byddai Marty yno. Yn gwylio'n unig, efallai. Ond os oedd unrhyw un yn gwybod sut i gadw'n dawel, a symud fel cysgod, Marty oedd y dyn hwnnw, er gwaetha ei faint. Cyffelybai'r cawr i ddawnsiwr bale – medrai fod yn annisgwyl o osgeiddig, a symud ar flaenau ei draed maint 15 ei esgidiau, fel bŵts clown mewn syrcas.

Penderfynodd y ddau fynd am yr M5, yna'r M6 cyn stopio i gael bwyd. Gyda phob milltir dwysaodd y pryder ym mol Tom Tom, gan geisio osgoi dychmygu beth oedd yn digwydd i Glen, ei nai, ac yn ceisio dileu'r geiriau 'scared man' oedd wedi eu plannu yno yn unswydd i achosi pryder. Roedd Skelly yn medru canu cloch Pavlovaidd y tu fewn i Tom Tom a gwyddai'r plisman yn iawn bwysigrwydd gwneud yn siŵr nad Skelly oedd yn rheoli'r sefyllfa, er yn yr achos hwn doedd dim dwywaith taw fe oedd yn gyrru pethau yn eu blaenau.

Maen nhw'n cymryd un gwyriad ar y ffordd, gan droi bant o'r A74 am ryw naw milltir er mwyn i Marty ymweld â rhywun mae'n adnabod sydd â'i wreiddiau yn isfyd troseddol yr Alban, *heavyweight* digyfaddawd sy'n rheoli'r traffig mewn a mas o garchardai i'r fath raddau bod rhai'n cyfeirio at ei wasanaeth fel Aldi'r gwasanaeth carchardai. Mae e hefyd yn ddwfn yn y fasnach gyffuriau ac yn enwog am y ffyrdd dyfeisgar mae'n delio ag anufudd-dod yn y rancs neu gydag unrhyw un sy'n ddigon ffôl i fentro ar ei batsh, sy'n anodd ei osgoi oherwydd mae patsh Stuart McGregor yn gymesur â'r Alban ei hun. Roedd McGregor wedi ennill gornest 'The Hardest Man in Scotland' naw mlynedd yn olynol, a chyn i Tom Tom ofyn y cwestiwn amlwg ychwanegodd Marty, 'Cystadleuaeth sydd wedi bod yn rhedeg ers naw mlynedd yn union.' Rhaid oedd iddo chwerthin.

Ar gyngor Marty mae Tom Tom yn aros yn y car, y tu allan i dŷ crand sy'n sefyll mewn erwau o erddi taclus y tu ôl i welydd uchel a gatiau mawrion fyddai'n gweddu i gastell ym Mafaria. Noda Tom Tom y nifer helaeth o gamerâu sydd ar hyd y lle, yn dystiolaeth fod y perchennog yn hynod, hynod wyliadwrus. Nid bod y camerâu'n ddigon. Mae dau ddyn yn sefyll wrth bortico'r tŷ, a'r pâr yn hysbyseb dda ar gyfer gorddefnydd o steroids. Mae eu gyddfau'n fwy trwchus na'u pennau, a chyhyrau eu breichiau'n rhoi straen ar eu cotiau mawr du, y math o beth fyddai cymeriadau mewn ffilm am Al Capone yn eu gwisgo.

Caiff Marty ei ffrisgio'n drylwyr ar y ffordd i mewn ac mae Tom Tom yn rhyfeddu i weld pa mor fach yw ei gawr o ffrind wrth iddo sefyll nesaf at lydanrwydd y *goons*. Mae Marty'n dweud rhywbeth amdano oherwydd mae'r ddau yn nodio i'w gyfeiriad. Gobeithia na fyddant yn dod draw i holi oherwydd mae casineb ambell grwc tuag at yr heddlu yn reddfol hyd at fod yn farwol, fel mae'n gwybod yn iawn o esiampl Skelly.

Wrth aros am Marty mae Tom Tom yn ffonio Emma i weld sut mae'r achos yn mynd, ac mae'r hyn mae hi'n esbonio yn peri syndod mawr iddo.

'O, ry'n ni'n cribo canol y dre yn chwilio am fysedd ein dau gyfaill. Llwyddon ni i adnabod un fodrwy briodas ar ei fys, oedd mewn bin tu allan i'r farchnad.'

'Yr un boi sy'n gyfrifol? Beth ddigwyddodd?'

'O'n i wedi eu hanfon draw i weld Maurice, ti'n gwbod, y boi o'n i wedi sôn wrthot ti ac roedd e wedi rhoi cyfeiriad rhywun oedd wedi prynu cleddyf yn gymharol ddiweddar – un fyddai'n matsio'r un a ddefnyddiwyd i ladd y dyn yn Llaneirwg. Ond dwi ddim yn siŵr beth aeth o'i le. Do'n i'n gwbod dim am eu hymweliad nhw â'r fflat yma yng Nglanrafon ond mae'n debyg eu bod nhw wedi cael eu lladd yno. Mae Rawson yn archwilio'r cyrff ar y foment, ond mae pob arwydd yn dweud eu bod nhw wedi eu gwenwyno.'

Amser newid y testun: roedd hyn yn rhy *grim*.

'Sut mae'r siwrne?'

Carlamodd calon Tom Tom am ennyd, gan wybod y gallai hi ofyn cwestiwn fyddai'n ei roi mewn picil, gan amlygu presenoldeb Marty. Gwyddai na fyddai'n synnu ond fyddai hi ddim yn hapus chwaith. Yn lwcus mae hi'n gorfod ateb galwad arall ac mae'r ddau yn cytuno i siarad eto ar ddiwedd y dydd. Pan maen nhw'n ffarwelio gall y naill glywed pwysau'r byd yn llais y llall.

Mae Tom Tom yn deialu'i gysylltiad yn Heddlu'r Alban er mwyn cadarnhau pryd fydd e'n cyrraedd a hefyd i weld a oes ganddyn nhw unrhyw *lead*. Mae'n gwybod y dylai ddweud yn syth ynglŷn â'r neges mae e wedi'i derbyn gan Skelly ond mae wedi penderfynu ceisio datrys hyn ei hunan. Wel, gyda help Marty. Oherwydd mae hyn yn bersonol, ac mae'n ysgwyddo'r baich hwnnw fel Atlas yn gosod pwysau'r byd ar ei ysgwyddau.

'McIlvanney speaking.'

'Tom Thomas here. How are you?'

Mae cwrteisi sgwrs rhwng dau berson sydd erioed wedi cwrdd na siarad â'i gilydd yn teimlo'n beth gwag gan ystyried y sefyllfa. Gŵr ifanc, Glen, wedi ei herwgipio gan ddyn sydd am ddal dig yn erbyn plisman o Gymru tra bod ei gyd-blisman yn yr Alban angen diweddariad o'r holl stori. Mae e wedi anfon e-bost ynghyd â chopi o bob ffeil ar Skelly'n barod, ac wedi dod i ddeall fod y dyn mor gyfrwys â llwynog ac yn hynod o ddansierus, ac yn rhyfeddu nad oes siw na miw am y barnwr fyth ers iddo gael ei gipio o'i dŷ. Nes dod o hyd i'w gorff wedi ei losgi'n ulw, neu gorff oedd yn debyg iddo o leiaf. Cyn hir byddai canlyniadau'r profion yn ôl.

Awgryma McIlvanney fod sefyllfa o'r fath yn anarferol, sy'n procio Tom Tom i esbonio fod y weithred wedi ei thargedu ato fe. Ei nai, Glen, yw'r abwyd ac mae'r trap wedi ei osod yn Glasgow. Mae'r plisman yn gofyn, yn naturiol ddigon, pam fod Tom Tom mor siŵr o hynny ac mae Tom Tom yn dweud ei fod wedi derbyn neges. Does ganddo ddim bwriad i ddangos y neges ddiweddaraf ond mae'r neges flaenorol ar ffurf *screenshot* sy'n datgan yn blwmp ac yn blaen:

Coming for you through the ones you love.

Pan dderbyniodd hwn roedd yn ddigon i drefnu clo newydd ar gyfer drws y tŷ a chadw gwn yn yr ystafell wely.

Tra bod Tom Tom ar y ffôn mae Marty mewn cyfarfod rhyfedd ar y naw. Pan mae Stuart McGregor yn ysgwyd llaw Marty mae'n teimlo fel petai ar fin troi ei fysedd yn ddwst er bod gan Marty ddwylo fel rhofiau. Credai tan nawr ei fod yn gryf ond mae'r boi yma ar lefel arall, ac mae'r un yn wir am ei lygaid hefyd, peli llwydlas sy'n asesu dyn i'w berfeddion, ac sy'n awgrymu ei fod wedi gweld pethau, wedi bod ar y cwch i ochr arall afon angau, a deall rhoi poen a derbyn poen. Mewn un edrychiad mae'n gosod Marty dan chwyddwydr, a deall ei fannau gwan pan nad oedd Marty'n gwybod fod ganddo fannau gwan.

'Who's the man in the car. A cop?'

Rhyfedda Marty ei fod e'n gwybod hyn. Sut ddiawl? Ond nid yw McGregor yn mynd i rannu ei gyfrinach, mae hynny'n amlwg.

'Let me introduce my associate Dr Fleming, known as Doc, except you wouldn't go to him if you needed medical advice, if you get my drift. But if you want to know your chemicals, your swedgers or your ice, know the good vallies from the bad jellies, then he is most certainly your man. He is a Doctor of Pharmacology and I cannot recommend his services enough. You want off your head, then the good doctor will get you there. You familiar?'

Wrth yngan y cwestiwn mae McGregor yn agor drâr yn

ei ddesg ac yn codi bag ohono. Mae'n arllwys pentwr bach o bowdwr gwyn ar wyneb gwydr y ddesg a dechrau ei drefnu'n llinellau taclus, twt.

'Before you ask, it's not coke. That's so last year. So *passé*. This is of our own devising, me and Doc, Doc and me. We're a winning partnership when it comes to his sort of jive. This is the very first batch of whatever we're going to call it. It's that experimental. But I won't ask you to take the first snort. After all you're a tourist and we wouldn't want to be killing the tourist trade.'

Gyda hynny mae'n snortio llond trwyn gan wneud sŵn fel tarw, ac mae Marty'n rhyfeddu bod dyn yn medru gwneud y fath dwrw.

'Now then, chick, tell me about this man, this Skelly you want us to find. First, I need to know why he's come here rather than lying low in Wales, and secondly I need to know how much damage you need doing to his head when we catch hold of his sorry hide. Your turn…'

Esbonia Marty bopeth mae'n ei wybod am Skelly a hefyd rhoi hanes byr ei berthynas â Tom Tom. Camodd tuag at y bwrdd fel carcharor yn mynd at ei swper olaf. Gwyddai fod yn rhaid iddo gymryd y stwff ond roedd yn amau oedd ei gorff yn medru delio ag e. Roedd y cawr o Sgotyn yn gwegian, ei lygaid ar fin byrstio mas o'i ben ac roedd yr ymdrech o yngan yr ychydig frawddegau wedi bod yn drech na fe. Roedd yn igam-ogamu o gwmpas yr ystafell heb reolaeth dros ei goesau na'i freichiau oedd yn fflangellu'n araf drwy'r awyr.

*

'Hm, aeth hwnna'n dda...' meddai Tom Tom, ar ôl helpu Marty i mewn i'r car, tanio'r injan cyn gwyro tua'r chwith i gyfeiriad y Travelodge lle tybia bydd yn rhaid iddo gael help i Marty gyrraedd y gwely. Gobeithia ei fod yn cofio beth ddywedodd McGregor. Ar yr un pryd mae'n gwybod ei fod am gadw pethau rhag Marty a McGregor hefyd.

Bywyd yn y fantol

Dyw Tom Tom ddim wedi teimlo ofn fel hyn, oerfel sy'n sigo yn ei stumog, ei galon yn cyflymu'n wyllt nes teimlo ei fod am fyrstio'n rhydd o gawell ei asennau. Ac mae'n teimlo hyn oherwydd nad yw'n siŵr os yw e wedi gwneud y penderfyniad iawn. Roedd ganddo ddau ddewis: dweud wrth yr heddlu a gadael i'w gyfeillion yn yr Alban wneud eu gwaith, gyda'r posibilrwydd ei fod yn cael caniatâd i'w cynorthwyo'n swyddogol. Ie, dyna'r ffordd amlwg. Ond teimlai fod hyn yn rhy bersonol. Wedi'r cwbl roedd ei nai wedi ei herwgipio o'i herwydd e a theimlai taw fe ddylai ddelio â'r mater.

Ond ymateb emosiynol oedd hynny a gwyddai fod emosiwn yn medru cymylu barn a dealltwriaeth, arwain at benderfyniad annoeth neu ymddygiad byrbwyll. Esiampl o hynny oedd siarad â Marty a dod ag e ar y daith. Oedd hyn yn gwneud rhywbeth annoeth yn fwy annoeth fyth? Pwy a ŵyr? Roedd yn rhy hwyr i bendroni nawr. Hanner awr wedi un ar ddeg ac roedd Tom Tom yn parcio'r car tra bod Marty yn cyrraedd mewn tacsi dair stryd i ffwrdd. Y cynllun oedd bod Marty yn sleifio – os yw'r gair yn addas i gawr mawr lletchwith a chyhyrog – i mewn i'r fynwent ddeng munud ar ôl Tom Tom gan obeithio bod Skelly yn ymddwyn fel *lone wolf* a bod ei holl sylw ar Tom Tom.

Os taw fe oedd yr abwyd roedd angen i Tom Tom wybod ble roedd ei nai cyn gwneud unrhyw beth, ac allai ddim bod yn siŵr y byddai Skelly yn dweud wrtho, neu ddweud y gwir wrtho, na chwaith wybod i sicrwydd ei fod yn dal ar dir y byw. Dywedai greddf ei fod e, am fod angen yr abwyd ar Skelly, a hefyd roedd rhywbeth amdano oedd yn awgrymu ei fod yn cymryd diléit mewn poenydio, ei fod yn ymddwyn fel cath yn chwarae gyda'i phrae, yn pawennu'n faleisus, heb fwriad o adael i'r llygoden fynd yn rhydd.

Cerddodd Tom Tom yn bwrpasol o araf tuag at ddrws y Necropolis, gan weddïo ei fod ar agor, oherwydd allai ddim dibynnu ar ddim byd ynglŷn â Skelly y tu hwnt i'w falais a'i angen am ei waed. Byddai Skelly yn chwerthin yn braf o weld Tom Tom yn darganfod bod y drws ar gau ond diolch i'r drefn doedd tywys y plisman i ddrws caeedig ddim yn rhan o'i fwriad. Gwichiodd y pren wrth iddo wthio ei ffordd i mewn a diolchodd ei fod wedi ymchwilio i'r ffordd o gwmpas y lle rhyw awr ynghynt. Roedd Skelly wedi rhoi man cwrdd penodol iddo, ac roedd yn gwybod y ffordd heb orfod defnyddio ei ffôn, gan dderbyn nad oedd llwybrau'r Necropolis wedi eu marcio ar Google Maps ta p'un.

Mae'r lle ar fryncyn isel ond amlwg, a rhai sydd wedi eu claddu yno wedi cael carreg fedd tra bod rhai eraill wedi cael cofgolofnau addurniadol ac urddasol, wedi eu casglu'n dawel ynghyd, fel pobl o farmor, neu fodau wedi eu rhewi'n wenithfaen, fel petaen nhw'n sibrwd â'i gilydd yn y nos. Mae fel y fagddu, er bod ewin o loer yn hongian yn y ffurfafen ond y golau hwnnw ddim yn ddigon cryf i oleuo dim byd ar y ddaear, ac yn sicr ddim yn llewyrch i lwybr Tom Tom wrth iddo weithio'i ffordd drwy'r dryswch o feddi gan orfod defnyddio'r golau ar ei ffôn o bryd i'w gilydd. Doedd y llwybrau i gyd ddim yn llyfn, gan awgrymu nad oedd pobl wedi bod wrthi'n cynnal a chadw'r lle yn ystod y cyfnodau clo.

Roedd weiars bach tyn o fieri yno hefyd, digon i faglu dyn, felly doedd Tom Tom ddim wedi cyrraedd y man gydag urddas ond o leiaf roedd y trafferthion ar hyd y ffordd wedi tynnu ei feddwl o'r hyn oedd o'i flaen. A fyddai Skelly yno? Gyda gwn? Arf o ryw fath? Ai'r awr hon oedd yr olaf yn ei fywyd? Byth eto i weld Emma, na bod yn ei choflaid saff? Dryswch o deimladau yn nadreddu dros ac ymhlith ei gilydd. Poenai hefyd am Marty sydd siŵr o fod wedi cyrraedd bellach ac wedi ychwanegu ei gysgod i'r cysgodion eraill, fel rhyw Incredible Hulk ar grwydr ymhlith y beddau. Yr Houldsworth mawsolëwm, fel cacen briodas ei siâp. Yr actor John Henry Alexander, gyda delweddau comedi a thrasiedi yn ei addurno. Mae Tom Tom yn adnabod hwnnw hyd yn oed yn y tywyllwch, gyda dim ond haenen o olau neon o ganol y ddinas i helpu'r llygaid. Ie. Trasiedi yw'r gair.

Ond does dim siw na miw o Skelly, a phan ddaw at fedd William Rae Wilson, yr awdur a'r fforiwr, mae'n disgwyl ergyd, fflach o rywbeth sydyn, siarp ond does dim ond bysedd y gwynt yn anwesu dail bychain y coed yw gerllaw, a sŵn ei anadl ei hun yn cymysgu'n rhythmig â'r awel fwyn. Dyw e ddim yn siŵr beth oedd e'n ei ddisgwyl mewn gwirionedd ac mae'r dryswch yn ei ben yn tanlinellu ei fod yn barod am unrhyw beth. Ond nid hyn. Efallai bod cyrraedd a chanfod dim byd o gwbl ddim ar ei radar, ddim yn un o'r posibiliadau roedd e wedi'u rhestru. Dechreuodd ddisgwyl neges ffôn gan Skelly ond doedd dim byd. Mewn un ffordd roedd hyn yn oruchafiaeth seicolegol i Skelly, yn ei ffordd roedd hyn yn wych. Cael Tom i yrru'r holl ffordd a'i orfodi i ddewis rhwng dweud wrth yr awdurdodau neu gael ei hun i drwbl drwy gadw'n *schtum* ynglŷn â'r cwbl lot.

Ond beth os yw Skelly yma, yn llechwra yn y cysgodion,

yn gwneud yn saff ei fod ar ei ben ei hun cyn symud? Mae'r oedi ynddo'i hun yn hunllef, yn enwedig o wybod bod Marty o fewn welydd crand y fynwent Fictoraidd, yn symud yn eithriadol o araf, fel rhith neu fel bwgan, oherwydd dyna yw un o'i sgiliau digamsyniol.

Teimla Tom Tom fod Skelly nid yn unig wedi chwarae gyda'i ben ond ei fod yn byw yn ei ben bellach. Mae'n poeni am ei nai dipyn mwy nag am ei fywyd ef ei hun, ac mae hynny wedi peri iddo fod yn esgeulus efallai, yn fwy parod i gymryd risg. A'r risg fwyaf yw ceisio delio â Skelly'n answyddogol oherwydd nid yn unig mae'n ffordd beryglus o weithredu ond mae e hefyd yn gwybod os bydd hyn yn dod i'r amlwg y bydd yn cael ei ddiswyddo yn syth, yn colli pensiwn ac unrhyw hawliau sydd ganddo, a bydd rhaid i Emma fyw dan y cwmwl du sy'n setlo dros eich pen os ydy'ch gŵr yn cael ei daflu o'r ffors fel petai'r Prif Gwnstabl yn bencampwr taflu'r waywffon. Nid yw am ei siomi hi yn y fath fodd – yn enwedig oherwydd bod ganddi ffydd ynddo, ond mae hyn yn rhywbeth personol. Dim ond fe all ddelio â Skelly oherwydd dyna'r unig beth mae Skelly ei eisiau. Fe. Fe, Tom Tom. Yn gelain farw. Yn y pridd.

Roedd rhywbeth athrylithgar ynglŷn â threfnu i gwrdd mewn lle fel hyn, lle mae sawr hen farwolaethau yn suro'r gwynt, a rhywbeth hyd yn oed yn fwy athrylithgar ynglŷn â'r ffaith fod Skelly wedi trefnu i gwrdd ac wedyn heb droi lan. Sy'n gadael Tom Tom mewn tipyn o benbleth. Beth nawr? Beth ar y ddaear oedd e fod i'w wneud nawr? Disgwyl am neges ar ei ffôn wedi ei hanfon o ryw *burner phone* fel byddai Skelly yn siŵr o'i ddefnyddio ac yn galw unwaith cyn taflu'r teclyn i fîn, neu i waelod afon Clyde.

Ond ni ddaeth neges, dim ond su'r gwynt rhwng dail tyn

y coed a churiadau ei galon yn swnio fel set o ddrymiau tympan.

Edrychodd ar ei oriawr. Byddai Marty yn y fynwent erbyn hyn, neu o leia'n closio am y wal. Meddyliodd am y cyfnodau hynny pan oedd e mor falch fod Marty yno wrth ei ochr, a'i reddf am beth i'w wneud pan oedd pethau i gyd yn eich herbyn. A gweithio ar ffin eithaf y gyfraith ac ambell waith yn croesi'r ffin honno oherwydd roedd delio ag ambell droseddwr yn galw am droseddu.

Ond heno, yn y Necropolis, doedd Tom Tom ddim yn siŵr oedd e wedi gwneud y peth iawn. Ai llwfrdra oedd wedi peri iddo lusgo Marty mewn i hyn? Angen bac-yp yn hytrach na wynebu Skelly ar ei ben ei hun? Dyna ffordd arall roedd Skelly wedi nadreddu i mewn i'w ymennydd – plannu'r cwestiynau yma oedd yn lluosi ac yn pentyrru wrth iddo sefyll yno mor ddiymadferth a di-glem ag un o'r cerfluniau marmor oedd yn ei amgylchynu.

Dim neges. Dim blydi dim.

Doedd Marty ddim wedi bod yn teimlo'n nerfus wrth iddo ladd amser yn y car cyn mynd draw i'r fynwent. Roedd ganddo ddanteithion pwrpasol, a fyddai'n berffaith ar gyfer setlo yn sêt y gyrrwr a gwrando ar ychydig o fiwsig, er ei fod yn gwrando trwy glustffonau rhag ofn bod y sŵn yn cario ar y gwynt. Byddai'n rhyfeddu ei hun weithiau pa mor ymlaciol y teimlai pan oedd ar fin gwneud jobyn fyddai'n siŵr o sgramblo nerfau unrhyw un arall. Ond roedd e wedi bwrw prentisiaeth gyda'r goreuon, bois caled, boed hynny'n gang arfog gyda shifs a chyllyll, neu gasgliad o'r drylliau diweddara y gallech eu prynu ar y we dywyll. Cafodd un wers bwysig gan ddyn o'r enw Tassell a ddywedodd wrtho fod ofn yn drysu ond bod dewrder yn cadw'r meddwl yn glir.

Cliciodd ar y Playlist roedd wedi casglu dros y blynyddoedd, caneuon wedi eu rhaffu at ei gilydd yn unswydd ar gyfer sbel hir yn y car. Ond y tro hwn gwyddai na fyddai'n gwrando ar fwy na phump neu chwech cân oherwydd dim ond ugain munud oedd ganddo cyn dilyn Tom Tom i mewn i'r fynwent. Shyfflodd ymlaen i'r miwsig mwy sidêt, stwff tawel ond nid mor dawel fel y gallai syrthio i gysgu. Roedd effaith y tri cebáb roedd wedi'u bwyta'n gynharach yn y noson – er mwyn rhoi egni iddo, fel y twyllodd ei hun wrth lowcio'r ail doner – wedi peri iddo deimlo'n flinedig. A nawr roedd y blinder hwnnw yn ymladd yn erbyn y lefelau adrenalin oedd yn bygwth codi'n wyllt wrth iddo gofio pwy oedd y tu ôl i welydd uchel y Necropolis. Tom Tom, ei gyfaill bore oes, a'i nemesis yntau, Skelly, oedd mwy na thebyg wedi lladd llond tŷ o bobl, ynghyd â'r Barnwr Andrews os taw fe oedd y corff a ddarganfuwyd. I ddelio â'r tensiwn rhwng bod ynghwsg ac effro agorodd ddau dun o Monster Ultra Energy a'u harllwys i lawr ei lwnc gyda'r un awch â pheintiau o Stella Artois ac roedd y rhain bron yn ddigon i wneud iddo deimlo'n well, ond ddim cweit, felly cafodd ddot bach cyflym o gocên, i fireinio'r synhwyrau a gwneud yn siŵr ei fod ar ei orau ac yn gwbl effro erbyn i'r gân olaf ddod i ben. Pump cân ac yna i mewn ag e. *Music for Airports*, Brian Eno. Y gan 'na gan Max Richter doedd e byth yn medru cofio'r enw. Blue rhywbeth. 'Warszawa' gan Bowie a dyma fe'n mynd drwy'r rhestr o bethau angenrheidiol yn ei bocedi. Gwn. Bwledi sbâr. Dwy gyllell, y ddwy wedi eu hogi'n unswydd. Bron ei fod yn eu hystyried yn ffrindiau iddo. Dirk a Dagger. Blydi hel, roedd ganddo hyd yn oed enwau iddyn nhw.

A dechreuodd y gân olaf chwarae, a Marty erbyn hyn wedi gorffen mynd drwy ei restr ac yn meddwl am y ffordd orau i gyrraedd y drws gan lynu at y cysgodion, i osgoi'r golau oedd yn drifftio draw o'r garej islaw. Mae'n cau drws y car yn dawel. Mae'n dechrau gwneud popeth yn dawel, gan ddychmygu ei hun wedi troi'n niwl. Pŵer yr ymennydd. Troi'n niwl yn ei ben. Drwy hyn gallai fod yn ysgafndroed, gallai symud heb yn wybod i neb – hen dric ddysgodd gan gyn-aelod o'r Foreign Legion oedd hefyd wedi dangos iddo sut i ladd dyn gyda phensil.

Gan fod 17 munud wedi mynd heibio mae'n cael sigarét cyn cychwyn am y drws ac mae'n mwynhau gweld y neidr las o fwg cyn ei sugno'n ddwfn i'w ysgyfaint. Dyw e ddim yn gwybod beth sy'n ei ddisgwyl ar ochr arall y wal ond petai'n ddyn crefyddol byddai'n gweddïo nawr. O'r hyn mae Tom Tom wedi'i ddweud, mae Skelly yn ddyn peryglus a hynny, yn anad dim, am ei fod mor ofalus. Gan amlaf mae seico'n siomi ei hun drwy anghofio cymryd pwyll, yn gweithredu ar reddf yn hytrach nag ar gynllun, ond mae Skelly'n wahanol, mae'n ddyn hynod ofalus, ac yn cynllunio ymhell ymlaen llaw er mwyn cadw cam neu dri ar y blaen. Tynna'r daioni olaf o'r sigarét cyn ei gwasgu dan draed.

Showtime

Er bod Marty yn ofalus does ganddo mo'r syniad lleiaf fod dyn yn disgwyl amdano, dyn sydd newydd anfon neges at Tom Tom yn rhoi gorchymyn iddo aros yn ei unfan. Ei gadw ble roedd Skelly am ei gadw, yn agos ond yn ddigon pell fel na fyddai'n medru clywed dim byd. Mae'r hyn mae Skelly ar fin ei wneud yn beryglus, ond mae e wedi penderfynu a dyna ni. Os achosi poen, man a man achosi'r poen gwaethaf, mwyaf, dwysaf posib.

Mae'n gweld Marty yn cerdded tuag ato ac mae'n anwesu'r rhaff yn ei ddwylo. Mae 'na ffyrdd haws o ladd, mae hynny'n sicr, ond mae'n hoffi'r ddrama a symboliaeth yr hyn mae ar fin ei wneud. Neu ar fin ceisio gwneud.

Dyw Marty ddim yn gweld y dyn wedi ei guddio uwchben y drws, yn rhannol am fod hwnnw'n lle mor rhyfedd, yn guddfan mor annisgwyl, ond felly yn effeithiol, bron ar ben y wal, ar blatfform solet o garreg lle gall Skelly blannu ei draed yn saff. Mae'n gadael dolen y rhaff i lawr yn araf, araf, gyda gofal rhywun yn symud bocs o wyau. Nawr, yr amseru sy'n bwysig...

Cama Marty drwy'r adwy a chyda hynny mae'r cwlwm yn disgyn dros ei ysgwyddau ac ar amrantiad mae Skelly'n tynnu'n dynn ac yn dynnach, yn defnyddio'i nerth i gyd. Mae wedi bod yn paratoi am hyn, gan wybod y byddai angen cryfder a chyflymdra arno. Mae e fel rhaffu'r Incredible Hulk ond mae e hefyd yn gwybod bod y ffaith ei fod wedi lapio'r rhaff o gwmpas brigyn mawr tew yn meddwl taw'r goeden fydd yn mynd i gymryd y straen.

Dyw Marty ddim yn medru anadlu nac yn deall beth sydd wedi digwydd iddo. Mae'n hongian yn yr awyr, yn ceisio cael ei fysedd i mewn i'r rhaff sy'n gwasgu ar ei wddf.

Tynna Skelly'n dynnach fyth, yn mwynhau'n gweld y cawr mawr yn hongian.

Mae'n gwybod fod bron popeth angenrheidiol i'r corff yn dod drwy'r gwddf – mae Skelly wedi bod yn darllen yn ddiwyd. Sut mae gwaed yn llifo drwy'r gwddf ac yn ôl drwy'r gwddf, sut mae'r cyhyrau a'r esgyrn yn y gwddf yn cynnal pwysau'r benglog, y ffordd mae'r aer a'r ocsigen yn gorfod pasio drwy'r tiwbiau bychain.

Mae Marty yn gwneud sŵn ofnadwy, i'r fath raddau bod Skelly'n poeni y bydd y gwynt yn ei gario, ond mae Tom Tom yn saff y tu ôl i fryncyn a thunelli o farmor cysegredig.

Mae Skelly yn gwybod nad oes gan wddf fawr ddim i'w amddiffyn, ei fod yn agored iawn i ymosodiad, a'i anatomi'n hawdd iawn i'w ddarnio, ac oherwydd ei bwysigrwydd yn y corff y byddai hynny'n farwol. Ond nid yw'n cofio pa mor hir mae'n cymryd. Nid bod ots. Mae'n mwynhau'r sbectacl o weld y dyn yn cael ei grogi wrth i'r rhaff dynhau oherwydd ei bwysau. Pob porc pei a pheint o lager wedi helpu yn hyn o beth. Wrth i'r rhaff dynhau eto, ac wrth i Marty wneud ei orau i dorri'n rhydd – dyw ei gryfder anhygoel yn dda i ddim os nad yw'r bysedd trwchus yn medru mynd rhwng y croen a'r rhaff – mae'r system aer yn cyfyngu gan dorri cyflenwad ocsigen i'r ysgyfaint. Bei-bei, Marty. Bei-bei. Ac mae ei bwysau'n gwasgu'r gwythiennau carotid, sy'n cludo ocsigen i'r ymennydd, wrth i Marty chwyrlïo'n wyllt fel pyped hyll. Dyn mawr ar ben ei dennyn.

Nawr beth? Ydy Marty yn marw o ddiffyg ocsigen? Neu a fydd y pwysau ar y gwddf yn arwain at drawiad ar y galon? Pwy a ŵyr beth sy'n digwydd! Llofrudd yw e, nid doctor. Llofrudd sy'n lladd ffrind gorau Tom Tom, bron o fewn cyrraedd iddo.

O diar, dyna sŵn poer a strygl ac efallai'r anadl olaf... A nawr mae'r ymladd drosodd ac mae'n amser i Skelly ei heglu hi. Lawr ag e o'r platfform, gan symud fel mwnci ysgafndroed. Cyn gadael y Necropolis mae'n cael munud fach i fwynhau'r olygfa, dannedd Marty yn ysgyrnygu wedi'r boen a'i wyneb yn barod yn dechrau rhewi i fwgwd marwolaeth. Mae'n tynnu llun, swfenîr bach sydyn, er bydd y llun yn siŵr o fod yn un na fydd Tom Tom fyth yn medru ei anghofio. Yn enwedig pan fydd e'n sylweddoli ei fod e'n ddigon agos i achub bywyd ei ffrind. Petai e ond yn gwybod.

Allan â Skelly i'r nos. Pan mae'n ddigon pell i ffwrdd mae'n anfon y neges dyngedfennol.

Anrheg i ti wrth y fynedfa. Lots of love. Skelly.

Mae'n taflu'r ffôn i ffwrdd i waelod sgip cyn camu'n bwrpasol i'r nos. Job done. Nos da, Marty. Croeso i dy hunllef, Tom Tom, meddylia'r llofrudd, sydd fel petai wedi chwyddo heno, yn un balŵn mawr o foddhad. Dyw cynllun yn werth dim byd oni bai ei fod yn gweithio. Ac mae'r anrheg i'r plisman wrth y drws yn dangos bod y cynllun wedi gweithio'n well na allai ddychmygu.

Cerdda Tom Tom draw i'r fynedfa gyda rhyw ysictod yn llenwi ei stumog. Mae'n anodd gweld y llwybr ar brydiau, felly mae ei gerddediad yn ofalus, yn bwyllog, er bod ei draed yn ysu i symud yn gyflym. Beth yw'r anrheg? Mae'r gair yn ei gyd-destun yn ddigon i rewi'r gwaed. A pham y Gymraeg? Dyw Skelly ddim yn defnyddio Cymraeg. Byth. Beth os taw corff ei nai sydd yno? Ac yntau wedi dod yma'n answyddogol, gyda neb i helpu ar wahân i Marty. Ond petai rhywun yn gwybod am Marty byddai hynny'n gwneud pethau'n waeth. Dipyn gwaeth.

Nid yw'r gair syfrdan yn ddigon i esbonio'r hyn mae'n ei deimlo wrth adnabod y corff sy'n hongian yno.

Corff y Barnwr

'MAE HWN YN edrych fel petai'r dyn ddim yn unig wedi sefyll yn rhy agos i'r barbeciw ond wedi cwympo ar ben y blydi peth,' meddai Rawson, wrth iddo asesu'r lwmpyn o olosg oedd yn edrych fel dyn, neu efallai dyn a edrychai fel darn o olosg, a thra bod ei gynorthwyydd Ant yn ceisio'i orau glas i stopio ei hun rhag chwerthin. Mae'n gwerthfawrogi'r comedi ymhlith y trasiedi ond oherwydd ei fod yn dal i ddod i adnabod y dyn a hefyd i ymgodymu â'r gwaith mae'n anodd gwybod ble mae'r terfynau. 'Ond blydi hel mae'r corff wedi ei losgi'n dda: mae e'n ulw bost.'

Maen nhw wedi gorfod gyrru ar hyd sawl trac cul a'r rheini'n cysylltu â hewlydd cefn gwlad lle mae brigau'r coed yn taro'n erbyn y car wrth basio. Dydyn nhw ddim yn bell o ganol Caerdydd, tua ugain milltir, ond mae'n lle diarffordd, allan ar lefelau Gwent, hanner ffordd rhwng y brifddinas a Chasnewydd, lle llawn ffermydd tlawd yr olwg a phentyrrau sgrap.

Mae Ant yn hoffi Emma Freeman oherwydd mae awdurdod yn llifo ohoni ac os ydy hi'n gwenu wrth i Rawson ddweud rhywbeth rhyfedd mae fel petai hi'n rhoi sêl bendith iddo yntau wenu hefyd.

Mae'n rhyfedd ei fod wedi diweddu yn gweithio gyda phatholegydd fel profiad gwaith. Roedd y fenyw yn y coleg wedi awgrymu ei fod yn mynd i weithio gydag adran parciau'r ddinas oherwydd roedd e wedi dweud ar y ffurflen gais ei fod yn hoffi garddio a doedd gan neb unrhyw syniad pam roedd e wedi derbyn gwahoddiad i weithio gyda Dr Alun Rawson yn y morg.

Pan maen nhw'n cyrraedd y man lle mae'r corff yn gorwedd mae Rawson yn tynnu lot o luniau ond yn dweud wrth Freeman – sydd newydd gyrraedd – bod angen cynnal profion manwl ar y corff cyn gynted ag y bo modd, gan ddweud ei fod wedi nodi lleoliad y corff, ac asesu ffyrnigrwydd y tân.

'Ffyrnig a hanner,' oedd asesiad Rawson. 'Fel bod mewn ffwrnes yn y gwaith dur.'

'Oedd e'n fyw?' holodd Freeman cyn iddi ddweud, 'Oherwydd mae gen i syniad pwy oedd yr anffodusyn.'

'Y barnwr Andrews?' cynigiodd Rawson gyda'i delepathi arferol.

'Dylsech chi fod yn blisman...' awgrymodd Freeman gyda hanner gwên.

'Allen i ddim côpio 'da gweld y pethau mae plisman yn gorfod gweld – y parcio gwael, y meddwdod ar nos Sadwrn, y curo yn y cartref.'

Gyda'r olaf o'r rheini dechreuodd Freeman amau ai tynnu coes oedd e ai peidio. Gwyddai fod Rawson wedi cael magwraeth anodd a bod ei dad wedi mynd i'r carchar am guro'i fam. Gallai yntau fod wedi troi mas fel tipyn o fwystfil gan taw dyna'r model oedd ganddo ynglŷn â sut i ymddwyn, ond roedd Rawson wedi mynd i'r cyfeiriad arall gan ei fod yn ddyn addfwyn a charedig, hyd yn oed gyda'r meirw. Cofiai Freeman unwaith ddod lawr i'r morg heb adael i Rawson wybod ei bod hi yno ac fe'i clywodd yn siarad â chorff gwraig oedd wedi bod mewn damwain car ddifrifol ac roedd cysur yn ei lais, yn murmur wrth lunio rhestr o'r anafiadau lu a cheisio gweithio mas beth yn union oedd wedi lladd y fenyw pan oedd cymaint o opsiynau. Safodd Freeman wrth y drws yn gwrando ar Rawson yn canu – nid canu wrth ei waith ond fel rhan o'i waith, sef cysuro'r meirw oedd yn ei ofal cyn bod rhai'n gadael mewn ambiwlans preifat neu'n cael eu gosod mewn oergell.

'Nawr 'te, Ant, rwyt ti ar fin gweld pa mor anodd gall pos fel hyn fod. Bydd angen ambell brawf ar gyfer pethau fel carbon monocsid i weld os oedd yn farw pan ddechreuodd y tân. Ond yn yr achos yma y dyn oedd dechrau'r tân. Mae'n edrych fel petai rhywun wedi arllwys rhyw fath o hylif drosto fe'n gyntaf, efallai petrol, er nad dyna'r peth cyntaf iddo'i wneud o ran paratoi. Rwy'n credu ei fod e wedi tynnu'r dannedd, sy'n gwneud pethau'n dipyn anoddach i'w adnabod. Ond os taw Mr Andrews gafodd ei rostio'n ulw mae 'na bethau eraill y gallwn ni wneud i'w adnabod yn bendant.'

'Fel beth?' gofynnodd Emma, oedd wastad yn mwynhau rhannu yn y broses yma, yn enwedig gyda Rawson, oedd ymhlith y goreuon. Roedd hi wedi gweithio droeon gyda'r Athro Bernard Knight. Y gorau ohonynt i gyd.

'Wel, dwi wedi cael copi o nodiadau meddygol Mr Andrews ac mae ambell beth all helpu… er byddai dipyn haws petai heb ei goginio mor drwyadl. Roedd ganddo osteoarthritis ac felly ma 'da ni ddelweddau pelydr X allai fod yn ddefnyddiol o ran matsio'r corff. Roedd e hefyd wedi torri ei fraich unwaith ac os awn ni'n ôl yn ddigon pell roedd e wedi torri ei sternwm yn chwarae rygbi ac o'r hyn alla i weld efallai bod digon o'r sternwm ar ôl i ymchwilio i hyn. Ma gwerth bywyd hir o nodiadau yma ac er bod 'na ddim unrhyw beth amlwg fel modrwy briodas neu datŵs neu ddannedd, mae siawns 'da ni. Mae'n anffodus bod mwy o niwed wedi dod i'w ran wrth i ni symud y corff ond mae bron yn amhosib gwneud heb fod rhyw ddarn yn cwympo bant... Mae'r tisw wedi llosgi nesa i'r asgwrn ac mae'n anodd iawn gwahanu'r naill oddi wrth y llall. Ond mae'n waeth pan mae pethau'n cwympo bant wrth i'r corff ddod yma yn y fan.'

Edrychodd ar ddarn o goes oedd mewn bag, ar wahân i weddill y corff. Ant oedd wedi symud y goes i'r bwrdd ac wrth iddo wneud roedd wedi dod ar draws darn o dystiolaeth, rhywbeth pwysig fe dybiai, ac roedd yn aros am y foment iawn i rannu'r wybodaeth gyda Rawson a Freeman. Roedd rhywun wedi defnyddio bag oedd yn digwydd bod ar hyd y lle, neu efallai ei fod wedi ei adael yno'n unswydd. Ond o, am gliw! Roedd Ant bron â thorri ei fol eisiau dweud am y peth.

'Nawr 'te,' dywedodd Rawson. 'Ry'n ni wedi cymryd samplau o'r ychydig bach o hylif oedd ar ôl yn y corff at ddibenion DNA. Does dim clips mewnol wedi llawdriniaeth, dim *pacemaker*, dim cliwiau handi fel rheini... Mae prostad i'w weld yn y delweddau yma, felly ry'n ni'n medru cadarnhau taw dyn sydd yma, ac mae maint y corff yn cadarnhau hynny hefyd. Mae 'da ni ychydig o gortyn yr asgwrn cefn sy'n help oherwydd y chwalfa sydd wedi bod yn yr esgyrn eraill.

'Mae'n jig-so, gyda phob darn yn werthfawr, ond yn brin o ddarnau. Os yw'r galon wedi llosgi mae'n bosib nad oedd gwaed wedi llifo o gwmpas y corff. Felly mae angen chwilio am hylif mewn llefydd eraill. Iwrin. Byddai iwrin fel darganfod siampên. Ond mae sampl bach o gortyn yr asgwrn cefn yn fwy tebygol yn yr achos hwn. Oherwydd lefel y difrod i bopeth, gan gynnwys yr organau mawr, gyda rhai ohonynt yn ddim byd mwy nag ulw. Ond mae hylif yn werth y byd. Pam, Ant?'

Roedd Rawson wedi rhoi ychydig o waith cartref i Ant

oherwydd roedd e'n hoffi'r crwt ac yn tybio ei fod y math o ddyn ifanc fyddai'n gwerthfawrogi her.

Edrychodd Ant ar goll am ennyd ond yna dywedodd, gyda chymysgedd o frwdfrydedd ac arddeliad,

'Er mwyn samplo i weld y ganran o serwm carboxyhemoglobin sydd yno.'

'A hwn yn help i neud beth?'

'I gadarnhau os oedd y person yn fyw cyn cynnau'r tân.'

'Da iawn. Dylet ti feddwl am astudio meddygaeth.'

'Mr Rawson, cyn cwrdd â chi, fy uchelgais oedd gweithio fel barista mewn rhywle fel Costa.'

'Be, y lle sy'n rhoi coffi mewn cwpan yr un maint â bwced?'

'Yr union le.'

'Gwell anelu at rywbeth uwch. Dwi'n credu byddai'r Awdurdod yn medru rhoi help i ti neud NVQs ac yn y blaen. Does dim rhaid cael gradd doctor i weithio yma.'

Edrychodd Emma ar y boddhad yn lledaenu ar draws wyneb Ant ond gyda hynny gwelodd fod Tom Tom yn ffonio. Esgusododd ei hun.

'Helô, cariad. Shwt mae pethau'n mynd?'

Gallai glywed o dôn ei lais fod rhywbeth mawr o'i le.

'Wyt ti wedi'i ffindo fe? Wyt ti wedi cael hyd i Glen?'

'Mae Marty wedi marw. Laddodd Skelly fe. Ac o'n i lathenni'n unig i ffwrdd.'

Prin fod Emma'n medru llunio ymateb. Doedd hi ddim yn gwybod bod Marty wedi bod yna, er ei bod hi'n amau.

'Beth ddigwyddodd?'

'Cafodd e'i grogi. Trap pan o'n i'n mynd i'r fynwent.'

Teimlai Emma nad nawr oedd y foment i ofyn pa fynwent. Roedd yn ddigon iddi dybio ei fod yn sôn am fynwent yn yr

Alban yn rhywle. Gwelodd fod Rawson ac Ant yn sefyll yn dawel wrth ochr corff y barnwr ac mi benderfynodd roi'r alwad ar sbicyr er mwyn i Rawson glywed yr hyn roedd Tom Tom am ddweud. Roedd angen rhannu byrdwn yr alwad.

'Gwranda, Tom, mae Alun Rawson gyda fi, ynghyd â gŵr ifanc sydd yma ar brofiad gwaith. Dwi am iddyn nhw wrando hefyd, oherwydd does gen i ddim ffydd yndda i fy hunan i gofio popeth, ac i brosesu pethau'n iawn.'

Roedd hyn mor wahanol i'r Emma oedd â ffydd gant y cant ynddi hi ei hun fel bod Tom Tom wedi meddwl ddwywaith cyn esbonio beth oedd wedi digwydd a hefyd ei fod mewn trwbl proffesiynol oherwydd doedd e ddim wedi dweud dim ymlaen llaw wrth yr heddlu yn yr Alban. Roedden nhw'n gandryll ac yn rhoi'r bai arno fe am golli Skelly ac am farwolaeth Marty ac yn amau eu bod nhw wedi colli cyfle euraid i gael hyd i Glen, yn fyw neu'n farw.

'Bydd achos disgyblu, wrth gwrs ond mae'n bosib bydd pethau'n waeth na cholli'n job a cholli fy mhensiwn. Ond sdim o hynny'n bwysig. Welais i gorff Marty yn hongian yn y nos...'

Gyda hynny dechreuodd Tom Tom udo, gan wneud synau o grombil dwfn ei fyw, sŵn annaearol bron, a doedd Alun Rawson hyd yn oed ddim yn gwybod beth i'w ddweud oherwydd gwyddai fod Marty fel brawd i Tom Tom, wedi bod wrth ei ysgwydd pan oedd pethau'n tyff. Prin ei fod yn medru credu'r peth. Ai'r diafol oedd Skelly? Sut ar y ddaear oedd e wedi llwyddo i grogi Marty – dyn â chanddo gryfder chwedlonol bron?

'Mae'n wir ddrwg gen i glywed am dy ffrind, Tom Tom. Roedd e'n ddyn a hanner a dwi'n gwybod ei fod yn meddwl y byd ohonot ti, fel roeddet ti'n meddwl y byd ohono fe. Oes rhywbeth allwn ni neud y pen yma i helpu? Ry'n ni wrthi ar y foment yn archwilio corff dyn, efallai'r Ustus Andrews, ond dwi ddim yn siŵr os bydd unrhyw beth i'w gysylltu fe â Skelly.'

Gyda hyn, mewn symudiad greddfol, sydyn, dyma Ant yn gofyn caniatâd i ddweud rhywbeth.

'Ddes i ar draws hwn mewn bag,' meddai, a chwarae teg i'r crwt roedd e wedi gwneud yn siŵr ei fod yn gwisgo maneg wrth afael yn y garden. 'Roedd e yn y bag ddefnyddiodd un o'ch cyd-weithwyr i gludo'r goes.'

Clustfeiniai Tom Tom ar y sgwrs, yn ceisio ei orau glas i ddeall yr hyn oedd yn mynd ymlaen, gan deimlo bod Marty yno, wrth ei ymyl. Udodd eto.

Cymerodd Rawson y garden o law Ant, a gweld taw carden fusnes Roland Andrews oedd e.

'Odych chi'n meddwl ei fod wedi ei osod fan'na'n bwrpasol, fel rhan o'r gêm ddieflig 'ma mae Skelly'n chwarae?' gofynnodd Rawson.

'Alla i ddim gweld esboniad arall,' atebodd Emma. 'Ond beth os taw Andrews ei hun roddodd e 'na?'

'Wel, dim ond un ffordd sydd i weld. Tybed oes olion bysedd ar y garden, neu dwtsh o DNA? Bydd y Mighty Wurlitzer yn rhoi'r ateb i ni'n itha *damn quick* galla i weud wrthoch chi.'

'A, ie,' dywedodd Tom Tom oedd wedi stopio llefain, 'y peiriant Touch DNA.'

'Dim ond ychydig o gelloedd croen sydd eu hangen, ac mae rhwbio yn erbyn rhywbeth, hyd yn oed bys yn cyffwrdd mewn carden fusnes yn aml yn ddigon i gael sampl dibynadwy. On'd yw technoleg yn anhygoel?'

Mae Tom Tom yn dal ar y lein, yn credu taw dyma'r sgwrs ffôn ryfeddaf erioed.

Tra bod Rawson yn paratoi'r sampl mae Tom Tom yn ceisio gweld pa iws yw hyn iddo fe.

'Cafodd Andrews ei losgi yn yr oriau diwethaf,' dywedodd Rawson, bron fel petai'n darllen meddwl Tom Tom. Os oedd e wedi drysu o'r blaen mae e wedi drysu mwy bellach. Oherwydd os taw Skelly oedd wedi lladd a llosgi Andrews sut ar y ddaear oedd e wedi llwyddo i gyrraedd yr Alban yr un diwrnod? Roedd Marty ac yntau wedi gyrru ffwl pelt a hyd yn oed wedyn roedd y siwrne wedi cymryd oriau lawer. Ac roedd Skelly wedi bod yn y Necropolis o'u blaenau, ac wedi paratoi'r trap yn fanwl. Roedd pethau'n bygwth mynd y tu hwnt i amgyffred Tom Tom. Gallai glywed synau bach oedd yn awgrymu bod Rawson wrthi. Yna clywodd eiriau pendant.

'We have a match,' meddai Rawson, yn ffug ddramatig. 'Mae olion bysedd Skelly ar y garden. Fe roddodd e yn y bag mae'n debyg.'

'Pryd yn union?' gofynnodd Tom Tom, ond ni chlywodd yr ateb oherwydd bod neges wedi dod i fewn. Neges wrth Skelly! Ac roedd Glen yn fyw oherwydd roedd clip fideo ohono yn dal cerdyn gyda dyddiad heddiw arno. Roedd ofn yn ei lygaid ond roedd e'n fyw.

Aeth y sgrin yn dywyll. Yna daeth y geiriau:

Helô eto. These are the meet coordinates. Last chance saloon, Sunbeam. I know you'll come alone because the gorilla Marty was just hanging about. Dewch dewch.

Cliwiau di-ri

Tom druan. Beth allai hi wneud i'w helpu? Am nawr roedd Emma am glirio ei meddwl a chanolbwyntio ar ei gwaith. Mae Tom Tom yn rhy bell i ffwrdd, ac mae'n amlwg fod rhywbeth arall yn mynd ymlaen yn yr Alban ond mae e wedi addo dod 'nôl whap.

Dyw Emma ddim yn deall pam roedd Skelly wedi cadw'r barnwr yn fyw cyhyd, ac yna wedi ei ladd a'i losgi yn y ffordd a wnaeth. Na sut aeth i'r Alban mor gyflym. Mae'n un peth i geisio cael gwared ar bob tystiolaeth o berson – mae hi wedi gweld hynny'n digwydd fwy nag unwaith – ond mae hyn yn wahanol. Tybia'n reit sicr taw Skelly wnaeth adael y garden, ond os hynny pam roedd e wedi ei adael? Ac yn ogystal â hynny, pa aelod o'r staff fforensig oedd wedi meddwl ei bod hi'n dderbyniol i osod coes person mewn bag roedd e neu hi wedi dod ar ei draws wrth fonyn perth neu ta ble roedd y bag yn gorwedd? Gwyddai fod safonau wedi disgyn ond doedd hi ddim yn fodlon derbyn eu bod nhw wedi diflannu'n gyfan gwbl.

Safai o flaen y bwrdd gwyn yn ceisio gwneud synnwyr o'r hyn oedd yn digwydd. Marty wedi ei ladd. Tom Tom yn y trwbl rhyfeddaf. Skelly yn cadw Andrews yn fyw am wythnosau – mae'n debyg mewn caban roedden nhw'n ei archwilio ar y foment, er bod Skelly wedi hen fynd. Allai hi ddim dirnad sut roedd y dyn wedi llwyddo i'w heglu hi i'r Alban mor gyflym. Dyna oedd y pos.

Ond roedd bwrdd gwyn arall hefyd, a nifer o bobl wedi awgrymu na ddylai'r un uned fod yn gweithio ar y tair llofruddiaeth unigol ond roedd Emma wedi darbwyllo'r bòs fod rhywbeth yn eu cysylltu, er na wyddai beth yn union. Ac oherwydd hanes hir Emma o ddatrys dirgelion a dod â llofruddwyr o flaen ei gwell, mi gafodd ei ffordd.

Canodd y ffôn, a gwelodd taw rhywun o Wylwyr y Glannau oedd yno.

'Freeman yn siarad.'

'Roy Watkins, Gwylwyr y Glannau Penarth yma. Ry'n ni wedi arestio warden Ynys Echni oherwydd roedd ganddo lond trol o gyffuriau yn ei feddiant. Mae'n debyg ei fod e wedi bod yn mewnforio canabis ar lefel ddiwydiannol i'r ynys ac yn gweithio 'da'r Barry Maffia.'

'Wela i,' dywedodd Freeman, gan ddeall nawr pam fod rhywbeth shiffti ynglŷn â'r boi. Ond ai rhywun oedd wedi croesi'r Barry Maffia oedd y dyn a laddwyd ar yr ynys? Doedd Rawson ddim wedi llwyddo i'w adnabod hyd yma er bod gorchymyn brys wedi mynd i'r patholegwyr deintyddol yn Ysbyty'r Waun i gael record ei ddannedd. Ychwanegodd lun o'r warden at fanylion y corff ar yr ynys gan ysgrifennu'r geiriau Barry Mafia mewn cylch gyda marc cwestiwn. Gwyddai fod ymchwilio i bob cyfeiriad yn bwysig ond roedd ei phrofiad yn awgrymu y byddai treulio gormod o amser ar y cysylltiad yn arwain i nunlle. Ond o leiaf roedd hi'n gwybod pam bod y warden wedi ymddwyn mor rhyfedd. Mae'n debyg bod y canabis oedd ganddo yn werth cannoedd o filoedd o bunnoedd. Gallai brynu pâr da o finociwlars iddo'i hunan, er ei bod hi'n rhy hwyr erbyn hyn. Edrychodd ar sgrin ei ffôn i weld a oedd neges arall gan Tom Tom, ond dim byd.

Teimlai ei choesau fel eu bod nhw ar fin troi'n jeli. Allai

hi ddim cofio pryd y llwyddodd i gysgu ddiwethaf, a nawr roedd llofruddiaeth Marty yn pwyso'n drwm arni, heb sôn am yr oblygiadau i Tom Tom. Pam ar y ddaear roedd e wedi penderfynu hepgor help yr heddlu lleol? Roedd cymryd Marty fel tynnu pin allan o'r grenâd llaw cyn ymweld â siop llawn tân gwyllt.

Poenai'n ddirfawr am ei gŵr, yn enwedig oherwydd ei bod hi newydd gael neges i fynd i weld y bòs, a theimlai fod a wnelo hyn fwy â Tom Tom, a'i ymddygiad byrbwyll na'r holl lofruddiaethau oedd yn llenwi'r byrddau gwyn. Roedd am ei gweld hi mewn ugain munud, felly roedd ganddi amser i bendroni ynglŷn â'r ffaith bod nid un ond dau lofrudd wedi ymddangos, fel petai ganddyn nhw rwydd hynt i grwydro yma a thraw heb fod neb yn eu gweld. Heddiw! Pan oedd camerâu ym mhobman, a thracyrs ar geir cyffredin hyd yn oed. Roedd e fel hela bwganod, oedd wir.

Llifodd ton ar ôl ton o flinder drosti a sylweddolodd fod yn rhaid iddi gysgu ychydig er gwaetha'r holl bryderon oedd yn ymgasglu oddi fewn iddi. Teimlai nad oedd Skelly wedi digoni ei hunan gyda lladd Marty, ac oherwydd ei bod hi wedi colli ei gŵr cyntaf gallai amgyffred y boen oedd yn chwistrellu drwy wythiennau Tom Tom ar y foment. Teimlai'r angen i'w ffonio eto, i fod yn gysur iddo ben arall y ffôn, ond roedd y nawfed a'r ddegfed don yn llifo drosti a hithau'n methu cadw ei llygaid ar agor. Doedd ganddi mo'r nerth i fynd adref, roedd angen iddi ddod o hyd i lecyn tawel yn HQ, ond roedd y lle fel cwch gwenyn. Ar ben popeth arall roedd ymweliad brenhinol, ac oherwydd bod y gweriniaethwyr wedi atgyfodi yn dilyn marwolaeth y Frenhines roedd tensiynau newydd hefyd. Roedd ganddi ddigon o lofruddiaethau ar ei phlât heb sôn am Marty druan. Marty. Druan. Gallai deimlo poen Tom o bell.

Ymlwybrodd fel sombi i'r ffreutur a throi am ystafell y Comisiynydd, gan wybod ei fod mewn rhyw ddigwyddiad oedd yn gysylltiedig ag ymweliad y brenin newydd. Pa! Cyfle i fesur ffiniau ei frenhiniaeth. Gwyddai farn Tom Tom ar y mater, gan wybod hefyd y byddai'n teimlo'n sur ynglŷn â hyn, petai ei galon ddim wedi hollti'n ddwy gan yr hyn ddigwyddodd yn y fynwent.

Heb yn wybod i Heddlu'r Alban maen nhw mewn ras, oherwydd mae Stuart McGregor wedi gosod pris ar ben Skelly ac mae'n bris godidog... Can mil! Ac oherwydd bod ei dentaclau mor hir ac yn ymestyn mor ddwfn i isfyd y wlad mae pob troseddwr a jynci, pob cyn-garcharor yn benderfynol o gael hyd i Skelly. Ac nid dim ond troseddwyr ond plismyn hefyd, oherwydd er gwaethaf holl ymdrechion y Prif Gwnstabl mae llygredd yn rhan o'r ffors, fel haenen ddu, afonig o chwant am arian, heb ots o gwbl o ble mae'n dod.

Felly, ar draws y wlad, ym mhob cwr, o Dundee i Stanraer, o Ynysoedd Heledd i hen ardal y Gorbals, mae'r helfa wedi cychwyn. Maen nhw'n gwybod ble i ddechrau ac wedi cael help gan nifer o bobl gyda thystiolaeth o'i weld ar ôl iddo adael y Necropolis. Roedd McGregor wedi gofyn i ddau o'i fois mwyaf clyfar i dderbyn y wybodaeth, naill ai ar rif ffôn arbennig, fel maen nhw'n ei wneud ar *Crimewatch*, neu drwy'r we dywyll, er nad oedd e'n deall fawr ddim am y math yma o dechnoleg i gyfathrebu. Ei faes e oedd cynnal masnach mewn ofn a bygwth, a chyn ei fod yn rhoi'r Skelly yma i'r cops er cof am Marty byddai'n gwneud yn siŵr fod ei wyneb yn un slwj, fel Shipham's Shrimp Paste, i fod yn fanwl.

Daeth galwad i mewn oedd yn swnio'n addawol iawn, gan ddirprwy reolwr mewn Travelodge, yn dweud bod rhywun oedd yn edrych yn debyg i Skelly wedi troi lan yng nghanol nos heb ddefnyddio cerdyn, ac er ei fod wedi esbonio nad oedden nhw'n medru derbyn arian parod roedd y dyn yn benderfynol, hyd at ymddwyn yn fygythiol. Ystafell 34. Byddai'n gadael drws y cefn y tu ôl i'r fynedfa dân ar agor. Mil o bunnoedd am y tip. Job done.

Rhaid oedd i McGregor sobri oherwydd roedd wedi cael noson ar y Chivas Regal ac roedd mwy o wisgi yn ei waed na gwaed. Ei ddymuniad oedd bod yn effro iawn pan fyddai'r bastard yma yn y fagl, felly cymerodd snorten neu dair o bowdwr da'r Doctor ac yna dechreuodd gyfarth gorchmynion i bawb, gan wneud yn siŵr bod o leiaf ugain o ddynion yn teithio i'r gwesty o bob cyfeiriad, ac i wneud yn hollol siŵr na fyddai unrhyw ffordd i ddianc. Os creu trap, wel, creu trap dibynadwy, heb na thwll na dihangfa.

Gyrrodd Max y Merc yn ddiffwdan i gyfeiriad y gwesty. Roedd yn adnabod y ddinas fel cefn ei law ac yn wir dyma'r rheswm pam fod McGregor wedi ei gyflogi am yn agos at wyth mlynedd. Yn yr amser hwnnw roedd Max wedi cludo un ar ddeg person yn y bŵt, a phob un o'r rheini ar y ffordd i lecyn diarffordd i gwrdd â dicter a thymer diarhebol McGregor. Pan fyddai rhywbeth fel yna'n digwydd byddai Max hefyd yn cludo'r corff i ffwrdd, gan amlaf i'w drosglwyddo i Horace the Geek oedd yn arbenigo ar gael gwared ar y fath dystiolaeth. Yna byddai'n mynd â'r car i gael gwasanaeth *valet* trylwyr nes bod y tu fewn yn edrych fel car newydd o'r ffatri. A phan nad oedd yn cludo pobl yn erbyn eu hewyllys roedd yn delifro cyffuriau neu amrywiaeth helaeth o negeseuon a pharseli, gan wybod yn iawn y gallai fynd i'r carchar am dymor hir iawn os digwyddai iddo gael ei ddal. Ond roedd yn rhan o rwydwaith McGregor ac roedd hynny'n gwneud i rywun deimlo'n saff oherwydd roedd McGregor yn bwerus, ei deyrnas yn anferth.

Wrth gwrs ymdrechai'r heddlu i'w rwydo ond roedd gan y dyn mawr ddigonedd o bobl ar y tu fewn ac roedd si ar led fod y Dirpwy Brif Gwnstabl yn ei boced hyd yn oed. Roedd hynny'n wir hefyd, fyth ers i lun o'r dyn wedi'i wisgo lan ym mharlwr tylino Hot-chix yn Perth ddod i'w feddiant. Un diwrnod eisteddodd McGregor gyda McDuff, ei gyfrifydd ffyddlon, a gwneud rhestr o'r holl heddweision oedd ar y têc ac roedd hwnnw wedi arllwys dros bedair tudalen.

Sdim rhyfedd bod pobl yn dweud fod gan McGregor fwy o ddylanwad na Nicola Sturgeon ac roedd hithau wedi bod mor ewn â sefyll lan yn y Senedd i ddweud bod angen cael gwared ar bobl fel McGregor, ei enwi er mwyn dyn, a bu'n rhaid i McGregor cael gair gyda rhywun i wneud yn siŵr na fyddai gwleidyddion yn ymyrryd eto. Sut oedd y Prif Weinidog i wybod bod ei pharti wedi bod yn derbyn arian brwnt, arian oedd yn dod yn unswydd o'r fasnach heroin. Gallai brofi hynny os oedd angen a chyda'r math yma o ddyfeisgarwch llwyddai McGregor i fod yn Public Enemy No 1 a chysgu'r nos heb ofni dim.

Hwn oedd y dyn oedd ar ei ffordd i'r Travelodge i droi bywyd Skelly wyneb i waered. Roedd y bois eraill wedi cyrraedd yn barod a doedd dim ffordd mas i'r gogledd, dwyrain nac i'r de tra bod dim ond wal hir i'r gorllewin, sef ffin baracs y fyddin, cartref y Black Watch lle roedd brawd McGregor yn uwch-swyddog. Cysylltiadau da, dyna beth oedd ei angen. A diffyg ofn. A lluniau o'r Dirpwy Brif Gwnstabl mewn dillad Natsi a wig fel Julie Andrews yn *The Sound of Music* oedd yn medru agor drysau cudd.

Byddai popeth wedi mynd yn berffaith oni bai am un snag. Wrth gerdded i edrych am y peiriant iâ i fynd gyda'r botel o fodca roedd Skelly wedi'i phrynu i ddathlu lladd Marty a niweidio Tom Tom mor ddwfn, clywodd sgwrs rhwng y rheolwr ar ddyletswydd a rhywun arall, a thrwy ryfedd wyrth neu ffawd garedig roedden nhw'n sôn amdano yntau. Felly roedd hi'n amser ei heglu hi ar ffycin fyrder ond roedd e bron yn rhy hwyr. Roedd car mawr du wedi'i barcio ym maes parcio cefn y gwesty a phedwar boi yn camu mas i ganol y golau neon a phob un o'r rheini yn cario gwn heb boeni dim.

Wrth iddo asesu'r sefyllfa sylweddolodd ei fod e mewn trwbl dwfn. Cyfrodd i dri cyn rhedeg i lawr y grisiau a thaflu un o'i gyllyll gorau at y rheolwr gan ei daro i'r llawr, y llafn yn diflannu'n ddwfn i fan o gwmpas y claficl. Dyna wers fach sydyn iddo gadw'n glir o unrhyw beth yn ymwneud â Skelly. Shit. Roedd dau gar yn tynnu lan yn y maes parcio yn y ffrynt, felly roedd dwsin o ddynion arfog i'w hosgoi a'r criw yn y ffrynt wrthi'n tynnu pethau allan o'r bŵt gan roi tri deg eiliad iddo wneud rhywbeth. Amcangyfrifai bod ei gar ugain eiliad i ffwrdd ond doedd dim amser i oedi. Rhedodd bron heb edrych, gan agor drws y car gyda'i declyn cyn neidio i mewn a thanio. Pedal i'r metal. Dim edrych i gyfeiriad y dynion rhag ofn eu bod nhw ar ei war ond wrth iddo droi tuag at yr hewl fawr gwelodd y ddau griw yn sgathru'n ôl i'w cerbydau.

Llwyddodd i gael y car lan i bum deg milltir yr awr o fewn eiliadau a chael rhyddhad wrth weld y ffigyrau'n dringo'n gyflym ond erbyn hyn roedd e'n medru gweld bod dau gar, nage, tri char yn ei ddilyn nawr ac yn dal i fyny. Blydi Kia. Roedd ganddyn nhw Mercs pwerus ac roedd ei gar e'n refio'n ddewr ond yn stryglo tua naw deg milltir yr awr, tynnu am y cant, ond roedd y tri char arall yn rhuthro ato fel cysgodion gwyllt a'r gyrwyr yn cŵl ac yn brofiadol tra bod Skelly yn tanlinellu ei fod yn amatur oedd heb yrru car am amser hir. A phetai hyn wedi bod yn gêm fideo byddai'r chwaraewr yn gwybod bod ffawd y car coch wedi ei selio wrth i ddau gar fynd heibio iddo, symudiad urddasol bron, gydag un yn slipo'n ôl a'r trydydd car yn tynnu'n dynn i gefn y car. Ond. Ac roedd yn ond enfawr ar ffurf lori olew, a honno'n ceisio osgoi'r car du oedd yn rhuthro tuag ati a dim lle i unrhyw un newid cyfeiriad heb adael yr hewl ac roedd corn y lori'n udo fel y diawl. Doedd Skelly ddim yn gwybod beth i'w wneud wrth i'r ceir ei amgylchynu a'i osod mewn bocs wrth i'r lori orfod newid lôn ar fyrder. Pwy oedd y rhain? O ble ddaethon nhw? Nid cops oedden nhw, roedd hynny'n sicr, ond doedd ganddo ddim amser i feddwl oherwydd aeth car i mewn iddo o'r ochr chwith gyda chratsh, a sŵn metal yn gwichian wrth iddo golli rheolaeth ac wrth i'w gar fwrw arwydd ac wedyn coeden, gyda'r bag aer yn chwythu lan wrth iddo golli ymwybyddiaeth. Welodd e ddim y ceir eraill yn arafu ac un yn troi rownd wrth i seirennau ceir yr heddlu ganu yn y pellter, nac ychwaith y mwg yn codi o injan y Kia wrth i ddau ddyn agor drws y car a'i lusgo allan – nid am eu bod yn Samariaid oherwydd roedd ei achubwyr yn bell, bell, bell o fod yn drugarog.

Edrychodd McGregor ar ei fois yn llwytho corff diymadferth Skelly i mewn i un o'r ceir cyn gorchymyn y lleill i dynnu sylw'r cops, gan wybod bod y gyrwyr yma'n mwynhau ras ar hyd y draffordd. Hyd yn oed os oedden nhw'n cael eu dal a mynd i'r llys cyn mynd i garchar, byddai McGregor yn gofalu am eu teuluoedd a byddai'n talu arian yn syth i'w cyfri banc a gwneud hynny am flynyddoedd os oedd raid. Oherwydd roedd McGregor nid yn unig yn rhan o economi ddu'r Alban ond, yn anad dim, McGregor *oedd* yr economi ddu.

*

Daeth Skelly ato'i hun mewn gwynder o boen. Hongiai gerfydd ei arddyrnau o gadwyn fetal rydlyd, fel y math o senario mewn ffilm gan Tarantino, bron fel petai'r olygfa wedi ei hysbrydoli gan *Reservoir Dogs*. Yn sefyll yn y canol mae McGregor sydd yn gwisgo masg weldio tra bod cyfaill iddo yn tanio'r peiriant oxy-acetylene ac mae gwynder y fflam yn matsio gwynder y boen yng nghyhyrau Skelly a'r gwynder hefyd yn ei lygaid. Ond dyw'r boen ond megis dechrau ac mae'r arbenigwr yn sefyll o'i flaen, yn edrych ymlaen gydag awch i wneud yr hyn mae'n gorfod gwneud iddo am grogi Marty. Roedd McGregor yn hoffi'r Taff yn fawr ac wedi mwynhau sawl noson wyllt yn ei gwmni dros y blynyddoedd. Byddai pob bys y byddai'n ei losgi a phob darn meddal o gorff Skelly a niweidiai er coffâd i'r cawr mawr. Ond cyn iddo ddechrau ad-drefnu roedd angen gwneud ychydig o baratoi.

'Skelly, you waste of a skin, can you hear me? I am going to burn my friend Marty's name on your back and some might think being branded in such a way was punishment enough but that will only be the start of your hard day's journey into night. Look at me, getting all educated, but it's better to be be burned alive bit by bit by someone who knows what he's doing than by some rank amateur. I have read my books about anatomy and the welder's manual and when you put those two knowledges together you have the recipe for maximum pain. Would you like a drink? You won't get one, I was just teasing. Right then, let's get these trousers out of the way...'

Torrodd McGregor goesau trowsusau Skelly gyda chyllell gan eu troi'n rhubanau a dyma fe'n cyfnewid y gyllell am y peiriant weldio ac aeth yn syth ati i ddechrau llosgi pen-glin chwith y dyn. Ac roedd ei floedd yn un i ddihuno'r meirwon. Oedodd McGregor. Rhan o'i dechneg. Beth oedd y pwynt o ladd y dyn yma'n sydyn? Roedd angen iddo ddioddef am mor hir â phosib. Tostiodd un garddwrn, a'r metal yn newid lliw yn gyflym iawn. Ac roedd aroglau gwallt yn llosgi a chnawd yn crino a gwaedd hir o wefusau Skelly yn addo ymestyn hyd at yfory. Yn anffodus fe wnaeth hyn ddenu sylw McGregor at y gwefusau ac roedd y peiriant yn creu sbarclers mewn parti pen-blwydd bellach, yn gweu patrymau wrth i Skelly udo cyn iddo golli'r gallu i wneud unrhyw sŵn. Gan fod McGregor wedi blino ar y sŵn roedd wedi troi gwddf y dyn yn dwll ac yn waeth na hynny roedd Skelly wedi sugno'r gwres dychrynllyd yma mewn i'w ysgyfaint gan gyflymu ras ei gorff tuag at y llinell derfynol. Bellach canai McGregor, dyn creulon yn hapus yn ei waith oherwydd drwy weithredoedd fel hyn cadwai ei barch a'i barchedig ofn wrth i bobl glywed amdano. Mae'n dechrau gweithio ar fysedd traed Skelly gan wybod nad oes ganddo lot o amser oherwydd mae wedi bod mewn sefyllfa gyffelyb o'r blaen a does neb yn para'n hir pan mae McGregor yn sianelu doniau ei dad. Oherwydd welder oedd ei dad: daeth o gefndir tlawd i droi'n fwgan cyhoeddus.

Munud. Mae'n cymryd munud arall i orffen y job ond megis dechrau mae'r broses. Yn gyntaf bydd McGregor yn trefnu amnest gyda'r cops, cyfnewid Skelly, a'r wybodaeth amdano er mwyn rhyddhau ambell un o'i ddynion o'r carchar, a bydd yn rhoi siawns iddyn nhw hefyd i greu stori eu hunain. Cofiai sut wnaethon nhw raffu celwyddau y tro diwethaf oherwydd roedd unrhyw beth yn well na chyfaddef bod McGregor wedi eu trechu ac ym marn nifer wedi arbed arian i'r system. Dim talu cyfreithwyr. Dim cadw neb yn y ddalfa. Dim achos llys allai bara misoedd a chostio miliynau. McGregor ddaeth o hyd i bedoffeil rheibus ac nid y cops, ac fe wnaeth yn siŵr ei fod yn dioddef cyn marw. Ond doedd yr heddlu ddim yn gwybod sut i esbonio'r marciau ar ei gorff, felly wnaethon nhw ei ollwng i'r môr yn bell o'r lan a dweud ei fod e wedi boddi. Yr heddlu ddywedodd hyn! Ac o'r dydd hwnnw roedd e wedi cyfrannu at eu hymgyrch i ddod â'r ystadegau trosedd i lawr – fe, y troseddwr gwaethaf oll.

Ydy un drwg yn gwrth-wneud drwg arall? Dyna oedd y cwestiwn ym mhen swyddog y wasg wrth iddo lunio datganiad yn llawn newyddion ffals. Yr un am Skelly'n boddi pan oedd e wedi cael ei ladd gan McGregor. Un diwrnod byddai'r twyll tywyll yma'n dod i olau dydd. Ond roedd McGregor yn cadw'r strydoedd yn saffach a doedd neb ymhlith yr heddlu yn amau ei fod wedi creu trefn newydd. Ond allai hynny ddim mynd ymlaen am byth a byddai dydd y farn yn dod, a phawb oedd wedi cymryd rhan yn y twyll yn cael eu cosbi. Mewn cyfnod pan fyddai pobl yn anghofio beth oedd gwir ystyr y gair.

Y diwedd

NID YW'R GAIR 'cynddeiriog' yn ddigon i ddisgrifio Prif Gwnstabl Heddlu'r Alban pan mae'n cwrdd â Tom Tom, ac er gwaetha'r ffaith fod dau blisman yn cwrdd ar gyfer cyfarfod proffesiynol mae Kenny Anderson yn methu rheoli ei dymer na llif ei eiriau cas a chondemniol. A does dim byd y gall Tom Tom ei wneud ond sefyll yna'n llipa wrth i'r Prif Gwnstabl Anderson restru'r holl bethau dwl mae e wedi eu gwneud sydd wedi arwain at golli ei ffrind, gadael i lofrudd ddianc a dod ag embaras ar Heddlu Cymru a thynnu enw Heddlu'r Alban drwy'r mwd. Ac wrth iddo sefyll yno'n gwrando ar sŵn y geiriau, oherwydd nid yw'n medru canolbwyntio yn ei alar, dealla Tom Tom yn glir fod ei ddyddiau fel plisman wedi dod i ben. Gwyddai hynny pan oedd yn cerdded yn ôl at y car i ffonio am ambiwlans ar gyfer Marty, ac ni allai ddisodli'r ddelwedd o'i wyneb a thyndra'r rhaff o'i feddwl, a sut roedd hynny wedi troi'r wyneb yn barodi hyll ohono'i hun.

Daeth neges i mewn ar ffôn y Prif Gwnstabl ac o weld y cynnwys bu'n rhaid iddo esgusodi ei hun a gwneud galwad sydyn. Newidiodd ei ymagweddiad ychydig wrth iddo drosglwyddo'r wybodaeth.

'They found this man's Skelly's body. It's being identified via DNA at the moment as there doesn't seem to be next of kin.'

'How?' oedd unig air Tom Tom, oedd ddim yn siŵr a oedd hyn yn digwydd wrth i flinder a galar a'r siom o orfod sefyll o flaen swyddog uchaf yr heddlu yn yr Alban yn cael cerydd am amhroffesiynoldeb, difaterwch a thorri pob rheol gymysgu'n un coctel o deimladau oedd yn bygwth ei anfon i berlewyg. Nid penderfyniad byrbwyll oedd dod â Marty i'r Alban: gwyddai'r oblygiadau a'r peryglon yn glir. Ond ni allai fyth fyth fyth fod wedi dychmygu hyn oll yn digwydd. A nawr, mewn llai na 24 awr mae Skelly wedi marw. Mae e eisiau gofyn a all e weld y corff, gan wybod ei fod yn edrych am y pendantrwydd fyddai'n dod gyda hynny, ond mae e hefyd am gael y pleser, y teimlad o gyfiawnder a'r ffaith fod gan y dyn ormod o *karma* drwg oedd wedi dod â'i fywyd sur, gwenwynig i ben. Ond gwyddai taw 'na' fyddai'r ateb, felly gofynnodd gwestiwn yr oedd gwell siawns o glywed y gair 'ie.'

'May I go to see my friend's body?'

'You can. I'll get the address of the Chapel of Rest. I'm sorry I was so stern with you but you'll also concur with me that you deserved it.'

'Yes, sir. I'll be handing in my resignation once I get back. And I can only apologise, though that seems far too inadequate.'

Mae'n ffonio Emma, galwad mae wedi bod yn ceisio'i hosgoi, oherwydd y peth diwethaf roedd e eisiau gwneud oedd achosi poen iddi. Nid yw ei llais yn swnio'n gyfarwydd rywsut.

'Maen nhw wedi dod o hyd i Skelly. Yn farw. Dwi ddim yn gwybod sut.'

'Wyt ti'n dod adre nawr? Dwi angen dy weld di, yn fwy nag unrhyw beth arall yn y byd.'

'Fedri di byth faddau i fi?'

'Dwi wedi maddau'n barod. Ond y cwestiwn yw a fyddi di'n medru maddau i ti dy hun?'

Oeda Tom Tom cyn ateb oherwydd does ganddo ddim syniad os bydd yn medru dod dros hyn ond mae ymateb

Emma yn galondid iddo. Bydd yna siom ac embaras ac efallai golli pensiwn yn ogystal â'i swydd. Teimla'r angen i gysgu ond daw neges i mewn tra'i fod yn siarad ag Emma. Neges wrth Skelly! Sut ar y ddaear?

> Here are the meet co-ordinates. Come at speed or you're one nephew down. Tell anyone and I'll split his throat.

Sut ddiawl? Sut gallai'r dyn marw anfon neges, ac yn gwneud hynny pan oedd e ar y ffôn gydag Emma, yr unig berson yn y byd y gallai ymddiried ynddi'n llawn nawr bod Marty wedi trigo? Roedd ei ben mewn sbin. Byddai'r blinder ynddo'i hun yn ddigon i wneud iddo amau ei allu i wneud sens o bethau ond nawr roedd e'n gorfod gwneud un penderfyniad enfawr tra'i fod e ar y ffôn gydag Emma.

Esboniodd wrthi ei fod yn gorfod mynd ac y byddai'n ffonio'n ôl mewn hanner awr.

Dweud wrth yr heddlu neu fynd ar ei ben ei hun? Mynd ar ei ben ei hun neu ddweud wrth yr heddlu? Ond roedd yr heddlu lleol yn grac ar y naw.

Cerddodd ar goesau o blwm allan o bencadlys yr heddlu lle teimlai fod pawb yn edrych arno ac yn ei gollfarnu oherwydd roedd y si wedi mynd ar led. Prin ei fod yn medru codi ei ben. Dyma ddyn oedd wedi gweld ei fyd yn troi wyneb i waered a nawr roedd dyn marw yn anfon negeseuon testun ato. Os gallai gyrraedd diwedd y dydd heb fynd yn wallgo byddai hynny'n fonws. Cyrhaeddodd le bwyta eitha swanc yr olwg gan wybod bod angen coffi cryf iawn cyn gweld i ble'r oedd yn mynd.

Gofynnodd am Americano gyda dwy siot ychwanegol cyn ymchwilio manylion y man cwrdd. Cape Wrath. Sutherland. Roedd 'Skelly' am gwrdd mewn llecyn diarffordd, reit yng nghornel gogledd-orllewin yr Alban, lle roedd arfordir y gogledd a'r gorllewin yn cwrdd. Byddai'n cymryd pedair awr i gyrraedd yno a byddai'n rhaid iddo fynd ar fferi ac yna fws mini. Gallai weld nad oedd y person oedd yn defnyddio ffôn Skelly yn poeni dim am gael ei adnabod, na chwaith gwrdd mewn man lle doedd dim dihangfa. Un ffordd i mewn, felly un ffordd allan. Allai ddim cofio ble roedd y car, y blinder yn golchi drosto fel tonnau. Ceisiodd ei orau i ganolbwyntio ond roedd y syniad o yrru am oriau ar ben popeth arall yn gwneud i'w feddwl chwarae triciau, bron yn feddw gyda'r angen i gysgu.

Gofynnodd wedyn am *espresso* dwbl a chyda hynny cofiodd fod y car yn yr NCP a heglodd hi yno. Wynebai'r dirgelwch mwyaf. Pwy oedd yn disgwyl amdano? A ddylai ddweud wrth Emma? Am y neges? Am y daith drwy un o ardaloedd mwyaf diboblog, gwyllt ac unig Ynys Prydain, heb na chwmni nac arf na fawr ddim gobaith o ddychwelyd? Ond rhaid oedd mynd. Rhaid oedd ateb yr alwad. Er cof am Marty. Oherwydd datrys pethau oedd ei waith.

Gyrrodd ar *autopilot* gan adael maestrefi Glasgow a'r stadau diwydiannol llwyd a dilynodd yr arwyddion ymlaen am Stirling a Dunblane. Gan amlaf byddai gwrando ar fiwsig yn helpu ond roedd e'n teimlo'n rhy drist a rhy hesb i wneud dim byd ond canolbwyntio ar y ffordd o'i flaen a gwneud yn siŵr nad oedd yn cwympo i gysgu. Ond roedd y demtasiwn i gau ei lygaid bron yn drech nag e, yr arwyddion ffyrdd yn toddi'n un wrth i'r tirlun newid yn nyffryn afon Spey wrth basio Inverness, lle stopiodd i gael petrol a phedwar can o *energy drinks* i'w gynnal wrth symud ymlaen i gyfeiriad Dingwall ac Ullapool. Byddai'n cyrraedd diwedd ei daith, neu o leiaf y darn o'r daith y gallai wneud yn y car, o fewn hanner awr ac er ei fod wedi cael amser i feddwl, allai ddim dechrau darogan yr hyn fyddai'n ei wynebu. Roedd y tirlun wedi newid, wedi crino, a Tom Tom yn cael y teimlad taw fe oedd yr unig berson yn y byd, wrth i'r car basio unigeddau corsiog a llynnoedd bychain wrth y fil. Gyrru heibio miloedd o lynoedd bychain, a gwair brown wedi ei losgi gan y gwynt.

Parciodd y car a bron iddo benderfynu ei adael ar agor oherwydd roedd teimlad yng nghrombil ei fod nad oedd e'n mynd i ddod 'nôl. Doedd gwên hael y dyn wrth lyw'r fferi fechan dros y Kyle of Durness ddim yn ddigon i'w ddarbwyllo.

'We haven't seen anyone around here for a long time what with the COVID and the weather and everything. You're our second lucky customer of the year, the other one took the earlier boat over,' esboniodd y dyn, oedd wedi ei wisgo ar gyfer trip i'r Antarctig, mewn sawl trwch *oilskins* a *sou'wester* fel rhywbeth i'ch cadw'n sych mewn teiffŵn.

'Lucky, how?' gofynnodd Tom Tom wrth i'r cwch bach siglo'n wyllt ger y cei.

'You get the trip for free.'

'No way,' dywedodd Tom Tom, 'especially if you've had so few customers.' Estynnodd bapur ugain punt gan fynnu nad oedd angen newid arno.

Wedi'r cyfnod anodd heb gwsmeriaid roedd y capten yn hapus i dderbyn.

'When did the other customer arrive?' gofynnodd Tom Tom. 'And what did he look like?'

Doedd y disgrifiad ddim yn debyg i Skelly o gwbl. Tyfodd y dirgelwch yn ddyfnach ond o leiaf roedd Tom Tom yn gwybod bod rhywun yno yn ei ddisgwyl. Showdown. Datgysylltodd y rhaff a thanio'r injan cyn bod y cwch bach yn pesychu ei ffordd allan o'r harbwr. Ffyrnigodd y tonnau a diolchodd Tom Tom fod y siwrne'n un fer. Canai'r capten nerth ei ysgyfaint, gan frwydro yn erbyn sŵn y gwynt, geiriau'r Proclaimers yn cael eu lluchio'n ôl tuag at y tir mawr, y nodau fel conffeti.

Ond nid y fordaith sydyn oedd diwedd y siwrne. Roedd angen mynd ar y bws mini i gyrraedd goleudy Cape Wrath a hwnnw'n sefyll fel sentinel unig ar ben rhai o'r clogwyni uchaf ym Mhrydain. Tirlun operatig oedd hwn, aria wyllt o greigiau geirwon Clo Mor yn disgyn yn serth ac yn ddramatig i dymestl o fôr berw lliw Chartreuse.

Cafodd gyfle i holi'r gyrrwr am y teithiwr arall ond ni chlywodd unrhyw beth allai fod o werth iddo. Ceisiodd raffu'r ffeithiau amdano oddi wrth ddyn y fferi a'r gyrrwr bws ond doedd dim gwerth. Doedd ei ffôn ddim yn gweithio, a'r gyrrwr yn dweud bod yr unig signal un bar ar fryncyn rhwng tri llyn rhyw ugain milltir i ffwrdd.

Meddyliodd Tom Tom am Emma ac am ei dewrder yn delio â'r maffia o Albania a marwolaeth ei gŵr, ynghyd â'r holl waith ditectif gwych. Dyma'r fenyw roedd e'n ei charu, a theimlai hynny i'r byw. Gwyddai y dylai fod wedi dod ag arf o ryw fath, y dylai fod o leiaf yn medru amddiffyn ei hun pan gyrhaeddai ddiwedd y daith. Un ar ddeg milltir i fynd cyn cyrraedd y goleudy, ac wrth siarad â Denny y gyrrwr darganfuodd ei fod yn cario dryll bob amser oherwydd wyddai e ddim pryd fyddai siawns i saethu gŵydd wyllt neu rywbeth arall blasus i swper.

'I take it you'll want me to wait for you, as I can't see a tent or anything,' gofynnodd Denny.

'I guess so,' atebodd Tom Tom, gan deimlo'n ddewr ac yn ansicr yr un pryd.

Cyrhaeddodd y bws mini'r maes parcio bychan. Tu allan roedd y gwynt yn fflangellu weiren bigog y ffensys ac yn codi sŵn gwichian unig, fel bwgan asthmatig.

Cyrliodd Denny lan ar y sêt flaen gan dynnu ei got parca'n dynn o'i gwmpas, fel dwfe.

*

Camodd Tom Tom allan i deimlo min y gwynt fel rasel. Gallai weld ffigwr unig yn sefyll wrth y goleudy, ac wrth iddo nesáu gallai weld y dillad du roedd capten y fferi wedi'u disgrifio a hefyd fod y boi'n weddol ifanc, fel soniodd Denny. Cariai fwa o gleddyf ar ei gefn.

Bu'n rhaid iddo gyfarth ei gwestiwn mewn i ddannedd y gwynt.

'You're not Skelly, so who are you? And what do you want?'

Agorodd y dyn ei got ledr gan ddangos ei fod wedi ei orchuddio â phlu. Safai rhyw bum llath o ochr y clogwyn gan greu teimlad cryf o fertigo yn Tom Tom.

'I am the black angel and I am Skelly's son. You have been looking for me for as long as I have been preparing to meet you. And here we are. In the place of wrath.'

Mab Skelly. Roedd hynny'n esbonio sut y cyrhaeddodd yr Alban mor gyflym, meddyliodd Tom Tom, ei feddwl ar ras.

Mae'r dyn yn amlwg yn cymryd diléit yn ei ddilema.

'Now then. Do you want to speak to your nephew? He's perfectly safe, somewhere. Though I guess it's the somewhere that's a fucker. It's for me to know and you to not know.'

Deialodd ar ei ffôn a daeth llun o Glen lan yn syth.

'Tom Tom. Helpa fi!' y llais yn fach ond yn llawn ofn: roedd yn ddigon i siglo bywyd Tom Tom. Camodd at y dyn mewn du er mwyn cael y ffôn o'i law.

Ond dyma'r dyn yn rhuthro tuag ato a gafael yn dynn yn ei

arddwrn cyn ei dynnu'n gyflym tuag at erchwyn y byd, y graig dan droed yn sgrialu'n bowdwr wrth i fab Skelly ei dynnu dros y terfyn. Ei lais yn cael ei daflu i'r pedwar gwynt.

'Eeemmmaaa!'

*

Mae Emma'n cael braw o glywed, neu ddychmygu clywed llais ei gŵr, llais Tom Tom fel petai'n gweiddi'n sydyn yn ei chlust, yn gweiddi ei henw'n uchel, er bod y llais ei hun yn swnio'n fain, yn bell iawn i ffwrdd, a'r llais hwnnw'n mynd yn wannach wannach yn sydyn iawn, cyn distewi'n llwyr. Gan adael sŵn gwag fel y bedd yn ei chlust, fel sŵn absenoldeb. Gan adael gwacter y tu fewn iddi fel petai'n gwybod bod rhywbeth gwael iawn, iawn wedi digwydd iddo. Ambell waith mae ei greddf yn medru teimlo fel melltith. Pan mae'n gwybod i sicrwydd fod rhywbeth annioddefol o boenus wedi digwydd i rywun mae'n ei garu. Sydd wedi digwydd iddi ddwywaith. Ei gŵr cyntaf. A nawr Tom Tom. O ie, mae hi'n gwybod. Yn ddwfn yn mêr ei hesgyrn. Yng nghalon ei bodolaeth.

*

Wrth i'r corff gwympo disgwyliai'r angel y byddai yntau'n hedfan yn rhydd, y gwynt yn ei gipio dros yr ymyl ac yna byddai'n hedfan uwch yr Iwerydd… Ond syrthiodd fel carreg, ei blu du yn gwasgaru drwy sŵn y gwylanod, yr adar oedd yn gwylio Tom Tom wrth iddo ddysgu'r wers fawr, yr un elfennol, cyn i'w gorff gael ei ddryllio yn llanast o berfeddion ar y cerrig tywyll oddi tano.

Peth byr a bregus yw bywyd. A dydych chi byth mor bell â hynny o'i ddiwedd.